U0114347

當代觀察 8

第三勢力

 博客思出版社

少君　著

目錄 Contents ｜ 第三勢力

一、第三勢力

　　在歷史上，中國共產黨習慣把與自己理念不同的黨派、組織、派別，歸類為敵對勢力。在其初創時期，他們稱帝國主義、封建資本主義、官僚買辦階級為三座大山，是他們面臨的主要敵人[1]。這種觀念延續到五十年代，他們又將敵對勢力的含義做了大幅度地修正，這時的三座大山變為三種反動勢力：美帝國主義、國民黨反動派、地富反壞右[2]。八十年代以後，世界局勢以及中國大陸的社會結構均發生了巨大的變化，中國共產黨像頻繁修改其黨章一樣，再一次修正了敵對勢力的含義。他們將它們劃分為三種勢力：第一勢力定義為「西方資本主義國家的敵對勢力」，第二勢力定義為「臺灣、香港和澳門的敵對勢力」，第三勢力定義為「國內少數敵視共產黨領導和社會主義制度的反動分子」和「頑固堅持資產階級自由化的代表人物」。[3]以今天的觀念來理解，這第三勢力實際上就是指大陸以中青年知識份子為主體的民間（或稱體制外）改革勢力。

　　中國大陸自1949年被中國共產黨統治之後，統治者對人民的思想輿論控制達到了中國歷史上的最高峰。大陸人民幾乎沒有言論自由的權力，甚至喪失了基本人權。這種嚴重的、被壓抑的、被窒息的狀態，一直延續到七十年代中期。經過中國歷史上空前絕後的十年無產階級文化大革命浩劫之後，大陸一些具有獨立思想意識的優秀青年，開始在萌醒中懷疑共產主義的真實性，並對中國大陸的現狀和中國共產黨的行為方式產生不滿。隨著這不滿情緒的積累加深

---

1 毛澤東，《毛澤東著作選讀》（北京：人民出版社，1956年版）頁112。
2 毛澤東，〈在第一屆政治協商會議上的講話〉（北京：《中華人民共和國第一屆全國政治協商會議文件彙編》 1952年版）頁12。
3 陶駟駒，〈反顛覆、反演變、確保大局〉（北京：中共中宣部《時事報告》（內部）1991年）。

和逐漸擴散，一批有同感的青年人終於在一九七六年的「四五」天安門廣場運動中聚集起來，逐漸開始成為中國大陸民間社會改革力量的雛形。

隨著毛澤東的死亡，「四人幫」的倒臺[4]，中共三十年的史達林式的統治結構開始鬆動，中國大陸進入了一個「解凍」時期。在這個被稱之為「北京之春」的年代，文化大革命後期湧現出來的這股社會力量進行了一次大的分化。以陳一諮、王歧山、嚴家其等為代表的一批人，以傳統謀士的角色進入了胡耀邦、趙紫陽內閣的中共各級決策機構，成為後來的體制內改革派。而以魏京生、陳子明、王軍濤等為代表的一批人，則選擇了另外一條涉政之路：他們游離於中共政權之外，活躍於「西單民主牆」前，出版民間地下刊物，推動大學校園裡的民主競選，探討大陸民主之路，被稱之為體制外的改革派。

經過七十年代末、八十年代初的「民主牆時期」和「高校競選運動」的磨煉之後，這股體制外的改革勢力基本成形，並趨於成熟。他們在社會上組織各種沙龍，建立名目繁多的民間組織，如研究所、函授學校、出版社、各類學會，還衝破當局的種種阻力和封鎖創辦報紙、雜誌、出版叢書，舉辦各種研討會和培訓班。一方面宣傳民主理念，對大眾進行啟蒙；另一方面聚集人才、訓練骨幹、籌集資金。用他們的話說，就是要「加速完成知識界的組織化過程」，「構成一種對老百姓的新的指導力量」。[5]

總之，無論從中國大陸十年改革的歷史，還是從八九年天安門廣場事件之後的現狀來看，儘管在中共體制內的改革，曾在短期內對大陸經濟的發展產生過一定的作用，但卻無法解決社會主義政治制度與資本主義經濟發展相互抵觸的巨大矛盾。從長遠的觀點來看，在市場經濟的推動下，民主政體勢必替代封建專制，這是不可抗拒的社會發展規律。體制外的「第三勢力」則代表了中國大陸社會改革的主流力量，當未來數以萬計的海外留學生回到大陸，勢必加入並擴充這支推動中國大陸民主改革進程的生力軍，其在未來中國政治經濟社會發展中，將扮演著非常重要的角色。

4　四人幫：江青、張春橋、王洪文、姚文元。在一九七六年十月的政變中被捕。
5　陳子明，《陳子明反思十年改革》（香港：當代月刊出版社，1992年版）頁444。

所以，本文將就「第三勢力」在中國大陸產生的背景及其發展過程作一個系統的闡述和分析，並試圖推測「第三勢力」在未來中國大陸政治社會發展過程中的角色及定位。

1、第三勢力的形成與發展

中國共產黨在大陸奪取政權後，對異己分子進行了一連串的無情打擊。從一九五零年十月發起「鎮壓反革命運動」，一九五一年十二月開始「三反五反」，到一九五五年七月的「肅反」運動[6]，將所謂的反革命份子、地主、富農、原國民黨政府軍公職人員和對中共獨裁統治持有異議的民主黨派，殘酷地實施鎮壓清洗。數以萬計的人被槍斃，數以百萬計的人被判刑、流放、勞改和進行人格侮辱。他們學會並使用了史達林式的集權統治方法，企圖掃蕩並排除既存的或潛在的敵對勢力，手法比前蘇聯有過之而無不及。

（一）萌芽

由於中共高層和資深幹部大多草莽出身，他們深恐知識份子對他們不服或「心懷鬼胎」。於是中共從建政一開始就極力貶低知識份子在社會中的地位，從一九五一年的「思想改造運動」，到一九五七年的「反右運動」[7]，將成千上萬的知識份子，包括那些曾為中共奪取政權流血拼命的一大批知識份子，打到社會最底層，使其完全喪失原有的自尊和獨立的思想，成為中國歷史上自秦始皇焚書坑儒以來，讀書人所遭遇的最慘時期。接下來便是史無前例的無產階級文化大革命，毛澤東為了清除其在共產黨內的異己分子，不惜掀起全社會的大動亂，造成千百萬人死無葬身之處，更多的人流離失所。而其最終的目的卻只是為了打倒幾個不聽話的「黨內資產階級代表」。

從一九四九年到一九七六年的二十幾年間，中國大陸發生的這幾次專以某個社會階層為攻擊目標的整肅運動，如美蔣反動分子、地主資本家、知識份子、右派和「走資本主義道路的當權派」等等[8]，都是由中共當政者發起、引導再終止。其目的則是共同的，

---

6 《辭海》，（上海：辭書出版社，1979 年版）頁 23，1559。
7 《辭海》，（上海：辭書出版社，1979 年版）頁 26。
8 此名詞為文化大革命中報刊常用詞語。

即是為了清除大陸社會中，真正存在的和想像中的敵對勢力。儘管在每次運動中，不乏抗爭者的出現，但最終都被血雨腥風的運動浪潮所吞沒。這二十幾年間，幾乎沒有一種敵對勢力，能在大陸中共的嚴密統治下生存下來。

但長久以來，中共似乎過於相信他們的宣傳教育的能力，而忽略了對那些被他們稱之為「生在新社會，長在紅旗下」的新生代的警惕，從而使被中共嚴密封殺的不滿情緒，在這一代人中開始滋生。嚴格的講，中國大陸新生代對中共統治者的抵制情緒，始於一九六六年至一九七六年間的無產階級文化大革命運動中。毛澤東為了消滅劉少奇等黨內異己，掀起了涉及整個社會的群眾動亂，企圖在一夕間「橫掃一切牛鬼蛇神」。

面對千百萬人無緣無故地被屠殺，社會秩序超常混亂，對毛澤東宗教式的崇拜狂熱，使得一些勤於思考的青年學生，開始質疑共產主義理論和社會主義前景的可信性。儘管這種質疑還多多少少帶有被「馬列主義毛澤東思想」長期薰陶的痕跡，但在當時大陸的社會環境和意識形態下，這種具有反抗性色彩思想的出現，不能不認為是一種思想禁錮上的突破。這批青年的代表人物，是公開反對中共「出身論」的遇羅克和直接指責文化大革命《中國向何處去》的作者楊曦光。

當時這兩個人都是中學生，中共奪得政權時，他們還都沒出生或在襁褓之中，屬於在共產主義思想教育下的一代青年，是唱著「爹親娘親不如毛主席親，河深海深沒有黨的恩情深」長大的[9]。但文化大革命運動使他們對周圍所發生的一切迷惑不解，繼而開始懷疑。遇羅克由於「出身」不好而被排斥在紅衛兵造反派之外，寂寞與失落使他有機會去思考，從而對中共的「老子英雄兒好漢，老子反動兒混蛋」的荒謬血統論進行抗爭。儘管這個十幾歲的年青人，原出發點不過是為自己及同類，爭得在這個社會中所應有的平等對待，卻依然不為中共統治者所容，最後被迫害至死。當時同樣是中學生的楊曦光，則提出了一個更為深刻的問題：《中國向何處去?》，文中對中共制度提出了重建的呼籲。這使中共高層大為惱怒，將僅十六歲的楊關進監獄。但由於楊出身於高幹家庭，沒有像出身不好的遇羅克那樣，被中共毫不留情地立即殺掉，後來甚至成

9 此句為文革中流行一時的歌曲之歌詞。

為大陸開放後第一批留美學生之一[10]。這正好又一次證實了，遇羅克至死所極力反抗的共產黨的血統論，是多麼根深蒂固。

在文化大革命運動中出現的持異議的青年，從嚴格的意義上講，不能算中共的異己份子。因為這些人中的絕大多數，在質疑發動文化大革命運動的作法和後果時，都是從維護中共統治的「好心」出發的，儘管仍不為中共所容。但由於它的出現，終於打破了中共二十年來毛澤東思想不容質疑，句句是真理的戒條，為今後第三勢力的發展埋下了種子。

（二）覺醒

如果說，在文化大革命中，一些大陸青年表現出的叛逆情緒，更多的是針對那場運動的話，那麼1976年春天發生的驚動西方世界的「四五」天安門廣場運動，則是第一次將抒發不滿情緒的矛頭指向中共統治階層，為第三勢力的興起奠定了一個基礎。

一九七六年中國大陸的社會狀況，是毛澤東發動的文化大革命，持續了十年而無法收攤的局面：在國際社會極為孤立，國內生產力發展停滯，生活物資奇缺。人民生活在極度貧困之中，卻又面對強大的無產階級專政機器無可奈何，整個社會沉浸在「黑雲壓城城欲摧」的局面中。而此時的中共高層又面臨著權力的鬥爭，一面是毛澤東的年邁昏庸，第一夫人江青及同黨張春橋、王洪文、姚文元「四人幫」的極度囂張；一面是周恩來一命歸天，鄧小平再次下臺，新老幹部明爭暗鬥，將中國社會擱置在崩潰的邊緣。而此時的大陸老百姓，經過長期的動盪鬥爭之後，衣食無著、前景無望，像被推進萬丈深淵而無法呼喊。

於是，人們終於抓住了清明節對周恩來逝世進行悼念的機會，在北京天安門廣場的紀念碑前，以傳統的白花和詩詞挽聯，匯成喧泄的海洋，用白紙黑字的控訴，表達對執政當局和社會現狀的不滿情緒。而當時在中共內執掌大權的四人幫則無視民意，甚至針鋒相對，下令公安機關及武裝民兵將廣場花圈清除並驅趕人群。由此點燃火藥的導火索，引致百姓積壓已久的憤怒，山崩地裂地爆發，終於釀成轟動一時的「四五」天安門廣場運動。

10　金鐘，〈中國需要復辟〉（香港：《爭鳴》1976年9月號）頁62-65。

　　對於這場運動，歷史學家和政治學者都認同的一點是：「四五」運動表面上是一場悼念周恩來的活動，實際上是人民群眾對暴政不滿情緒的表達。但分歧點在於，究竟暴政是指誰？是「四人幫」？還是毛澤東？還是中共無產階級專政？直到今日，人們還在為此爭論不休。中共官方的宣傳，無論在華國鋒時代還是鄧小平時代，官方都一致地將暴政歸咎於「四人幫」。而中國的青年知識份子階層，則將暴政歸咎於毛澤東本人和無產階級專政的制度。

　　「四五」運動的最大意義，是中國人民從此開始覺醒，不再屈服中共的專制，並在中共執政二十多年來第一次打破沉默，顯示自己的力量。雖然這場涉及百萬人的運動，只有少數青年知識份子是自覺的推動者，但卻預示了第三勢力形成的可能性。

　　一九七六年「四五」天安門廣場運動的發生，除了社會深層的原因之外，還有一些誘發因素。其一，是一九七六年初美國國會聯合經濟委員會發表了《對中國經濟的重估》報告[11]。這個報告對中國大陸當時的經濟政治形勢及軍事力量的發展，做了一個比較客觀的評價，但與當時中共當局對內宣傳的情況則有極大的差異。由於當時中共與美國尼克森政府的關係剛剛正常化，這份國會報告被中共內參摘要發表，其內容經中共高幹子弟的管道傳到民間，引發大陸中上層社會對當時執政者的不滿情緒。認為四人幫一手遮天、欺上瞞下，造成整個大陸民不聊生，國民經濟停滯不前。其二，是發生在上海和南京的兩次政治事件。「四五」天安門運動爆發前，四人幫成員的兩處老巢，上海和南京兩地，先後出現過一連串的「反革命政治事件」[12]，參與其事的群眾，雖然不如北京「四五」運動之浩蕩，影響也沒有那麼大，但前者隱含的政治鬥爭尖銳程度，則不遜後者，可以說是直接促成四五天安門廣場運動猝然爆發的導火索。

　　上海乃是四人幫主要成員的發跡之地，一九六七年姚文元就是在這裡導演了席捲全上海的「一月風暴」，一躍擠進中共高層。自那時起，上海《文匯報》一直是毛澤東和四人幫的主要喉舌。一九七六年三月初，在紀念中共樹立的模範軍人雷鋒之日，《文匯

11　美國國會聯合經濟委員會，〈對中國經濟的重估〉（香港：《七十年代》1976 年 4 月號）頁 82。

12　羅冰，〈南京事件〉（香港：《爭鳴》1978 年 4 月號）頁 5-7。

報》一反常態，特意在有關例行版面中，抽去了周恩來生前的題辭。這在中共官場來說，意味著表示對此人的否定。上海市民見狀紛紛去電、發函或去人到該報社質問，但《文匯報》恃其後臺硬，視民意為無物，反於其後的三月二十五日的社論中，白紙黑字地暗示周恩來是「黨內最大的走資派」的後臺[13]。這一來，民眾終於被激怒，數千人包圍了《文匯報》大樓，衝擊報社大門，群情激憤，一時無法抑制，直到大批武裝員警和工人民兵趕來驅散人群。儘管當局下令嚴密封鎖消息，但還是很快傳遍大陸中上層社會。

南京事件的發生，距上海民眾怒圍《文匯報》不足一星期。四月一日，南京大學數十名青年學抬著巨型花圈，列隊穿過鬧市，前往雨花臺烈士紀念碑獻花。儘管當局沿途設法阻攔，仍有許多人加入該行列，有的市民則為大學生們鼓掌打氣，以示支持，一洗南京二十幾年來萬馬皆喑的局面。南京乃是時為中共政治局常委、副總理、解放軍總政治部主任兼南京軍區第一政委張春橋的發跡之地，南京大學學生公然上街遊行，使權傾一時的張春橋氣急敗壞，採取了嚴厲的鎮壓措施[14]。但南京事件還是對北京的四五運動提供了啟示。

有關「四五」天安門廣場運動的過程，今天已為舉世所知。從一九七六年三月底至四月初，北京天安門廣場猶如白花的海洋，成千上萬的人聚集在那裡，或吟詩作詞，或居高講演，慷慨激昂，怒責時弊。由於四月四日晚，中共當局突然清場，引發民憤，致使四月五日數萬人衝擊廣場旁的人民大會堂，並推翻警車燒毀工人民兵指揮部[15]。最後中共悍然出動大批軍警和武裝民兵血洗天安門廣場，傷害無辜數百，幾千人被捕入獄或受牽聯。主導這次四五運動的骨幹力量，正是那些經過文化大革命洗煉並上山下鄉過的一批知識青年。他們經過十年苦難而長久的思索之後，終於利用這次機會，展示了他們對中共專政的不滿與憤怒。他們喚醒了被禁錮了二十幾年的中國人民的民主意識，瞭解到自己的力量所在。

如果說，在文化革命中，一些中國大陸青年表現出的叛逆情緒，是對那場運動的不滿而渲泄的話。那麼，一九七六年發生的

13　上海：《文匯報》1976 年 3 月 24 日 1 版。

14　羅冰，〈南京事件〉（香港：《爭鳴》1978 年 4 號）頁 5-7。

15　田楓，〈天安門風雲〉（香港：《爭鳴》1978 年 1 月）頁 7-11。

四五天安門廣場運動，則是將這種渲洩的矛頭直指中共統治階層，其歷史意義是巨大的。

首先，它標誌著中國大陸的人民已形成獨立的社會力量，並開始影響中國社會的政治舞臺。中共執政二十多年來，中國人民在歷次政治運動中，不是挨整挨鬥，就是被某些勢力利用，或牽著鼻子走，從未以獨立的社會力量的姿態，在政治舞臺上發揮過作用。隨著社會矛盾的發展，尤其是統治者的專橫跋扈，終於刺激了人民的覺醒。

四五運動正是這一覺醒的標誌。在四五運動中，人民第一次以獨立的姿態，而不是附庸的姿態，扮演了中國政治舞臺上的一個重要角色。天安門事件雖然被鎮壓了，但它卻給予中共高層以沉重的打擊，從某種意義上講，它導致了毛澤東的早逝，也加速了「四人幫」被驅離政治舞臺的時間。這是中國大陸民眾力量第一次成為不可忽視的社會力量。從此，那個用幾十年宣傳機器塑造起來，供億萬人頂禮膜拜的政治偶像倒坍了，也標誌著毛澤東時代的結束。

其次，四五運動開創了在「無產階級專政」下人民民主運動的新階段。一九五七年右派份子的鳴放，是中國知識份子要求民主的一個先聲，但那次運動的規模太小，涉及面也太窄，只限於知識份子圈子，而且是知識份子中的少數。文化大革命中，中國大陸也曾出現過一些反抗當權者的志士仁人，如張志新、遇羅克等，但零落無力，形成不了一股力量。而一九七六年的天安門四五運動，則無論在規模上還是聲勢上，都標誌著中國人民民主運動的一次飛躍。

參加四五運動的人，不單單再是知識份子，還有大量的工人、軍人、學生、市民和其它各階層、各行各業的成員。他們彙集在天安門廣場，不是以階級代表的身份，而是以人民的身份在政治舞臺上扮演角色。無論中共的經典著作把他們劃分為「工人階級」、「小資產階級」、「半無產階級」等各種各樣的階級，在廣場上他們則成為一個「階級」—反抗階級，他們所肩負的歷史使命—推動中國大陸的社會民主化發展。

人民的血沒有白流，歷史證明，四五運動鮮血染紅的的旗幟，成為後來中國大陸民主運動最有感召力的旗幟。天安門事件過後半年，人們就開始高舉起這面旗幟，進行新的民主運動。這一被稱為

「平反冤假錯案運動」從北京傳到其它許多城市，在整個大陸形成了一個民主運動新的高潮，直接地對中共新的統治者形成壓力集團，迫使其不得不為千百萬在中共歷次整肅運動蒙冤受屈的右派、反革命及走資派平反，為徹底掃除毛澤東的神化打下了基礎，也為繼之而來的民主牆運動吹響了前奏。

四五運動的星火，到九十年代在中國大陸已發展為燎原之勢。當人們現在回首往事的時候，他們對四五運動高大深遠的意義越來越清晰了然。在中國現代史上，「四五」運動的影響和半個多世紀前的「五四」運動一樣，是不可估量的。今天我們側過臉去看看，在推進中國民主運動行列中的諸位代表人物，幾乎絕大部分都是曾參予或認同過這場中共掌權後第一次群眾性反抗運動的。

有許多歷史學家，將一九七六年的四五運動看成是中國大陸民主運動的一次宣言，是非常符合事實的。四五運動所聚集和造就的一批年青人，後來成為北京民主牆運動和北京高校競選活動的的骨幹分子。在經過漫長的磨練與捶打之後，終於在八十年代，成長為中共高層十分懼怕的「第三勢力」。而正是由於這股第三勢力的存在和長期努力，才導致了一九八九年春天中國民主運動的又一次高潮。這一點在今天，似乎無人可以否認。

（三）較量

如果說一九七六年四五天安門廣場運動，是中國大陸現代民主運動史上的里程碑，那麼由此而爆發來的自下而上的民主情緒，在一九七九年北京西單民主牆和民辦刊物上表現得淋漓盡致。

雖然言論自由和出版自由，從來都被堂皇地寫進所有共產黨國家的憲法中，但它們所代表的意義與共產黨的集權專制，事實上是極為對立的。自一九一七年馬克思主義在列寧的布爾什維克蘇維埃實現後，就一直沒有放鬆過對這兩個自由的控制。時至八十年代的中國大陸，人民要想衝破這種控制，仍是十分困難的。所以就迫使那些持不同政見者，只能以秘密的方式出版他們的刊物。

中國社會自一九七八年十二月開始，出現了許多的民間刊

物[16]，雖然這些刊物的水準一般都不高，編輯印刷的品質也很差，但這是在過去近三十年中所不能想像的事情，它們出現的社會意義遠比它們本身所包涵的內容更為遠大。因為它們的出現，顯示了中共在言論自由和出版自由的控制方面已被打開缺口，亦表現了民主勢力有了說話的力量。

西方世界的一些學者對這些民刊的評價不是很高，他們以西方的標準去苛求這些水準不高的出版物，殊不知在無產階級專政政權下，出版獨立於官方之外的刊物，是需要很大勇氣和犧牲精神的，甚至要有坐監牢或拋頭顱灑熱血的準備。所以當時許多剛剛被平反且有聲望的知識份子，為了既得地位、家庭和個人安危，儘管有許多話要說，有許多冤要訴，卻不敢貿然挺身出來在民辦刊物上直言不諱。結果，這一開創性的事業，便由那些在文化大革命中飽受苦難，又經歷了四五運動鍛鍊，且持有時代責任感的青年人擔負起來。

當時的中國大陸社會狀況，是一個既充滿了轉折的新機，又潛伏著危險變數的時期。隨著主政中國大陸達二十七年之久的毛澤東的死亡和四人幫的垮臺[17]，在中共上層權力再分配的角鬥過程中，以華國鋒為首的「凡是派」和以鄧小平為首的「改革派」白刃相接，一度出現了中共政權的權力真空期，並由此不得不暫時放鬆了對社會輿論的壓制。

在整個中國社會存在著一股強大的反思和求變的思潮中，由批判四人幫所揭露出來的大量醜惡事實，使民眾的複雜情緒難以抑制。他們之中，有些人因為長期熱衷於毛澤東思想和共產主義，突然感到受騙後的委屈和失望；有些人因為長期身受造反派的凌辱和折磨，突然間感到社會壓力的減輕而需要呼喊；有些人則從長期的困惑迷茫和懷疑中走出來，突然感到自由空氣的新鮮，於是忙於探索造成這三十年史無前例的社會災難的病源，並試圖從原始的馬列主義或西方哲學思想中尋求解救的方法和道路。

隨之而來的，是回城上山下鄉知識青年的請願，失業民眾的反

16　James D. Goodman,《Beijing Street Voices》,London, Marion Boyars，1981 press. p200-205.

17　四人幫：江青、張春橋、王洪文、姚文元。在一九七六年十月的政變中被捕。

饑餓示威遊行，含冤受屈者的上訪告狀等等[18]。這一切，為當時的民主運動提供了廣泛的民意基礎和生存成長的空間。於是，自四五天安門事件被鎮壓後一度沉寂的中國大陸民主運動，以一個新的高度呈現，在思想上要求自由解放，在政治上要求民主和法制，如雨後春筍般蓬勃發展，與六十年前要求科學和民主的五四運動遙相呼應。

和當年四五運動一樣，北京再一次成為全國民主運動的中心。西單民主牆上形形色色的大字報代替了天安門廣場前的花圈，各持己見的民刊和慷慨激昂的演講者吸引了成千上萬的人駐足。與四五運動所不同的是，這一次民主運動的意識，已經站在一個更成熟更解放的思想高度。西單民主牆上的大字報，不少已衝破思想的禁錮，它們不但要求對四五天安門廣場事件全面平反，還要求全盤否定文化大革命，平凡歷次政治運動所造成的冤假錯案，並對中國共產黨執政三十年所犯下的錯誤，進行了無情的批判。

甚至還提出了「沒有政治的民主化就沒有現代化」[19]、「言論自由是實行民主的起點」的口號[20]，要求維護人權，反對專制，進行民主化的體制改革，反對個人崇拜，並對馬克思列寧主義、毛澤東思想，一黨專政，社會主義經濟體制，以及中共後來提出的「四個堅持」作了全面深刻的批判。

其間，中共改革派和鄧小平出於利用社會不滿情緒，向以華國鋒為首的凡是派奪權的政治需要，暫時容忍了西單民主牆的存在，並提出了「解放思想，突破禁區」和「實踐是檢驗真理的唯一標準」的宣傳理論[21]，後又為四五天安門事件全面平反，以鞏固其在中共十一屆三中全會所得到的權力。在這樣的契機下，民主牆運動借此迅速發展，民辦刊物遍及全國。

據不完全統計，這一時期，地下出版的民辦報刊近百種，大多

18　James D. Seymour《The Fifth Modernization》, New York, Coleman, 1980 press. p290-301.
19　魏京生，〈第五個現代化─民主及其它〉（北京：《探索》1979 年 1 月 8 日創刊號）頁 2-10。
20　胡平，〈論言論自由〉（香港：田園書屋，《開拓─北大學運文獻》）頁 32。
21　羅冰，〈四五運動與凡是派〉（香港《爭鳴》1979 年四月號）頁 14。

數在北京。最早出現的民辦刊物是北京的《四五論壇》，它的第一期於一九七八年十二月十六日就貼在了西單民主牆上。其次是《今天》，再其次是《群眾參考消息》。

其它接踵而來的有《中國人權》、《北京之春》、《探索》、《沃土》、《求是報》、《民主牆》、《啟蒙》、《人民論壇》、《解凍》、《新天地》、《民主與時代》、《科學民主法治》、《生活》、《原上草》、《燧石》、《哲理》、《火花》、《百花》、《大局》、《花刺》、《月海樓》、《狂飆》、《我們》、《牆》、《時代》、《四化論壇》、《秋實》、《志新》、《學習通信》、《北京青年》等。

北京之外的各大城市，在當時亦有許多民刊出現，但因為消息傳遞不暢通，很難詳細統計。廣為人知的在上海有《民主之聲》、《未名》、《青年筆記》，廣州有《人民之聲》、《人民之路》、《浪花》、《生活》、《討論》、《學友通信》，天津有《渤海之濱》、《評論》、《新覺悟》、《學術討論》、《研究簡報》，長沙有《流浪者》、《民聲》、《動態》、《春叢》、《理想通訊》、《共和報》，杭州有《沉鐘》、《思考》、《我們》、《四五雜誌》、《浙江之春》、《之江》，寧波有《飛碟》、《人間》，溫州有《吶喊》、《東甌》，武漢有《鐘聲》、《啟明星》、《無神》、《飛碟》、《紀事報》，安陽有《星光》、《民主磚》、《新時代》、《約會》，開封有《無名》、《習作園地》，韶關有《庶聲》、《北江》，貴陽有《啟蒙》、《解凍》、《使命》、《崛起的一代》，長春有《雪花》、《眼睛》、《春雪》，上海崇明島有《玫瑰島》、《後起之秀》，山東臨清有《追求》，青島有《海浪花》，哈爾濱有《下里巴人》，太原有《習作園地》，遼寧錦州有《民主與法制報》，河北保定有《潮》，四川萬縣有《華夏春》，重慶有《小字報》、《公民報》、《吶喊》、《春》等等……

由這些民刊自發組成的中華全國民刊協會，還辦了機關刊物《責任》。另外，受民刊的影響，在一些大學裡也相繼辦起由學生或學生會主辦的各種刊物。如北京大學的《未名湖》，復旦大學的《大學生》，武漢大學的《珞珈山》，南開大學的《南開園》，四川大學的《錦江》，中山大學的《紅豆》，上海戲劇學院的

《筏》，及十三所名牌大學學生合辦的《這一代》等[22]。

　　這些民辦刊物的湧現，是大字報運動向前發展的自然結果。因為大字報只能抄寫一張，張貼後很快會被別的新的大字報覆蓋，所以在保存和傳遞上都受太大的局限。以致參與民主牆運動的積極分子，很快想到用油印的方式出版屬於自己的刊物，自由地表達心聲。這些民辦刊物的內容及編輯水準，以今天的眼光來看不算很高，但由於其出現在中共長期統治的專制和封閉的社會，其政治意義要比它本身所包含的內容大得多。因為它標誌著大陸人民民主意識的覺醒，並開始打開言論自由和出版自由的缺口。同時，也孕育出一大批具有敏銳的思想深度和組織才幹的優秀民主運動的戰士，如魏京生、徐文立、劉青、任畹町、王軍濤、陳子明、胡平、路林、王希哲、何求等。

　　民主牆運動積極分子的活動過程，一般是從寫大字報到辦刊物，從辦刊物到搞組織。雖然當時所辦的刊物種類繁多，百家爭鳴，各有千秋，但在思想理論層次上則以《探索》為最有水準。它的先聲是一九七八年十二月五日貼出的一張署名「金生」的小字報[23]，七九年一月初出版創刊號，它把魏京生已負盛名的〈第五個現代化—民主及其它〉再一次登載出來，並刊出〈就鄧小平副總理一月五日答記者問而問〉，向這個中共新權貴進行挑戰。因為它的編輯們認為，為了更有效地打擊這個制度，就必須揭露許多民運分子還寄予希望的中共改良派領袖鄧小平的真面目。在《探索》主持人魏京生的組織推動下，民刊開始從單純的出版刊物，到發表公開宣言，召開群眾集會，甚至組織示威遊行，擔負起一個反對勢力的責任和使命。一九七九年一月二十五日的《聯合聲明》，及由簽署《聲明》的七個團體於一月二十九日召開的「民主討論會」和援救釋放傅月華運動等，便是在這樣的情況下產生的。

　　《探索》第二期刊登〈民主的限度？！〉一文，針對中共北京市委給民主牆的責難，作者魏京生提醒人們：「北京市委的某些老爺們害怕人民真的有了民主，他們正盡最大的努力來破壞當前這場運動。他們的手法是卑劣的也是多種多樣的」，魏宣稱：「無論如

22　《大陸地下刊物彙編》，（臺北：《中共研究》雜誌社，1980、1981、1982）第二輯－第九輯。

23　〈民刊動態〉，（北京：《青年研究》1979 年 4 月號）頁 29。

何，我們的刊物絕不會因此而嚇倒，我們絕不準備放棄我們發言的權力，只要逮捕和破壞還不足以停止我們的編印，我們就會不斷地把我們的意見貢獻給人民」[24]。

《探索》也是第一個要求公民有「信仰不信仰馬克思主義自由」的民刊，這在當時無疑是驚人之語。在援救以「鼓動農民上街示威遊行」罪名被捕的傅月華的活動中，《探索》登出一系列文章為其辯護，並聯合《啟蒙》、《人民論壇》、《群眾參考消息》及「中國人權同盟」等五個團體貼出大字報，要求當局立即釋放傅月華。在魏京生看來，「傅月華事件」具有雙重意義。一方面它揭露了中共當局的專橫，另一方面可以啟發民運分子與民眾和上訪者的聯合，把這次民主運動從知識份子的小圈子裡拉出來。《探索》第三期的〈二十一世紀的巴士底獄—秦城一號監獄〉一文，在海內外轟動極大，許多民刊和外報予以轉載，揭露中共的恐怖和兇殘。一九七九年三月二十五日的《探索》號外登出〈要民主還是要新的獨裁？〉，猛烈抨擊鄧小平對民運的指責，提醒「人民必須警惕鄧小平蛻化為獨裁者」。並警告鄧，「誰鎮壓這場真正的人民運動，誰就是歷史的罪人」。

從《探索》的文章上，我們可以看出魏京生的勇氣和前瞻性，他對於民主、人權的認知遠遠高於他的同輩。他的〈第五個現代化—民主及其它〉表現了他的成熟與勤思，他的一些思想精髓代表了大陸「第三勢力」在形成階段的基本理念。所以說《探索》是民主牆運動的一幅旗幟，能得以延續到今天仍不倒下。

民刊從現時意義上講，開闢了中國大陸當代民主運動的新紀元，人民有了自由發言的園地，各種各樣的思想和意見得以充分地表達。從一九七八年底到一九七九年初的一段時間，大陸民主牆運動似乎得到了意想不到的成功：幾乎所有這些刊物，都可以在西單牆頭公開出版、展售，而且還在刊物上堂而皇之地寫上主持人的姓名和通訊地址，有的甚至援引中共憲法上標明的言論自由和出版自由的權力條款，向有關方面申請正式登記，企圖用這種方法爭取合法存在的權力。但這種好景猶如曇花一現，隨著鄧小平的復出和凡是派在中共十一屆三中全會大敗而退，中共再度把中國大陸社會納入專制體制的軌道，「民主牆」已經失去了為中共派系鬥爭所利用

24　魏京生，〈民主的限度〉（北京：《探索》1979 年 1 月 29 日第二期）頁 1-3。

的價值，並成為威脅其政權的主要危險。當鄧小平完成了他上臺後的兩件大事，訪問美國和發動對越南戰爭之後，便開始揮起了斬殺「第三勢力」的屠刀，意在推倒曾為他上臺助力的民主牆。

一九七九年三月十六日，在中共宣佈從越南完成撤軍的當天，鄧小平在北京人民大會堂對中共幾千名高級幹部作有關目前形勢的報告時，公然指責當前民主運動太過份，不滿民刊致書美國總統卡特，要求關注中國人權的呼籲，甚至指責民運人士與外國記者的正常交往，是「出賣國家機密」的行為[25]，開始為其扼殺民主牆運動製造藉口。其實在鄧小平的「3.16」講話之前，中共上海當局已在三月初發出通告，規定集會遊行要聽警方指揮，不准在公共場所和建築物上張貼大字報，不准出售「反動」書刊。而北京當局則在鄧小平指責民主牆運動之後的三月二十九日，公佈了同樣內容，且多了一條「四項堅持」的通告，正式表明禁止一切反社會主義、反無產階級專政、反共產黨領導、反馬列主義毛澤東思想的大字報和書刊。此舉等於將所有民刊都定性為反動刊物，為他們剿滅民主牆運動鋪平道路。

北京的通告發佈當天，《探索》主持人魏京生和「人權同盟」的陳呂就被秘密拘捕，[26]紅色恐怖開始籠罩大陸。四月四日，「人權同盟」負責人任畹町在北京西單民主牆前被員警當眾抓走，當局開始公然捕人，他們在四月二十日逮捕了《探索》的路林，五月二十二日逮捕了《探索》的楊光，九月封閉了「星星美展」……[27]。大陸其它各省市也隨著跟進，四處捕人，壓制大字報和民辦刊物，貴陽《解凍》的楊在行等四人於四月被捕，《啟蒙》成員全部被抓。上海的「民主協會」、「民主討論會」、「人權委員會」共有十多人被捕。十月十六日，北京中級法院以向外國人提供軍事情報和煽動推翻無產階級專政政權的莫須有罪名，公審並判處魏京生有期徒刑十五年，企圖以殺一儆百來威懾住大陸年青的民主運動。在這風雨飄搖之中，大字報和民辦刊物並沒有停止，仍還

---

25 劉青，〈魏京生被捕前後的日子〉（香港《百姓》1992 年 10 月 1 日號）頁34-36。

26 劉青，〈魏京生被捕前後的日子〉（香港《百姓》1992 年 10 月 1 日號）頁34-36。

27 柳瑩，〈「爭鳴」和「地下刊物」〉（香港：《爭鳴》1980 年 12 月號）頁68-70。

時斷時續地出現，民主牆前依舊有後繼者在繼續前者未完成的工作。他們將魏京生在法庭的自辯詞油印散發，並抗議北京當局禁止在西單牆繼續貼大字報的禁令。為此，十一月十一日民刊《四五論壇》的數位成員被捕，前往公安局救人的其負責人劉青被非法拘留後被強制勞教三年[28]。

　　縱使如此，中共最高當局仍不滿足，它進一步於一九八零年二月二十三至二十九日的中共十一屆五中全會上決定「建議」全國人民代表大會修改憲法第四十五條，取消「四大」（大鳴、大放、大辯論、大字報）公民的權力，並使其在同年八月三十一日至九月十日的五屆人大三次會議上如儀通過。事實上，自從七九年十二月八日民主牆被迫從北京西單遷往月壇公園後，大字報的張貼已受到嚴格的限制和控制，民辦刊物的出版者，不僅受到當局的警告，受到公安部門隨時逮捕的威脅，甚至連發售的場地也失去了。既使如此，在大陸各地許多民刊被禁被封或被迫自動停刊的情況下，廣州地區的《浪花》、《人民之路》和《生活》三家刊物，於八零年一月十日聯名向全國各民刊發出一份呼籲書，要求大家團結起來，結束各自為政的狀況，形成一種力量。這一呼籲得到上海、青島、開封、長沙、安陽、長春、寧波、武漢、貴陽、溫州等地約二十多個民刊的響應後增至三十三家，並在同年十月成立了「中華全國民刊協會」，出版機關刊物《責任》，成為體制外改革勢力的第一次整合，顯示了第三勢力的成長壯大。[29]

　　面對這一切，中共當局除更加瘋狂地捕人外，官方則開始動用輿論工具，公開指責民刊組織及其成員，稱民刊為非法組織、非法刊物。隨後，中共中央於一九八一年四月發佈全面取締民辦刊物的「九號文件」，致使又一批民運人士如王希哲、徐文立、何求、楊靖、孫豐、傅申奇、鐘粵秋等相繼被捕入獄，民主牆運動終於在中共不顧一切的強力鎮壓下落下帷幕。[30]

　　這次持續兩年多的民主牆運動，不但產生出一批宣揚民主自由的民辦刊物，而進一步鍛煉了一批自七六年四五天安門廣場運動聚集起來的青年民主精英，使他們在憂心中國前途的理念下，自覺和

28　劉青，《獄中手記》（香港：百姓月刊出版社，1981 年版）頁 5-6。
29　華達，《中國民辦刊物彙編》（香港：觀察家出版社，1981 年版）頁 31。
30　華達，《中國民辦刊物彙編》（香港：觀察家出版社，1981 年版）頁 31。

不自覺地成為大陸第三勢力的骨幹分子。這種契機和錘煉，使他們對民主的理解更加深刻。

（四）形成

「民主」是源於西方社會的一種政治理念，其宗旨是自由地表達不同的政治意識。中國自晚清以來，在「富國強兵」的目標下，極其羨慕西方先進的政治制度。近百年來，西方先進國家所有的民主制度模式，包括總統制、國會制、內閣制和君主立憲制，幾乎都試行過。然而，這一切的引進，在中國似乎都不可能成功。皇威獨尊的傳統意識，在中國統治階級的頭腦裡根深蒂固，根本不可能漠視真正的民主意識在中國社會基層萌生，共產黨更不例外。所以，「民主自由」歷來在統治者眼裡只是支花瓶而已，不容百姓觸摸。儘管中國知識份子一百年來總是「先天下之憂而憂」，對於中國民主運動發展之緩慢和民主制度實驗之失敗，常常義憤填膺，甚至拍案而起，走上街頭，大聲吶喊。然而，無論是一九一九年的五四運動，還是一九七六年的四五運動，直至西單民主牆運動，都未曾給中國大陸帶來任何先進的西方民主制度。儘管如此，仍然有眾多的青年人前仆後繼，不惜流血犧牲，這不能不說是一種悲壯。七十年代末八十年代初的中國大陸社會，將這種悲壯再一次展現在世人面前，說明大陸人民對中共專制的反抗之劇。儘管民主牆運動遭到封殺，但由民主牆培練出來的一批青年，從失敗中學會了利用合法或半合法的鬥爭手段，去對付專制的中共統治者，再一次掀起了高校民主競選運動。

眾所周知，至今為止共產黨的選舉，都是徒具虛名的。共產黨的理論對付人民民主要求的重要法寶，就是指責資產階級民主（包括競選方式）是「虛偽的民主」。隨著大陸毛澤東死亡和極端派的失勢，民主的壓力終於打開了這個中華帝國大門的一絲縫隙，西方社會的民主氣息隨著電視、廣播、電腦和美元貸款闖進中國大陸。它不但進一步促進了久已存在於大陸人民中的民主要求的高漲，而且使得中共官方不得不為取悅國際社會以便得到更多的貸款，在他們認為可以控制的範圍內，嘗試一下民主競選這個資產階級的專利。

一九七九年六月中共五屆人大通過了七個法律，其中一個就是

選舉法。它規定「全國和地方各級人民代表大會的代表候選人，按選區或者選舉單位提名產生」，各民主黨團都可以推薦其代表候選人，並明文規定：「任何選民或者代表，有三人以上附議，也可以推薦代表候選人」[31]。在中共的意識中，法律是做秀的，在黨領導一切的大陸中國，權大於法是人所共知的。具有多次歷史教訓的第三勢力為了揭穿中共的偽裝，以達到教育人民和進一部迫使中共讓步的目的，不惜以身試法，掀起了轟轟烈烈的競選運動。

大陸的競選運動首先是從上海大學生開始的。上海縣、徐匯區是上海市選舉活動的先行試點縣區，地處上海縣的上海師範學院中文系學生徐政宇，一躍而起，毛遂自薦參加該縣人民代表的競選，並宣佈競選政綱，發表競選演說，「在舊的太陽底下弄出了一點新鮮事」[32]。經過兩輪選舉，徐政宇擊敗曾任中共三屆人大代表的對手，當選為上海縣人民代表。

此舉激發並鼓舞了眾多的人參與這一民主活動，復旦大學學生張勝有、徐邦泰、吳研雷、景曉東等紛紛站出來參加競選、發表演說、評論時政、指點江山。結果，新聞系學生徐邦泰和化學系學生孫得緯當選為上海寶山縣人民代表[33]。接著，上海許多大專院校的學生紛紛展開了競選活動，帶動社會上的競選熱潮。上海動力機廠工人、民刊《民主之聲》主持人傅申奇，也參加了上海南市區的人民代表競選。他印製競選綱領傳單，介紹自己的簡歷和基本態度。在遭到有關當局的攻擊壓制時，這位上海動力機廠第八組選民這樣說：「如果我因為行使法律規定的被選舉權而坐牢，那這種法律就一錢不值，形同廢紙，這樣的監獄，就是二十世紀的巴士底獄，我願意把巴士底獄的牢底坐穿」[34]。

上海競選運動的結果使中共大丟面子，他們所不喜歡的學生除上述的徐政宇、徐邦泰、孫德緯外，上海科技大學的魏永樂，上海

31　《全國人民代表大會第五屆全體會議文件彙編》，（北京：新華社，1979年版）頁9。

32　海鳴，〈大陸民主競選活動的興起〉（香港：《七十年代》1980年8月號）頁35-36。

33　海鳴，〈大陸民主競選活動的興起〉（香港：《七十年代》1980年8月號）頁35-36。

34　傅申奇，〈競選綱領〉（上海：《文匯報》，《上海地區競選言論彙編》1981年版）頁236。

師範大學的何戎、同濟大學的黃靜最後均當選為人民代表[35]。

自上海高校拉開競選序幕之後，湖南師範學院的學生亦不甘落後，該院九月中旬有數名學生貼出競選宣言，其中有後來成為率眾上訪北京的陶森，表示不信仰馬列主義的梁恆。在選舉期間，校方對各被提名候選人發表的對國家民族前途的看法及見解，公開表示不滿，並加以制止。至十月六日該校提出的第三輪候選人名單，仍不能使該校領導滿意，要求並實施第四及第五輪候選推薦。最後又於十月八日，擅自更改未通過選民的候選人名單，引起民憤，導致該校黨委辦公樓被圍，學生並被指責為反革命行動。

當夜十一點多，二千多名憤怒的學生冒著寒風上街遊行，高呼「人民萬歲！人民民主萬歲！打倒官僚封建主義！」並於次日凌晨抵達中共湖南省委，要求承認學生遊行的合法性，調查該院領導干涉民主競選的真相。當局派出該省副省長等官員用拖延和欺騙的手段對付學生，迫使學生於十月十二日再次上街遊行，引發長沙各高校學生的加入。在與當局毫無誠意的談判破裂後，八十七名學生於十四日晨開始絕食，十五日全校總罷課，引起社會的普遍同情和大陸許多高校的聲援，使這次為爭取公民合理選舉權，反對當局粗暴干涉民主選舉的活動，引起大陸全社會和世界輿論的關注，並帶動大陸各地高校競選運動的蓬勃發展[36]。

中共統治大陸三十年來，幾乎所有的各種代表、委員、先進均為指派或任命。鄧小平在成功地從中共凡是派手中奪到大權，並著手鎮壓民主牆運動後，為了營造一個改革之塔，或稱鄧氏之碑而有目的地將最基層的縣區選舉放鬆，希望人們淡忘對民主牆運動的封殺。但鄧過於自信自己的估計，事情的發展完全出乎中共的預想，臣民們不但沒有感激，反而提出了更多更廣的民主要求，於是這場原本為作秀性的選舉，很快變得無法控制。它的火星始於上海，接著燃到長沙，最後在北京各大院校形成燎原之勢。

其中，以北京大學的競選風潮最為壯觀，並震動世界。一九八零年十一月三日，北大經濟系學生夏申、技術物理系學生王軍濤、

35　海鳴，〈大陸民主競選活動的興起〉（香港：《七十年代》1980 年 8 月號）頁 35-36。

36　宗雷，〈湖南學生爭民主反官僚的行動〉（香港《七十年代》1980 年 12 月號）頁 19-20。

國際政治系學生房志遠相繼在學校三角地貼出競選宣言，拉開了北大民主競選的序幕。緊接著胡平、張煒、楊百睽、易志剛、于大海、張曼玲、袁紅冰、楊立川、劉娟等三十多位學生宣佈參加競選，造成極大的聲勢。那時的北大，「能從中感到一種青春活力和對自由神往的騷動，校園在沸騰，大學生們興奮不已，他們溜出課堂，參加各種各樣的答辯會。競選的熱浪夾著歡呼，夾著憤怒，夾著嘲笑，夾著爭吵席捲著北大的禮堂、飯廳、教室、宿舍和未名湖畔，掠過每一個人的心胸。」[37]競選人面對熱情的選民及大批外國記者暢所欲言，激烈辯論。討論涉及的問題從對大陸三十年社會主義制度的批評，對毛澤東的否定，對共產黨的質疑，到對人性的頌揚，對民主自由的釋意，對中國前途的預測。「王軍濤的勇敢，胡平的機智，房志遠的坦誠，張煒的達練，張曼玲的奔放給人們留下深刻的印象」[38]，正如胡平在競選宣言中所說：「我們這一代人的聲音被忽視的太久太久了」[39]。現在，他們牢牢地抓住了這次說話的機會。

其實，北京高校競選在中共「人大」公佈地方選舉辦法那天，就開始悄悄策劃了。那時北京剛剛經歷過西單民主牆運動，《北京之春》的編輯由於其溫和的言論和大多為學生的特性沒有人被捕，於是他們成為策劃和推動這次北京高校民主競選的主要力量。他們活躍於北京各大院校，協助北京高校第一個公開出來競選的，北京大學一分校中文系的李盛平（李為《北京之春》編輯），起草了競選綱領。並幫助另一主要編輯中科院研究生院的陳子明和其妹北京商學院學生陳子華競選成功。《北京之春》成員助選最成功的是，推出其副主編王軍濤，在北京大學選區競選海淀區人民代表。當時的王軍濤在官方眼中紅極一時，是中共共青團中央候補委員、北大團委委員和技術物理系團總支書記，又是人人皆知的四五天安門廣場運動的英雄，正值青春年華。經過四五運動和民主牆運動洗煉的王軍濤口才極佳，且相貌英俊蕭灑，充滿激情與理想，極富感染力，風靡整個北大校園。

37　少君，〈從「四五」到「六四」〉（美國：《中國之春》1990 年 8 月號）頁30。
38　錢建軍，〈歷史的沉思〉（美國：《中國時報週刊》1990 年 12 月 15-21 日號）頁 29-31。
39　胡平，〈競選宣言〉（香港：田園書屋，《開拓—北大學運文獻》1990 年版）頁 13。

推出這樣一個具有象徵意義的人出來競選,是《北京之春》同仁中以老謀深算著稱的陳子明與朋友多次協商的結果。以陳子明為首的一班人馬,如李盛平、呂朴等筆桿子全力以赴地,為王軍濤準備了競選宣言和綱領,並訓練其答辯技巧[40]。所以,當人們在台下看到臺上的只有二十二歲的王軍濤時,無不為其敏捷機靈的早熟佩服。王軍濤的答辯會,將北大的競選活動推向高潮,儘管會場設在能容納千人的學校禮堂,但依然爆滿,連講臺上都擠滿了聽眾,出現了前所未有的熱烈緊張的氣氛。王軍濤充分發揮了他的口才,縱橫闊闊,指點江山,從政治談到經濟,從歷史談到現實。辯論也達白熱化程度,具有超前意識的王不顧政治禁忌,勇敢地向共產黨的歷史開刀。他認為馬克思主義是宗教,對毛澤東一生基本上持否定態度。王認為:「青年是改革的積極參加者。從五四運動以來,他們經常站在要求改革鬥爭的前列。在飽嘗受騙、失望、失學、失業的痛苦後,他們徹底拋棄了史達林或毛澤東式的社會主義,他們追求承認人的價值、人的意義、人的權力的……生活方式和社會模式。」[41]

王軍濤競選演說的核心思想是:中國大陸現行制度弊病太多,其根本原因是中國沒有經過徹底的資產階級革命,也沒有過資本主義經濟高度發展階段,而這一切是本來應該而且可以在中國發生。所以,中國大陸現在應該回過頭來,重走歐美資產階級的道路,實行多黨制和三權分立的先進民主制度。這種思想完全與西單民主牆運動的吶喊一致,顯示出第三勢力在魏京生等大批骨幹被捕後,前仆後繼的勇氣和執著。正如王在他的〈中國的過去、現狀、未來的分析〉中說:「歷史就是這樣地有趣,在取消和抨擊民主牆的同時,卻接受了民主牆的主要思想」[42]。

也同樣從西單民主牆上走下來的,曾是民刊《沃土》主筆之一的另一位候選人胡平,則是以他善辯的機智和胸有成竹的應答,贏得了眾多選民的支持。與他人不同之處,在於他的文章的易懂與流

40　錢建軍,〈歷史的沉思〉(美國:《中國時報週刊》1990 年 12 月 15-21 日號)頁 29-31。

41　王軍濤,〈中國的過去、現狀、未來的分析〉(香港:《七十年代》1981 年 3 月號)頁 71。

42　王軍濤,〈中國的過去、現狀、未來的分析〉(香港:《七十年代》1981 年 3 月號)頁 71。

暢，很少有生搬硬套的概念和離民情遙遠的侃侃而談。胡平相信：
「真正的英雄離不開精神的獨立，那些只有遵循欽定的方式才能奮
不顧身的人，多是思想上的懦夫」。他認為：「在歷史上的轉折關
頭，思想的作用既使不是最巨大的，至少也是最關鍵的。它好比分
水嶺上的一塊石頭，能決定整個河流的未來走向」[43]。他所找到的
一個阿基米德的支點，不是他民主牆時期的同夥和競選時期的對手
王軍濤所說的支點，他把王寄託於一個學派或一種體制的思想，還
原成一個最簡單的支點：那就是，在公民的政治生活中，要能真正
實現「言論自由」。

胡平競選宣言《論言論自由》，以其成熟深邃的思考，成為此
次大陸高校競選運動思想理論水準的一種標誌，也是在此之後的大
陸民主運動主要追求的目標之一。由於胡平的成熟自信和競選中的
最佳表現，使他在一九八一年北京海淀區人民代表選舉中，能夠最
終贏得素以挑惕著稱的北大人的多數選票，與北大學生會主席張煒
一起當選為北京大學學生選區的人民代表[44]。

北京大學的競選活動，帶動了北京各高校民主競選運動的迅猛
發展：人民大學十一月六日由工業經濟系學生蘇華首先貼出「競選
宣言」後，隨即有韓宇紅、秦永楠、姜漁、陳嘉耀、許施智等參加
競選，韓宇紅最終以2700票當選。北京師範大學則於十一月十四日
起，有韓朝華、于海、王軍、吳曉惠、王本公、張明、陳恆六、李
世取、林森、劉石、劉衛東、徐建宇、陳建敏等參加競選。北京師
範學院的競選活動是由中共前國家主席劉少奇的兒子劉源（歷史系
學生）發起的，隨後參加的有張中天、董培基、蔣效愚等，但由於
票數不足，沒有人當選。中央民族學院站出來競選的學生有羅維
慶、關紀新、齊寶林、金鐵華、馬彪等，最後羅維慶當選為該選區
代表。清華大學三位學生候選人為：顧立基、華如興、歐陽碩，投
票結果，顧立基和華如興當選為人民代表。[45]

這樣如火如荼的競選運動，理所當然地使中共當局感到惱怒。
北京高校競選一開始，北京市委就迫不急待地發佈〈關於當前選舉

43 陳小勤，〈地下的熱泉〉（美國：《中國之春》1991年4月號）頁23。
44 胡平等，《開拓—北大學運文獻》（香港：田園書屋，1990年版）頁266。
45 胡平等，《開拓—北大學運文獻》（香港：田園書屋，1990年版）頁316-388。

工作中的幾個問題的通知〉，指責「競選是資產階級形式」，要求各學校給予制止。同時派出大批便衣特務進駐學校，伺機監視破壞這次民主競選運動。對於當局的壓力，不但參予競選活動的學生沒有退卻，甚至還遭到許多學校校長的抵制。北京大學十六位參加競選的學生還聯名簽署《告北大同學書》，針對當局對民主競選的壓制公開發表聲明：「我們選舉的目的是推動人民民主運動的發展。我們參加競選，是為了接受人民的挑戰，我們的行動是符合人民願望的，是符合人民利益的，是合法的。我們是民主改革的探索者，我們正在開拓一條通往政治民主化的道路，我們能夠克服在前進道路上遇到的問題，我們有信心和有決心使我們的競選活動卓有成效地進行下去，使民主選舉獲得圓滿成功」[46]。

參與並推動這次北京高校競選活動的一些主要積極分子，利用民心所向的局勢，在陳子明等的組織下，於一九八一年初在北京師範大學，召集北京大學的胡平、王軍濤、房志遠、李盛平，北京商學院的陳子華等三十幾人，開了一個關於如何擴大競選運動戰略的討論會，並提議發起北京十四所高校競選活躍分子聯席會議，相互交流經驗，推動民主競選的方式。聯席會議於一九八一年一月九日在人民大學召開，與會的各校競選人和助選代表近百人，其中包括科學院研究生院的陳子明，北京大學的胡平、王軍濤、房志遠、楊利川、夏申，北大一分校的李盛平，人民大學的韓宇紅、蘇華、姜漁、秦永楠、陳嘉耀，北京師範大學的李世取、王本公，北京師範學院的劉源、張中天、董培基，清華大學的顧立基、華如興、歐陽碩，北京商學院的陳子華等。會上經過激烈的辯論和修正，大家在兩份文件上集體簽了名，作為會議公報，表明對競選的態度與決心。中共對這次旨在擴展競選運動的高校聯席會議的召開極為恐懼，擔心民運分子跨校橫向聯合，煽動學生造反。中共中央書記處第二天就派人要走了會議文件，陳子明等又一次成為中共情治系統黑名單上的榜首人物。[47]

從一九八零年四月上海師範學院中文系學生徐政宇宣佈參加競選人民代表開始，至一九八一年六月十九日湖南師範學院宣佈開除

---

46 胡平等，《開拓—北大學運文獻》（香港：田園書屋，1990 年版）頁 292-293。

47 錢建軍，〈歷史的沉思〉（美國：《中國時報週刊》1990 年 12 月 15-21 日號）頁 29-31。

該校參加競選的學生陶森為止[48]，整個大陸高校民主競選運動歷時一年零二個月。儘管中共在競選過程中拼命壓制，競選運動之後大肆報復整肅，儘管為此胡平畢業三年找不到工作，王軍濤被發配山溝，徐邦泰所學不為所用，梁恆遠走異國。但這次高校民主競選運動是在中共統治大陸三十年來，大陸民主運動發展最為成功的一次，標誌著從「四五」運動成長起來的大陸「第三勢力」開始趨於成熟，也顯示出這一批人已經掌握了，以合法的方式與中共專制政權鬥爭的方法及經驗。關於參加這次競選的動機，胡平的思想代表了第三勢力對這次歷史給予的機會基本認識：「只要我們願意，我們就能夠賦予這場選舉以更豐富的內容、更鮮明的色彩，以及更深遠的意義。它可以成為一次真正的民主訓練，一次正式的民意考查，一座青年一代的公開論壇，一場偉大進軍的光榮開端」。[49]從此，這股第三勢力開始了真正在野地為推動中國大陸民主化而努力的進程。

（五）成熟

八十年代開始後，由於民主牆運動和高校競選運動對毛澤東及中共極端派的猛烈抨擊，使得鄧小平在中共內部凡是派和實踐派之爭中獲得最大的好處，中共黨內矛盾亦過渡為保守派和改革派之鬥。當鄧小平成功地阻止了民主牆運動的繼續發展，消除了為保守陣營受之以柄的顧慮後，中共以胡耀邦、趙紫陽為首的經濟改革派暫時站了上風。為了穩固已有的地位和適應經濟改革的需要，胡、趙體制從一批一直關心中國大陸經濟發展的第三代青年黨員中，挑選出如陳一諮、王小強、王歧山、嚴家其等學有專長又思想可靠的青年，相繼組成參謀班底，於一九八四年底將原「中國農村問題發展研究組」擴展成為「國務院農村發展研究中心發展研究所」和「中國經濟體制改革研究所」兩大智囊機構，加上原有的「國務院經濟技術社會發展研究中心」、「中國社會科學院」及後來成立的「中央政治改革辦公室」，組成在大陸十年經濟改革過程中，起過相當大作用的體制內改革勢力智囊團。

---

48 山之，〈湖南學生總代表陶森被捕〉（香港：《七十年代》1981 年 9 月號）頁 100。

49 胡平，〈競選宣言〉（香港：田園書屋，《開拓─北大學運文獻》1990 年版）頁 13-14。

在經濟改革的同時，中共體制內的一些自由派也開始試圖擴展自己的勢力範圍。繼《人民日報》一九七九年五月九日刊登李洪林的〈我們堅持什麼樣的社會主義？〉一文後，中共的自由派分子如王若水、郭羅基、于浩成、許良英、方勵之、蘇紹智、王若望、劉賓雁紛紛上陣，在中共黨內拉開架勢與保守派一決雌雄，成為體制內改革派的另一支力量。

在經歷了轟轟烈烈的民主牆運動和雖勝無功的高校競選運動之後，大陸第三勢力在魏京生等骨幹力量紛紛被抓、被貶、被壓的現狀下，對中國共產黨及其改革勢力的原有希望完全破滅。從專政機器倖存下來的人，開始了在體制外探討中國大陸民主改革道路的漫長而且艱難的過程，並開始走向成熟之路。

首先使第三勢力在思想界造成影響，並在青年知識份子中產生回應的是《走向未來》叢書。由持有異議思想著稱的包遵信、金觀濤主編的這套叢書，給大陸「在紅旗下長大的」第四代青年，展示了西方思想的精髓和社會未來發展的大趨勢。而此時以「職業革命家」聞名的王軍濤，則辭職南下，開始了拔涉鄂、粵、湘、川的職業革命生涯。他在大學、工廠、民間團體各處演講，鼓吹民主理念，並在廣州召開的大陸青年理論工作者第二次研討會上抨擊時弊。從一九八四年初至一九八六年底，王軍濤和湖北的謝小慶、劉衛東、劉丹紅等一批民主青年人，辦起了「華中師院成人培訓中心」和聞名武漢三鎮的「江漢補校」，建立起廣泛的社會聯繫和培訓基地。開始了以學校為基地，建立民主運動的「黃埔」的計畫，並計畫「十年後華中五省的縣以上幹部將有一半成為我們『黃埔軍校』的畢業生」，[50]企圖以此培養未來民主運動中，具有民主理論和實際經驗的生力軍。第三勢力在南方的行動，嚇壞了中共當局，連以改革派著稱的趙紫陽都急令「驅王離鄂」，使王的「黃埔」計畫功虧一簣。

這時，在北京的青年政經圈子，已開始分化成體制內和體制外兩大陣營。而體制外的骨幹力量主要由原《北京之春》的成員組成，其原因之一是它民主牆運動後損失最少的團隊，其原因之二是這一批人在高校競選運動中得到了充分的民主訓練，掌握了與共產

50　少君，〈從「四五」到「六四」〉（美國：《中國之春》1990 年 8 月號）頁30。

黨合法鬥爭的技巧與經驗。畢業後到大陸社會科學院哲學所工作的陳子明和在《百科知識》雜誌當編輯的李盛平在深思熟慮之後，「一致認為應該有個培訓、拓展事業的根據地」。[51]

於是，他們首先創辦了北方書刊發行社，積累了一定的經驗與資金，一九八五年中國政治與行政科學研究所（北京社會經濟科學研究所的前身）和中國行政函授大學、北京財貿金融函授學院相繼成立，並組織了與體制內的「北京青年經濟學會」相對應的「中國青年政治學會」，明確打出在體制外謀求中共所不願提及的政治改革。

但在當時的第三勢力中，對是否謀求與體制內改革派的對話，出現了嚴重的分歧。加上當時北京的圈子派別眾多，山頭林立，對第三勢力的發展極為不力。為了整合在野的青年人才，他們做了二次聚會。

第一次是一九八五年八月由《經濟日報》記者錢建軍和《中國社會科學》編輯閔琦組織的霧靈山之行，這是這批人自高校競選運動以來最大的一次聚會。霧靈山位於河北靈水縣境內，距北京二百餘里，由於參加聚會的人很多屬中共情治系統「內控」人物，為安全起見，前來聚會的四十餘人只好擠在一輛大轎車裡，以免走失。使得這幾年來，第一次有這樣多體制外不同「山頭」的人相聚在一起，其中有陳子明、王軍濤、黎明、楊利川、李盛平、王之虹、姜洪、包遵信、畢誼民、孫曉光、王津津、周一兵、陳子華、張玉川、楊百睽、馬曉琳、鄭繼兵、王炎、閔家贏、楊陽、戚炎、李河、張曉明、孫修、李海、吳晉華、陳心鋼、田小琪、唐燦、張宛麗、楊軍、陶永誼、孟昕、張昆平、趙瑜、趙江、錢銘今、李凌等，甚至來自體制內的中宣部的吳家祥、體改所的王小魯和張維迎也參加了聚會。大家為尋求大陸未來民主發展前景，而坐在一輛車上，共同探索一條可行之路。

第二次是在一九八六年十二月，以此時已回到北京的王軍濤的婚禮做聚合的努力，雖然有二十多人趕到位於北京南郊的北京黏合劑二廠參加聚會，對王軍濤在婚禮上唱的〈出塞曲〉也頗為感動，

51　未名，〈我的朋友陳子明王軍濤〉（香港：《百姓》1990年第230期）頁17。

但結果並不如願。經過幾次分化組合，一九八七年陳子明、王之虹、王軍濤、閔琦、畢宜民等原《北京之春》的骨幹，創辦了大陸第一個純民間的研究機構—北京社會經濟科學研究所，並將上述兩所函授大學接收管理，成為後來大陸第三勢力發展的基地。[52]

在無產階級專政的中國大陸，任何機構的設立，都必須有一個主管機關和經過一定的審批程式，而北京社會經濟科學研究所，可以肯定地說，它是中共統治大陸四十年來，第一個以中國政治、經濟、社會為主題的純民間研究機構。它之所以能存在並發展起來，在大陸這不能不說是一個奇蹟，也是一個謎，但它至少說明第三勢力的能量已非同小可。

一九八七年，以陳一諮為首的體改所的參政地位已被中共確認，變為地地道道的御用謀士班子，一時間成為許多幻想擠入大陸高層社會的青年人的階梯。而陳子明等所創辦的民間研究機構，不但為官方所否定，並且為體制內青年學者所輕蔑，為正統理論界所不理解。儘管如此，儘管在財力、資料和研究力量上十分不足，如履薄冰。但這一批從民主牆上倖存下來的青年，在陳子明等的帶領下，堅強地朝奮鬥目標努力著，並在艱苦的環境中自我完善和充實，使大陸社會理論各界，終於對這一股原來十分弱小的力量刮目相看，成為在野派青年理論界的旗艦。

從一九八六年夏天開始，「北京出現一個政治體制改革討論的小高潮，陳子明、閔琦是這次討論的策動者」[53]，他們還接連組織召開了「知識份子問題討論會」、「軍政學研討會」等一系列專題理論討論會，使他們這個民間研究所所辦的活動，以其新穎無拘的形式和充滿激進味的觀點，而震動北京及大陸理論界，引起大批青年學者的注目。該所還以其主辦的刊物《政治與行政研究》，為中青年學者提供發表新觀點的園地，並發展擴大「中國青年政治學研究會」，開始集聚自己的圈子。

到一九八七年五月，該所由於所辦的兩所函授學校收入頗豐而財務狀況轉好，終於在北京海淀區雙泉堡，租下一座五層大樓的兩

52　少君，〈我所認識的陳子明和王軍濤〉（美國：《自由論壇》1990年4月號）頁20。

53　謝小慶，〈陳子明王軍濤的觀念和主張〉（香港：《百姓》1990年6月16日號）頁26。

層做為固定辦公場所，結束了大陸第三勢力自一九七六年四五運動以來，一直居無定所的流浪狀態。從一九八七年到一九八九年「六四」大屠殺該所被查封的兩年中，該所已擁有專職研究人員和工作人員四十餘人，特約或兼職研究人員一百多人。擁有辦公用房六十多間，約一千平方米。設有社會學部、經濟學部、政治學部、心理學部等學術研究部門和辦公室、資料室、電腦室、科研處、編輯部、公共關係部等科研及行政部門。從成立到八九年初，共舉辦十四次大、中型學術研討會，開展了四十項學術課題的研究，撰寫和編輯出版了社科著作和譯作一百餘種。[54]

　　由於北京社會經濟科學研究所很快在大陸理論界打下了公認的基礎和地位，以致一九八八年後期開始有體改所、發展所等官方機構來找其做橫向交流協作研究，終於以在野的姿態，成為中國大陸理論界和體制外改革力量的一支生力軍。而事實上，北京社會經濟科學研究所此時已成為大陸民主力量發展的溫床和「黃埔軍校」。它開始為四五運動以來的職業革命者提供落腳之地，為異端思想和民主理論提供闡述和發展的園地，為民主自由思想理論的研究者提供資料和研究資金　。先後受惠於該所的著名民運人士有王軍濤、胡平、劉迪等人。

　　為了便於在中共嚴密控制下展開社會活動，該所公開聘請了一大批有改革思想且具聲望的中共退休老幹部為顧問以做招牌，事實證明起到了相當的保護作用。一九八八年三月，該所以三十萬元的代價兼併了官方中國經濟學團體聯合會的機關報《經濟學週報》，由陳子明任社長，該所顧問何家棟出任總編，「職業革命家」王軍濤出任副主編，「使這份報紙面貌發生了根本性的變化，最具有實證派理論的特徵」，「成為國內經濟學界普遍關心的專業報刊之一」[55]。

　　對於這張在理論界影響很大，亦為第三勢力喉舌的報紙，已故以敢言著稱的原上海《世界經濟導報》社長兼總編輯欽本立曾這樣評價：「對經濟形勢的預測和分析，對經濟改革的批判和分析，在

54　少君，〈共產黨鼻子底下的獨立王國〉（美國：《中國之春》1990 年 1 月號）頁 10-14。

55　侯曉天，《王軍濤其人其言其罪》（香港：當代月刊出版社，1992 年版）頁 29。

發表經濟理論文章的份量方面，《週報》遠遠超過《導報》」。[56]

於此同時，北京社會經濟科學研究所還大規模展開了對老、少、邊、窮的延安地區和山東兗州煤礦的社會調查，在大陸新聞界造成很大聲勢，並趁勢在全大陸範圍內公開招聘資訊員三萬多人，建立起一支遍佈各省的資訊隊伍。一九八八年是該所發展最有成效的一年，他們還和《經濟日報》研究所聯合成立了「中國民意調查中心」，擁有先進的軟硬體設備和密佈大陸的調查員網路。與北京市政府某部門合辦了「北京人才評價與考試中心」，為社會提供招聘人員的評價、考核、培訓及測量的服務，同時為該所的科研提供資料和實驗園地。同時他們又加強完善和充實中國行政函授大學和北京財政金融函授學院的教學計畫，增加專業設置和教職人員，使在校生達二十萬人，建立起自己的「黃埔」隊伍。[57]

北京社會經濟科學研究所的崛起，在中共上層引起極大的恐慌，特別是中共北京市委李錫銘等人，更將它視為眼中釘。從一九八七年到一九八九年初，該研究所曾四次被情治單位上報到中共中央書記處，兩次上新華社內參《情況反映》。[58]中共從公安部到教委及北京市政府層層加壓，企圖扼殺這股「第三勢力」。但由於抓不到「非法」的把柄，使之直到一九八九年「六四」大屠殺後才達到封殺的目的。

也許這股「第三勢力」的主要成員，早已預感到這種山雨欲來風滿樓的情形，他們曾試圖把觸角伸向國外，不但與原屬同一勢力的，當時已是海外公開反共勢力的中國民主團結聯盟主席胡平取得了聯繫，[59]而且還通過圈內人出國進修的機會，制定出一套在海外尋求資助，籌辦合資研究機構的計畫，但亦由於八九民運的突來胎死腹中。

自八十年代初中共體制內改革派執掌大陸經濟改革大權之後，

56　侯曉天，《王軍濤其人其言其罪》（香港：當代月刊出版社，1992年版）頁29。

57　少君，〈共產黨鼻子底下的獨立王國〉（美國：《中國之春》1990年1月號）頁10-14。

58　吳仁華，〈中國青年知識份子的良心和脊樑〉（美國：《新聞自由導報》1990年12月7日）二版。

59　錢建軍，〈歷史的沉思〉（美國：《中國時報週刊》1990年12月22-26日號）頁38-40。

大刀闊斧地在計劃經濟的基礎上，進行屬於市場經濟實驗範疇的財稅改革（利改稅）、金融改革（撥改貸）、價格改革（雙軌制），形成社會經濟的暫時繁榮，但很快由於市場經濟與現行制度的矛盾，通貨膨脹和貪污官倒的盛行，使得經濟改革走入死胡同。而由第三勢力宣導的政治改革，剛剛開始就隨著一九八六年底的學潮和一九八七年初的胡耀邦的下臺，而被鄧小平封殺。

在這種人們普遍對「摸著石頭過河」的前景灰心無望的情形下[60]，第三勢力再一次挑起了探討中國大陸社會體制改革的重任，他們把關於政治體制的研究從政策層面轉向操作層面，集中於實現的方式、轉變過程、步驟等。在《走向未來》叢書主編金觀濤在北京大學的「未來中國與世界」座談會上說出「社會主義的嘗試與失敗，是二十世紀人類的兩大遺產之一」話的同時，[61]由北京社會經濟科學研究所主辦的「中國十年改革與現代化理論研討會」於一九八八年底在北京召開，一百多體制外和體制內的青年理論學者首次坐到一起，總結大陸過去十年經濟改革失敗的原因和未來的道路。雖然雙方對大陸的政治、經濟、社會改革有激烈的不同意見和爭論，但在中共改革派在黨內已完全失勢的情況下，體制內和體制外的青年忽然發現他們「對現代化目標的理解大致是一致的，只是手段和道路上有所分歧」[62]。

從八八年底開始，王軍濤、陳子明等就開始預料到八九年的五四左右，在中國大地將掀起一次民主運動的高潮。因為從多年對中國政治經濟的研究分析中，他們清楚地看到十年改革潛伏著巨大的危機，體制問題已成為不可避免的衝突，改革與反改革派的鬥爭，已上升到獨裁與反獨裁的高度。改革的前景建立在是否削弱共產黨領導的基礎上，民主運動的導火索一觸即燃。在第三勢力謀求以社會力量推動社會進一步改革的同時，被中共黨內保守派從原體制內驅除的人物如方勵之、王若望、劉賓雁等，與已失寵的體制內學者如嚴家其、蘇紹智、溫元凱等，也開始加入推動中共「實行政治多元化」的社會運動中。這兩股力量不約而同的合流，對推動八九學運的產生和發展起到了重要的作用，但在如何對待學運的問題上，兩者存在著很大的分歧。

60　此句為趙紫陽對其經濟改革政策的描述。

61　華原，《痛史明鑒》（北京：北京出版社，1991 年版）頁 105。

62　張鋼，〈我的朋友王軍濤〉（美國：《中國之春》1991 年 4 月號）頁 12。

在一九八九年初，「陳（子明）、王（軍濤）考慮到可能會出現學潮，並討論過一旦出現學潮將怎樣對待。結論是：學潮是情緒化的，知識界的努力應是理智的；學潮是短暫的，知識界的努力應是持久的」[63]。所以，第三勢力在八九學潮的開始階段，基本上是汲取了八六年學潮的歷史教訓，努力保持冷靜的態度。因為此時「中國的獨立的知識份子階層已經在歷史上崛起了，下一步它的成熟化，就是需要它有個組織起來的過程，從政治上的自覺到組織上變成一種有勢力的一支力量」，「構成一種對老百姓的新的指導力量」。[64]

所以，在八九學運的初始階段，北京社會經濟科學研究所沒有停止它的學術研究活動。從八九年初到五月，該所曾參與組織了各種研討會、演講達二十幾次，與體制內「三所一會」（中國經濟體制改革研究所、國務院農村發展研究中心發展研究所、中信公司國際問題研究所和北京青年經濟學會）積極推動學運「倒鄧保趙」的情況形成對照。

但到五月十三日大學生開始絕食，[65]中共當局卻毫無妥協讓步的意思，原本主張「知識界的現代化努力不應與學潮交叉」的第三勢力，[66]開始認識到目前應「形成一支比學生更有組織、更自覺、文化程度更高、對策更高的這樣一支力量」。[67]他們於五月十七日在北京薊門飯店召集各界精英二十餘人集會，決定支持學生的民主要求，「通過精英講話影響學生，學生講話影響全國民眾」，[68]以非暴力和理性的方式進行抗爭。他們在接受中共統戰部要求出面協調與學生對話的同時，發表措詞嚴厲的《五一七宣言》，指責中共是「喪失人性的」「在一個獨裁者權力下的政府」，宣告八九

63　謝小慶，〈陳子明王軍濤的觀念河和主張〉（香港：《百姓》1990 年 6 月 16 日號）頁 27。

64　陳子明，《陳子明反思十年改革》（香港：當代月刊出版社，1992 年版）頁 452。

65　吳牧人等編，《八九中國民運紀實》（美國：紐約出版公司，1990 年版）頁 289。

66　謝小慶，〈陳子明王軍濤的觀念河和主張〉（香港：《百姓》1990 年 6 月 16 日號）頁 27。

67　陳子明，《陳子明反思十年改革》（香港：當代月刊出版社，1992 年版）頁 459。

68　陳子明，《陳子明反思十年改革》（香港：當代月刊出版社，1992 年版）頁 453。

民運「是一場在中國最後埋葬獨裁、埋葬帝制的偉大愛國民主運動」。[69]

針對中共五月二十日的戒嚴令和戒嚴部隊的進城行動，為保護學生、維護民主的神聖與權力，五月二十三日由王軍濤牽頭在社科院馬列所集會，召集各界知識份子與學生、工人、市民組織的代表三十多人，成立旨在維護公民基本權力的「首都各界愛國維憲聯席會議」，指導學生建立了「保衛天安門廣場指揮部」，以領導這場由學潮演變為民主訴求的運動朝成功方向發展。

在這場前所未有的八九民運中，儘管第三勢力始終處於中共情治機關二十四小時的監控中，但他們還是投入了幾乎自七九年民主牆運動以來積蓄和發展的所有人力物力，從廣場學生的第一筆經費、印刷機、打字機、對講機、望遠鏡到《新聞快訊》和各種傳單，北京社會經濟科學研究所投入了全部的人員和財物，成為對八九民運影響及貢獻最大的一支力量。同時，由於第三勢力的特殊歷史背景，他們被中共指稱為八九民運的「黑手」。陳子明、王軍濤被判十三年重刑，包遵信、李盛平、楊百睽、陳小平等上百人被捕入獄，北京社會經濟科學研究所全軍覆沒，使近十年來建立起來的這股勢力損失慘重。

但是，經過這次八九民運，第三勢力的主張和能量，得到了相當多老百姓的贊同與承認，也第一次為全世界各國政府和眾多的政治團體所關注。第三勢力長期推動大陸政治體制改革的努力，不但使大陸的人民認清了共產黨獨裁專制的危害，而且也促使了一批原來對共產黨自身改革存有幻想的體制內學者，走到反對一黨獨裁追求民主自由的陣營中，與海外民運一起成為第三勢力追求中國社會民主現代化的同盟軍。從這一點上看，第三勢力在八九民運的獻身，是一種最有價值的投入，為它在今後自身的發展及其在未來中國大陸社會民主發展變革過程中的作用與地位，奠定了最好的基礎。

從「四五」到「六四」，第三勢力在無產階級專政的惡劣環境中形成，在共產黨內鬥不斷、忽左忽右的艱難條件下發展壯大，到

---

[69] 陳子明，《陳子明反思十年改革》（香港：當代月刊出版社，1992年版）頁453。

八九民運時的成熟與貢獻,向社會展示了他們的理念和執著,這十幾年的風風雨雨,充分表現了他們對推動大陸社會民主現代化的決心是不可動搖的。

2、第三勢力與中共的內鬥

中國共產黨自一九四九年底奪取大陸政權之後,一直將消滅階級異己分子和反抗勢力的任務,放在重要議事日程。他們時刻都在擔心資產階級和西方資本主義社會,對他們這個人口占世界四分之一的無產階級專政社會的滲透、分化、瓦解。正如毛澤東本人所說:「階級鬥爭要年年講、月月講、天天講。」[70]

為此,中共先通過鎮壓反革命運動把相當一部分的地主、資本家、前國民黨官員殺掉或投入監獄,再通過接連不斷的政治運動將出身於地主、資本家、反革命家庭的人列為被改造對象,打上深深的階級烙印,企圖像希特勒納粹清除猶太人一樣消滅敵對勢力。但是,對於那些出身革命家庭,從小「生在新社會長在紅旗下」的新生代中的異議分子,長久以來不知如何定義及處置。因為用中共血統論的理論,是無法解釋這種現象的,唯一可以自圓其說的理由,是他們沒有搞好自身的再教育,受資產階級毒害腐蝕所致。所以對這一批人,中共在階級定位上長期猶豫不決,既不忍心自毀理論,將其打到敵對階級那一方,又不能容忍新一代異己分子不斷湧現。第三勢力產生和發展,就是客觀利用了中共這一自我矛盾心理,得以在強大的無產階級專政下,形成今天的局面。

(一)在內鬥中求生命

一九七六年發生的由悼念周恩來而引發的「四五」運動,實際上是大陸人民不滿情緒,在中共集權統治下長期受壓抑下爆發的結果。其誘因是中共內部年青的激進派和年老的實務派角鬥的結果,雖然當時毛澤東已病入膏肓、垂垂老矣、不醒人事,但少壯的激進派由於堅決悍衛毛的思想和近親關係深得毛的信任,且夾天子以令天下。所以中共大權當時落至後稱四人幫的江青、張春橋、姚文園、王洪文等手中,而唯一可與毛澤東聯繫的管道,又被屬四人幫

70　毛澤東,《毛主席語錄》(北京:人民出版社,1971年版)頁122。

派系的毛親侄子毛遠新把持。這時中共實務派台柱周恩來的死亡，使實務派一時群龍無首，眼看就要被人任意宰割。而他們又自恃不是對手，且毛皇尚在，不敢妄動。但又不甘心坐以待斃。所以，他們利用清明節這一中國傳統的祭日，和當時人們剛剛經歷了文化大革命的高峰期劫後餘生的感覺，通過大批高幹子女將中共上層鬥爭的內幕，有選擇地傳入民間。造成奸臣當道，欺上瞞下的印象，從而激發了大陸人民壓抑太久的反抗情緒，借詩歌花圈發洩。

而一批對現時社會深懷異議的青年，在經歷了轟轟烈烈的無產階級文化大革命和上山下鄉的大起大落之後，在感到被玩弄的痛苦之餘，開始思考和觀察社會，最後終於意識到改革社會現狀之必需，從而主動地承擔起參與和組織這場運動的責任，成為第三勢力開始形成雛形的一個歷史標誌。當時第三勢力所面臨的情形如陳子明後來對記者所述：「我一直克制自己，內心很痛苦，我很清楚自己的身分怕給運動添麻煩。到了『四五』那天，我覺得要有人出來領頭。那天我做了自以為是有意義的事……那次出了頭以後就得老出頭了」[71]。

對於這場中共統治大陸二十七年來的第一次民主運動，中共當局在激進派的主導下，毫不留情的予以鎮壓，並定性為反革命事件。而原本樂觀其成的中共實務派此時則退避三舍，將自己推得乾乾淨淨。眼見著大批青年被捕入獄，始終沒有人敢出來為民說話。所以，當時將「四五」運動的發生歸結為「一小撮壞人挑動下」發生的，中共內部並無異議，由此可見「階級異己分子」和「新生反革命」在中共實務派心中和激進派是一樣的危險，是共同的敵人。

因此，當中共實務派在一九七六年十月的政變中擊敗激進派時，並沒有人關心過因「四五」天安門事件入獄的人，甚至有些地方還在繼續追捕漏網之人。這種情況說明，他們對第三勢力的能量是心有餘悸的。直到老百姓把大字報貼到了天安門廣場，中共改良派和凡是派的鬥爭白熱化，才不得不於一九七八年十一月十五日為「四五」天安門事件平反，[72]做為中共兩派角鬥第一個回合的一個結果。但是，中共絕沒想到平反「四五」運動所帶來的一系列後

---

71 陳小勤，〈地下的熱泉〉（美國：《中國之春》1991年4月號）頁28。
72 〈天安門廣場真相〉，（北京：《人民日報》，1978年5月11日21日）一版

果，以致成為後來民主牆運動的奠基石。

一九七八年底開始的西單民主牆運動，從嚴格的定義上講，開始時，實際上是受到了來自中共內部的某一層次的默許甚至支援。因為雖然第三勢力在「四五」運動後已經形成，但還構不成對中共產生影響的力量，如果中共沒有當時的內鬥，他們有能力隨時扼殺這股新生勢力。但問題出在中共黨內，民主牆運動的產生，在某種程度上，是由當時社會上四處彌漫著的啟蒙思想引發的。這種啟蒙思潮首先在中共黨內產生反應，而毛澤東針對黨內異己發動的十年文化大革命，使大批中共幹部知識份子慘遭打擊，則加重了這種反應。

因此，在中共黨內便產生了兩種傾向的派別衝擊主流派：一種以黨內受過毛澤東迫害，而重新回朝的老幹部為代表，他們十分擔心「凡是派」繼續掌權，會不利於他們的生存與安全，所以他們以反「四人幫」為名間接反毛，逼「凡是派」交權。另一種是以黨內共青團出身的知識份子型幹部為代表，他們出於自身的利益和前途，不滿中共論資排輩的傳統和一言堂的毛式作風，以要求黨內民主和改革開放，逼「凡是派」妥協。這兩種派別為各自利益而目標相同的暫時合流，在中共黨內形成一股改良主義的政治力量，以不滿「凡是派」繼續神化毛澤東搞唯我獨尊為理由，發起「實踐是檢驗真理的唯一標準」的討論，衝擊黨內長期形成著的毛澤東思想的無上權威。

一九七八年五月十一日，大陸《光明日報》發表南京大學哲學系教師胡福明的文章〈實踐檢驗真理論〉，[73]中共改良派在輿論界推出「實踐是檢驗真理的唯一標準」的討論，一方面公開責難華國鋒政權的「兩個凡是」的主張，[74]並以此立論全面質疑毛澤東的「無產階級文化大革命」。一方面為受中共過去三十年歷次政治運動打擊的黨內幹部平反，默許甚至鼓勵社會上在毛時代受過共產黨迫害的黨外人士鳴冤叫屈，造成上訪人潮和西單民主牆的產生。從理論上和輿論上製造改良派奪權的依據和先聲，又造成強大的社會壓力迫使「凡是派」屈服。

73　胡福明，〈實踐檢驗真理論〉（北京：《光明日報》1978 年 5 月 11 日）三版。
74　兩個凡是：凡是毛主席所作出的決策，我們都必須擁護；凡是毛主席的指示，我們都要始終不渝的遵守。

　　和世界大多數共產國家一樣，中共政權的政治活動常常維持一定程度的隱密性。中共高層領導人之間的權力鬥爭，常在政策辯論的掩護下進行。一旦現行的政策受到質疑，既顯示某個異議團體已經形成，意圖抗衡在位主政的主流團體。對現行政策的批評，過去常在中共正式組織或會議上提出，持類似觀點的人不自覺地形成一個意見團體，對主流造成壓力，其目的往往是有潛力的高官企圖籍此奪取更高的職位。從歷史上看，由於毛澤東的權術和絕對的權威，使所有的黨內異議團體和具篡權野心的高官成為歷次政治運動的犧牲品。而在毛死後，中共黨內已沒有絕對的權威人物，在中共高層領導人奪權及鞏固權力的過程中，特別是在初期階段裡，政策辯論本身僅是領導人角逐權力的工具之一，無法決定權力鬥爭的勝負，政策爭議的最終結果，往往要看哪一方爭得了民心，特別是黨內的人心所向。所以，當時以鄧小平為首的中共改良派，充分利用了當時黨內黨外反中共激進派「四人幫」的激烈情緒，將矛頭引向毛澤東和堅持「兩個凡是」的華國鋒派系，為奪取高位不惜借助民主牆運動等黨外輿論壓力來達到目的。

　　由於中共黨內的改良派，始終受到其本身長遠利益的需要和黨內權力結構的局限，不可能從根本上衝破毛澤東思想和馬列主義，更不可能否定無產階級專政。但這由於這種改良主義引發的社會啟蒙運動，在民間則發展成為社會民主運動。這個新的啟蒙運動和民主運動，開始時主要以年輕的幹部和工人子弟為骨幹，他們有些人用原始的馬克思主義對抗中共的馬列主義毛澤東思想，有的則根本拋開馬列主義，而在保障人權和西方民主自由思想上發展新的理論。

　　這一批人在成長時期長期受中共無產階級專政封閉環境的禁錮，又在十年無產階級文化大革命中，失去了正常的受教育機會和充實文化薰陶的滋潤，對社會對統治者有一股不可壓抑的不滿情緒，而七十年代末的社會環境，正好給他們提供了發洩不滿情緒的土壤，這就是第三勢力賴以萌芽的最好的機會。雖然他們未能像五四運動的先驅者那樣才華風發，但從他們所發出的吶喊中，也閃爍著若干深沉和智慧的光芒。更重要的是，他們的勇氣遠遠超過五四運動的先驅，因為五四運動是在軍閥割據、統治者無能的環境下誕生的，而現在新的啟蒙運動和民主運動，所面臨的卻是一個史

無前例的集權專政政權。正是由於中共這個集權專政政權的內鬥，才給了中國大陸第三勢力一個不可多得的生長空間。

（二）在改良中求生存

在當時的環境下，民間的民主運動與中共黨內的改良主義運動，在客觀上是相互關聯和呼應的。黨內改良派所需要的揭批「四人幫」、破除毛澤東個人迷信、請鄧小平復出，為彭德懷、彭真、劉少奇平反等等，都得到民間民主運動的熱烈響應，「有力地配合了十一屆三中全會上改革派與凡是派的具有決定性的政治攤牌」[75]。

實事求是地講，當時黨內一部分知識份子，基於自己曾受過迫害的經驗，對民間的民主運動也寄予了某種程度的同情。但是改良派作為官方的態度，對民主運動和第三勢力的存在與發展，卻是出爾反爾的，這一點在鄧小平身上表現的最為清楚。一九七八年十一月間，群眾受到「四五」天安門廣場事件平反的鼓勵，掀起了一場新的大字報浪潮。鄧小平於十一月二十六日會見日本民社黨委員長佐佐木良作時說：「寫大字報是我國憲法允許的。我們沒有權力否定或批判群眾發揚民主，貼大字報，群眾有氣要讓他們出氣」[76]。十二月初，鄧小平在出席中法貿易協定簽字儀式時對法國記者也表示：大字報運動會繼續，因為那是件好事。[77]鄧小平的這些話，通過官方和非官方的管道傳播到民間，對西單民主牆運動的發展無疑是火上添油。十一月二十七日晚，因為有幾個外國記者來轉達鄧小平支援大字報的講話，致使北京西單民主牆前參加民主討論集會的人數達七千多人，並舉行了從西單到天安門廣場紀念碑的遊行。二十八日的集會更加激烈，人數增至兩萬餘人。同樣的民主集會，也於十一月底在上海發生，規模比北京更大，人數高達十幾萬人。[78]

如果說鄧小平在對佐佐木良作表示支持大字報運動時，還不知

75　陳子明，《陳子明反思十年改革》（香港：當代月刊出版社，1992 年版）頁 370。

76　華達，《中國民辦刊物彙編》（香港：觀察家出版社，1981 年版）頁 27。

77　華達，《中國民辦刊物彙編》（香港：觀察家出版社，1981 年版）頁 27。

78　華達，《中國民辦刊物彙編》（香港：觀察家出版社，1981 年版）頁 27。

道會發生民主集會，那麼在他對法國記者說那些話的時候，他顯然已經知道了北京、上海的民主運動狀況。他之所以如此這樣，完全是在利用大字報和民主運動的聲勢，與「凡是派」作最後一場決鬥。十二月中旬，中共黨內鬥爭達到白熱化，短兵相接的結果，是以華國鋒為首的「凡是派」全軍覆沒，汪東興、紀登奎、陳錫聯、陳永貴、吳德、張平化等華派大將被驅離中共權力中心。而以鄧小平為實權中心的中共政權新格局，自中共十一屆三中全會後開始形成並很快鞏固。

鄧小平在這場中共黨內鬥爭中，充分利用了民主牆運動為其倒華助威。而在鄧的某種默許下，中共黨內的改良派甚至還與第三勢力進行了某種程度的接觸。據《四五論壇》的劉青在《獄中手記》中回憶：中共共青團中央曾訪問過《北京之春》、《沃土》、《今天》、《四五論壇》，人大法制委員會也曾邀請《沃土》和《北京之春》參加法制委員會的會議，官方的《人民日報》、《北京日報》、《中國青年》都與民刊有過正面的接觸。[79]甚至時任中共中央秘書長、政治局常委的「胡耀邦和胡喬木都接見過王軍濤，胡啟立曾代表鄧穎超和彭真看望並與《北京之春》主要成員座談，以後胡啟立和李瑞環又多次與周為民、王軍濤、韓志雄等談話」[80]。可見民主牆運動和第三勢力在當時中共改良派的眼中，還是一個比較重要的籌碼。

從中共的歷史上看，中共高層爭權奪利，或為揭示新的政策方針，常常發起政策或文化辯論，並發動大陸知識份子為之附應，形成輿論攻勢。一旦權力鬥爭結束或新方針政策敲定，大陸知識份子思想意識稍有超越，便立刻遭到壓制。此次中共改良派與凡是派的內鬥，中共依然採取上述傳統法則，在改良派站穩腳跟後，原來用於攻擊凡是派的「實踐是檢驗真理的唯一標準」的理論，不再有無限制「解放思想」之內涵，而是加上了「堅持四項基本原則」的韁繩。

而民主牆運動又恰恰是利用了中共的內鬥和中共改良派對他們縱容的契機，大膽地提出在過去三十年所不能想像的民主要求，發

79　劉青，《獄中手記》（香港：百姓月刊出版社，1981年版）頁5-6。
80　陳子明，《陳子明反思十年改革》（香港：當代月刊出版社，1992年版）頁371。

展民辦刊物，用大字報為民申冤，宣傳民主自由思想，使人民對民主訴求的呼聲從地下轉到地上，使第三勢力反對一黨獨裁專政的主張從思想過程走到公開索求的階段。當中共改良派開始利用第三勢力的發展為他們奪權造勢時，也許並沒有料到會觸及專政制度的本身。但當民主牆上和民刊的言論已「自由」到議論共產黨和社會主義本身的正確與否，並要求更廣泛的民主、自由及基本人權，實現「第五個現代化」時，民主牆失去了為中共派系鬥爭所利用的價值，甚至成為威脅其獨裁的主要危險。中共改良派則恢復了他們血腥專制的本性，對民主牆運動揮起了大棒。到一九七九年三月中越戰爭結束，逮捕魏京生等一大批民運人士，查封所有民刊，取締一切民運組織，進行了一系列鎮壓民運的措施，直至查封大陸民刊協會所辦的最後一份民刊《責任》，這場中共改良主義運動與民主牆運動利用與反利用的較量才落下帷幕。

對於一九八零年的高校競選運動，中共也是始願不及此。中共在一九七九年六月五屆人大上通過的選舉法，原本就屬作秀的性質，一是因為鄧小平於年初剛剛訪問過美國，為了向西方世界表示他這個新中華帝國的統治者，不同於毛澤東，懂得一些民主的玩法，以求得更多的外國貸款，以挽救行將崩潰的大陸經濟。二是在大陸被中共統治三十年來，政治從來都是中共少數人玩的把戲，老百姓根本沾不到邊也不關心。所以，憲法、法律、條例改來改去，從無定規，也沒有多少人關心過。但中共沒想到這次有些人卻關心而且認真了，這些人就是經過民主牆運動鍛煉過的第三勢力，他們汲取了民主牆運動被封殺的經驗教訓，學會了改良，懂得了適者生存的法則，用據「法」抗爭的手段，在合「法」的範疇裡，爭取公民的合法權力，推動民主進程。

中共面對完全失控的高校競選運動，慌忙採取封殺民主牆的方法，以北京市委文件的形式下達禁令。但由於競選的合法性，此舉不但對參加競選的學生毫無威懾力，甚至遭到大學校方知識份子官員的抵制。由於這次高校競選運動遍及大陸各大名校，「打著紅旗反紅旗」，聲勢浩大，在國內外造成很大的影響。並利用講演、答辯、討論等方式抨擊專制，宣揚民主，並以已被中共在憲法中取消的大字報的形式發表宣言，提出各種新潮思想、異端見解、自由理論，並指名道姓地向毛澤東及其後繼者的專制集權思想發起攻擊。

言出了許多民主牆運動中所未曾想到的觀念。道出了民刊所不敢登的思想，傳播了大量的民主思想，「以競選的形式鍛煉群眾，培養他們的民主意識，使群眾在實踐中學會如何運用自己的民主權力利」[81]。

因為高校競選運動，特別是影響最大的北京高校競選活動，是由第三勢力直接推動、組織和參予的，情形如陳子明後來所言：「當時有那麼一份提綱。在競選之前有那麼一次會議，討論了競選問題。大家都十分清楚，競選並不能得到什麼。但歷史是一個合力，為了使整個主流偏一點，需要很多人去撞一下，我覺得，現在的形勢之所以能這樣，就是有一些人敢於以身試法」[82]。

也許正是由於它的合「法」性，使中共十分惱怒，不但一貫左傾的北京市委公然指責競選為資產階級方式，連當年在民主牆運動中與第三勢力有過直接接觸的胡耀邦，都斥之為「第三次反黨運動」[83]。可見中共上層，對大陸高校競選運動的看法是完全一致的。

究其原因有三：第一，一九八零年中共黨內改良派已完全從凡是派手中奪過政權，正如鄧小平當時所說：「現在提出改革並完善黨和國家的領導制度的任務，以適應現代化建設的需要，時機和條件都已成熟」[84]。他們急於修復由於內爭外鬥而傷痕累累的專政機器，以「堅持四項基本原則」的鄧小平思想代替毛澤東思想，以搞經濟調整為名轉移民眾對政治改革的訴求，以「一要吃飯，二要建設」（陳雲）的口號壓制黨內外的民主呼聲。而高校競選卻正好破壞了中共想穩住大陸社會的設想，所以恨之入骨。

第二，鄧小平及改良派上臺後，匆忙封殺曾為他們奪權助勢，現已無用的民主牆運動，唯恐第三勢力越鬧越大，最後波及中共政權本身。但高校競選運動提出的問題和涉及的民主思想深度，比民

81　房志遠，〈對競選運動的總結〉（香港：田園書屋，《開拓—北大學運文獻》，1990年版）頁7。

82　陳小勤，〈地下的熱泉〉（美國：《中國之春》1991年4月號）頁28。

83　陳子明，《陳子明反思十年改革》（香港：當代月刊出版社，1992年版）頁375。

84　陳子明，《陳子明反思十年改革》（香港：當代月刊出版社，1992年版）頁372。

主牆和民刊所言有過之而無不及。最令中共所不能容忍的是第三勢力的插足，並從頭到尾地組織了這場運動，使中共警覺到第三勢力對他們的潛在的威脅和不可預料的能量，所以格外小心。

第三，中共從鄧小平到胡耀邦都覺得高校競選運動使他們大丟面子。本來選舉法是在鄧小平授意下通過的，其目的是給西方社會作廣告，以顯示中共新領導班子在他的主持下，會使用民主方法處理國事，以便從西方得到更多的美金，以挽救三百億赤字的經濟困境。但競選運動竟然假戲真做，讓鄧小平欲殺不能欲看不忍，騎虎難下，大丟老臉。

對胡耀邦而言，當年在中共封剿民主牆運動，大肆逮捕第三勢力骨幹分子時，胡及其團派親信曾有意留下民主牆時期最具溫和色彩的民刊《北京之春》的全班人馬，念其主編周為民和副主編王軍濤均為團中央的人[85]，為他們「改邪歸正」留下一條從共之路。萬萬沒想到這班人馬，竟然成為這次北京高校競選運動的主要策劃者。而且提出的競選宣言，一反溫和語調，激烈程度甚至超過《探索》，演講和答辯會的內容比西單民主牆的民主集會有過之而無不及。使胡耀邦怒從心起，懊惱不已。所以，中共對第三勢力在高校競選運動中的成功操作惱羞成怒，但又不敢在新「法」墨蹟未乾的情況下強行改「法」，只好等競選結束後實施行政治處罰。除個別外，幾乎所有在北京高校競選運動中觀點激進的學生，在畢業分配時都受到不同程度的打擊報復，如胡平研究生畢業後三年沒有單位敢錄用，為競選付出失業的代價。而王軍濤則被分到山溝中的一家軍工單位，使其無法常與外界聯繫。[86]湖南乾脆開除陶森的學籍，[87]上海的徐邦泰所學非所用……這種秋後算帳的報復後果，迫使這批從一九七六年「四五」運動中形成，經過七十年代末的民主牆運動和八十年代初的高校競選運動鍛煉成長起來的年青人，徹底地走入廣大的民間社會，成為一支名符其實的體制外社會改革勢力。

85　陳子明，《陳子明反思十年改革》（香港：當代月刊出版社，1992年版）頁374。

86　吳仁華，〈中國青年知識份子的良心和脊樑〉（美國：《新聞自由導報》1990年12月7日）二版。

87　山之，〈湖南學生總代表陶森被捕〉（香港：《七十年代》1981年9月號）頁100。

（三）在壓迫中求生長

大陸高校競選運動的成功，使鄧（小平）、胡（耀邦）、趙（紫陽）體制的中共高層對第三勢力的存在與發展抱有戒心並持排斥態度。幾乎所有第三勢力的骨幹分子，都被中共公安機關列入黑名單，受到不同程度的監控。[88]在這種情況下，第三勢力的客觀環境十分惡劣，使他們在八十年代的發展中步履艱難。但他們一如既往地繼續為推動中國大陸的社會改革盡心盡力，在競選運動結束後的幾年裡，一批第三勢力的青年開始對中國大陸社會做實證研究和探索，希望為社會解決一些現實問題。

所以陳子明、姜洪等組成了一個專門研究大陸勞動就業的研究小組，後來擴大了研究範圍，改名為「國情與青年發展研究組」，「其成員大部分是競選活動積極參與者」[89]。雖然他們在二年多的時間裡，為社會甚至也為當時的趙紫陽內閣「做了大量的為政府改革獻計獻策的工作」。[90]也盡了最大的努力，使國情與青年發展組由最初的十幾個人發展到近百人的規模，並下設有勞動就業研究、流通體制研究、財稅體制研究、行政幹部體制研究、教育體制研究、社會心理研究等八個課題組，使該研究組成為八十年代前期大陸學術界唯一與陳一諮、何維凌領導的農村發展研究組（體改所和發展所的前身）並駕齊驅的青年知識份子研究團體。但由於其第三勢力的出身背景，終不為中共當局所容，其原因和遭遇正如該研究組主持人之一的陳子明所言：「除了主觀方面的原因外，有兩大政治方面的原因，國情組不具有農村組『三多』的天然優勢，成員中沒有一個是（中共）高級幹部的子女或女婿，主要負責人都不是（中共）黨員，因而得不到（中共）高層的政治支持和財政援助。研究人員完全憑一片報國之心，渴求真理的無私熱情和與小組領導者的感情聯繫來維繫。反之，國情組也有自己的『三多』，即參加過四五運動，民主牆運動和競選運動的人多，因而少數具有極左思想的人不斷地對它進行干擾和破壞。每當我們與一個政府部門或科

88　錢建軍，〈歷史的沉思〉（美國：《中國時報週刊》1990 年 12 月 15-21 日號）頁 29-31。

89　陳子明，《陳子明反思十年改革》（香港：當代月刊出版社，1992 年版）頁 376。

90　陳子明，《陳子明反思十年改革》（香港：當代月刊出版社，1992 年版）頁 376。

研單位建立起相互信任和合作關係，他們隨後就插手散佈流言或直接施加壓力，迫使該部門割斷與我們的聯繫，斷絕對我們的任何形式的支援。」。[91]國情與青年發展研究組，最後在中共高層對其掛靠單位大陸社會科學院青少年所的直接施壓下被迫解散。

由此可見，中共十分警惕第三勢力的發展和擴張，不管他們做什麼，哪怕是對其經濟改革有幫助的事情。因為中共實在擔心第三勢力的壯大會對無產階級專政構成威脅。一九八四年辭職到南方閩、粵、鄂、蜀進行社會考察的王軍濤，在武漢創辦華中師範大學成人培訓中心和江漢補校時，雖然遠離權力中心的北京，但由於中共懼怕其在那裡會形成勢力，照樣不斷地騷擾：每當王軍濤及同事以成人培訓中心的名義到某地或某單位聯繫工作時，那裡就會接到來自有關方面的電話，聲稱王軍濤有重大政治問題，不得繼續交往。使得培訓中心費盡口舌、風塵僕僕地說服客戶參加培訓的努力全白做。那個年代的人們對經濟開放雖已適應，但對政治問題還是諱莫如深。所以包括華中師範大學校長章開沅在內的，對青年及民主運動深抱同情的各界人士，對王軍濤和他所從事的事業愛莫能助。在武漢的王軍濤及其同事們，雖然白手建起了二個培訓中心，但由於中共安全部門的刁難和打擊，始終沒有實現他們的「黃埔」計畫。而且在中共高層「驅王離鄂」的指令下，被官方趕出武漢，再次成為浪跡天涯的職業革命者。[92]

中共這種對第三勢力的監控和壓迫在八十年代的大陸一直有增無減。當民辦北京社會經濟科學研究所成長起來後，中共情治機關在一九八八年底八九年初，以《敵情動態》的彙報方式，將該所的正常研究工作描繪成為「密謀組黨」準備「政治綱領」，[93]企圖立即扼殺這個已在經濟上獨立，政治上有相當影響的研究實體，摧毀這個第三勢力的發展基地。與此同時，新華社《內參》也遙相呼應情治機關的「敵情動態」，指稱該所所辦的「中國行政函授大學」和「北京財政金融函授學院」有欺詐行為，財務不清，要求北京成

91　陳子明，《陳子明反思十年改革》（香港：當代月刊出版社，1992年版）頁377。

92　錢建軍，〈歷史的沉思〉（美國：《中國時報週刊》1990年12月15-21日號）頁29-31。

93　陳子明，《陳子明反思十年改革》（香港：當代月刊出版社，1992年版）頁387。

人教育局給與查封。[94]當時針對這個民辦研究所而來的指控和壓力來頭兇猛，大有掃蕩之勢，以致有許多人見到該所負責人陳子明的第一句話就問：「你不是被捕了嗎？怎麼還在外頭轉悠呢？」[95]

但由於當時中共內部的改革派與保守派的激烈鬥爭已使得他們暫時顧不得這些，經濟改革的失敗使他們在黨內各推責任。尤其在高層，李鵬與趙紫陽的矛盾已公開化，中共在「攘外必先安內」的慣例下還沒來得及處理這個問題，接著又發生了八九民運，使該研究所在「六四」大屠殺前躲過這一劫。

在八九民運中，從「六四」北京大屠殺後中共北京市委書記李錫銘的平亂報告和北京檢察院對陳子明、王軍濤的起訴書中，都可以看到中共從學潮一開始就對北京社會經濟科學研究所實施了嚴密的監視，甚至對該所組織或參與的每次活動都有詳細記錄，每個人在研討會或座談會上的發言講話都有錄音。也就是說，中共從始到終都懷疑、擔心、恐懼第三勢力對學生運動的影響和參與，因為中共以自己發展的歷史經驗中知道，任何學生運動的背後，必定有某種勢力做道義或財力上的支援，否則無法形成規模。當年國民黨在大陸執政時期，所發生的大規模學生運動，有百分之八十為共產黨所煽動組織。所以，中共把「有組織、有計劃、有預謀地進行了一系列陰謀顛覆政府和反革命宣傳煽動活動」的罪名，加到陳子明、王軍濤為代表的「三朝元老」—第三勢力身上，[96]是毫不令人奇怪的。

以第三勢力的產生背景及其發展歷史來看，這也是非常自然的。從一九七六年的四五天安門廣場運動、七九年的民主牆運動、八零年的高校競選運動、到一九八九年的八九民運，第三勢力為推動大陸社會的民主化，與中國共產黨較量了整整十三年，彼此已有了相當的瞭解和認知。中共對第三勢力的態度從教育、拉攏到排斥、打擊、鎮壓，將這股力量提升到敵對勢力的第一位，成為目前社會主義經濟建設時期的最主要的敵人。這就是為什麼當陳子明說

94　王之虹，〈我與我的丈夫陳子明〉（美國：《中國之春》1992 年 10 月號）頁 30。
95　陳子明，《陳子明反思十年改革》（香港：當代月刊出版社，1992 年版）頁 387。
96　陳子明，《陳子明反思十年改革》（香港：當代月刊出版社，1992 年版）頁 443。

「能不能加速完成上層文化的重建，能不能加速完成你這個知識界的這種組織化過程，能不能加速完成你和政府的謀合，能不能加速你從一般百姓的不滿、牢騷中超逸、超脫出來，構成一種對老百姓的新的指導力量，而不是跟著感覺走，跟著老百姓一起的感覺走，我認為這是當前知識階層特別是知識階層中先進分子所面臨的時代任務」時，[97]中共就認定八九民運是一場旨在顛覆無產階級專政的「暴亂」。

其實，不管八九民運的起因是什麼，也不管當時有多少中共黨內黨外的派系捲進去，八九民運的目標和導向就是推翻鄧小平獨裁統治，解除中共的一黨專政，在中國大陸實行民主制度。在這一點上，中共的感覺和判斷是完全正確的。中共對第三勢力的封殺，雖然長久以來因為其內鬥等客觀和偶然的原因而失去一些機會，但中共黨內對第三勢力的態度卻是始終如一的。無論是正得勢的鄧小平、李鵬還是已失勢的胡耀邦、趙紫陽，對第三勢力的發展壯大都視為大逆不道，欲殺之而後快。八九天安門事件給了中共對第三勢力大開殺戒的一個機會，他們趁此機會抓進了數以千計的知識份子，不管他們是否與八九民運有關或無關，其原因就是要掃清第三勢力。

但是，今天的第三勢力已今非惜比，其影響已滲透到大陸社會的各個階層，已成為大陸一代追求民主自由的中青年知識份子的代言人。

3、第三勢力的代表人物與機構

（一）魏京生與《探索》：

魏京生是中國大陸七十年代末的民主牆運動中最傑出的人物，他所具有的非凡勇氣和前瞻的民主思想使其在那個時代表現得出類拔萃。也使得他所主持的《探索》雜誌，從理論水準和思想深度上，在眾多的民刊中首屈一指，成為民主牆運動的一面旗幟，被後來者一直高舉到今天。[98]

97　陳子明，《陳子明反思十年改革》（香港：當代月刊出版社，1992年版）頁444。

98　民刊《探索》後在美國紐約由段克強等復刊發行至今。

　　魏京生是安徽巢縣人，筆名金生，一九五零年生於北京。一九七九年三月二十九日被中共當局以反革命罪逮捕，他當時是北京市公園管理服務處工人。其父時為中共基本建設委員會的正局級幹部，行政十級，屬於中共的高級幹部。故魏京生從小在北京長大，一九六六年文化大革命剛開始的時候，他是北京人民大學附中的學生。像當時絕大多數同齡人一樣，魏京生曾積極地投入這場運動，並成為聞名一時的「首都紅衛兵聯合行動委員會」的成員之一。一九六七年一月中共因「聯動」搜集江青的黑材料而逮捕大批「聯動」成員時，魏京生正串聯到新疆，逃過這一劫。一九六八年，魏京生躲到了安徽老家的農村，然後又參加了中共解放軍，到陝西服役。他在這兩個地方看到大陸底層社會真實的貧困狀況，開始研究探討社會主義制度的弊病。一九七三年他從軍隊復員回到北京，被分配到市公園管理服務處當工人。據魏的朋友講，他工作很勤奮，學習也很刻苦。哲學、政治經濟學、文學、社會科學等，他都很愛好。[99]

　　一九七八年十一月，是北京民主運動的高潮期。十一月二十五日，在西單民主牆前舉行了「民主討論會」。接著，發生了兩次從西單到天安門廣場的上萬人的遊行和好幾次數千人的民主討論會。十二月五日，西單牆上貼出了一篇題為〈第五個現代化〉的文章，吸引了許多人的圍觀和評論。這篇文章提出了一個鮮明響亮的口號：沒有民主化就沒有四個現代化。文章署名是「金生」。幾個志同道合的年青人找到文章的作者魏京生，經過交流思想和認真討論，為了「成為受苦受難的百姓的代言人之一，和追究中國社會落後的原因」，他們決定仿照過去一個月內創刊的《四五論壇》、《今天》和《群眾參考消息》，自己創辦一個獨立於官方的民間刊物《探索》。這些青年有當時在大學讀書的楊光、做公共汽車司機的劉京生、工廠工人路林和於藝。關於這個民辦刊物的宗旨，他們聲明：「我們的目的是：在最迅速地實現現代化的基礎上，使中國人民的物質生活和精神生活能達到世界先進水準，使人民處的社會環境在可能的階段內達到最合理。」至於辦刊的方針，他們認為：「既然我們現在不能確定中國落後的原因是假馬克思主義的緣故，還是馬克思主義本身就不靈了這一點，那麼，我們就不以馬克思主

99　Ping Hu，《Human Rights in China》，New York，Human Rights，Vol.3，No.2 Summer 1992，p39.

義為我們的指導方針。我們以憲法賦予我們的言論、出版、集會、結社自由為根本方針，力求以中國和世界歷史與現實為探討的基礎，既不承認某種理論是絕對正確的，也不認為某些人是絕對正確的。一切理論──包括現有的和即將出現的，都是本刊討論的物件，也都可以成為分析探討的工具」。[100]

　　一九七九年一月八日，《探索》第一期出版，發行了一百五十份，內容包括三篇文章：〈第五個現代化〉、〈續第五個現代化〉、〈就鄧小平副總理一月五日答美國記者問而問〉。這第三篇文章是針對鄧小平對美國記者說，中國不存在人權問題，而提出了十大問題。其中幾個問題是這樣提的：在「四人幫」橫行時期，中國是存在著「一些」損害民主的事，還是到處氾濫著踐踏摧殘民主自由的駭人災禍？今天的中國，「充分發揚民主」的政策，已經在多大程度上得到切實的貫徹執行？所謂「民主集中制」充分發揚民主的原則和政策，與美國提出的整個人權問題到底有哪些不同之處？如果允許中國公民也能享受美國公民現已享受到的所有個人權利，對中國人民的利益會有哪些危害？[101]

　　一月二十九日，出版了第二期，發行二百五十份，主要內容包括：編輯部（魏京生執筆）〈民主的限度〉、魏京生〈再續第五個現代化〉、楊光〈何處是中國人自己的思維〉、路林〈北京街頭賣孩子〉。編輯部的那篇文章，針對的是北京市委就上訪人員請願遊行，認為「有失國體」、「串聯鬧事」而向下傳達的一個會議精神。文章說：「北京市委的老爺們想利用北京市有些市民的愚蠢的地方主義，挑撥他們攻擊外地上訪人。更可惡的是他們企圖利用這種攻擊掀起一場反對當前民主運動的妖風。他們用參加請願為名，逮捕了北京女工傅月華。這種卑劣的行徑與四人幫何異！」[102]

　　三月十一日，第三期出版，發行八百份。這一期有兩篇暴露北京監獄黑暗面的文章：一篇是魏京生寫的〈二十世紀的巴士底獄──秦城一號〉，一篇是良藥寫的〈功德林的功德〉，還有一篇諷刺詩，題為〈皇宮適對主席堂〉。

100　魏京生，〈發刊聲明〉（北京：《探索》1979 年 1 月 8 日創刊號）頁 1。
101　魏京生，〈發刊聲明〉（北京：《探索》1979 年 1 月 8 日創刊號）頁 1。
102　魏京生，〈聲明〉（北京：《探索》1979 年 1 月第二期）頁 1。

在魏京生被捕的前幾天，又寫了一篇〈要民主，還是要新的獨裁〉，文章以《探索》社論的名義，貼在民主牆上，此外，還以號外的方式散發。

從以上的簡單介紹可以看出，《探索》在眾多民辦刊物中，的確算得上膽子最大、衝勁最猛，思想最激烈、言詞最尖銳、態度最潑辣的一個。它公開宣佈，不以馬克思主義為主導方針，它讚揚美國人享有的人權；它公然批駁北京市委，甚至鄧小平的講話；它毫不留情地暴露了監獄和收容所中，施用刑訊、虐待犯人的內幕。所有這些，不僅在當時，即使在現在，恐怕也算得上膽大妄為、離經叛道的言論了。

據《探索》第四期的主編路林（北京電子顯示儀器廠工人）說，魏京生被捕，主要是因為〈要民主，還是要新的獨裁〉那篇文章。三月十六日，鄧小平對中央各部委領導幹部講話，據說曾表示：魏某是壞人，要抓起來。毛澤東的錯誤是微不足道的，有些地方出現了混亂，都是這場群眾自發的民主運動帶來的等等。

〈要民主，還是要新的獨裁〉這篇社論非常尖銳地提出了批評：「我們想請問煽動抓人的政府大員們，你們使用手中的權力是否合法？我們也想請問華主席和鄧副主席，你們佔據總理和副總理的職位是否合法？我們更想瞭解一下，以副總理和副主席的身份，而不是以法院和人民代議機構的名義宣佈抓人，這種行為是否合法？」文章甚至指名道姓地批評鄧小平說：「人民必須警惕鄧小平蛻化為獨裁者……如今他要放棄維護民主的面具，對人民民主運動採取鎮壓，準備徹底地站在民主的反面，堅決維護獨裁政治，他也就不再值得人民信任和擁護……他正在走的是一條騙取人民信任後實行獨裁的道路。」[103]

不過，若沒有七九年三月底發生的政治氣氛的突變，魏京生大約還是不會被抓起來。七九年三月以後，中共中央針對各地出現的遊行請願、罷工鬧事等情況，顯然採取「收」的政策，開始提出堅持四個基本原則的口號。接著全國各大城市發出維護社會秩序的六條「通告」，禁止隨便張貼大字報。三月二十九日，北京市委的通告發佈，其中第六條規定：凡是反對社會主義，反對無產階級專

103　魏京生，〈聲明〉（北京：《探索》1979年1月號外）頁1。

政，反對共產黨的領導，反對馬列主義、毛澤東思想，洩露國家機密，違反憲法和法律的標語、海報、圖片等，一律禁止。現在看來，這一條規定倒很像是專門針對魏京生而發的。所以，他就在「通告」發佈的同一天被捕了。

十月十六日，北京市中級人民法院對魏京生進行審判，出席旁聽的，據新華社報導，有四百餘人。當天下午，審判長當庭宣佈：「魏京生背叛祖國，向外國人供給我國軍事情報，並違反我國憲法，撰寫反動文章，進行反革命宣傳鼓動，危害了國家和人民的基本利益。已構成反革命罪，性質嚴重，情節惡劣……判處魏京生有期徒刑十五年，刑滿後剝奪政治權力三年。」

顯而易見，魏京生被抓的主因是他的文章和言論觸痛了中共，而不是他向外國人提供了什麼情報。正如傅月華被捕，是因為她帶頭上街遊行而不是誣告他人強姦一樣，屬中共為愚弄老百姓所強加之罪。中共官方檢察院將兩罪並列，正顯示他們指控魏京生的主要罪狀─提倡言論自由和民主法制，是缺乏自信心的。魏京生的被捕和判刑，在民主牆運動和海外社會引起極大的反響。而《探索》並沒有因此而立刻消失，在路林主持下繼續出版了《號外》、第四期和第五期。呼籲世界輿論關注中國大陸的民主運動，要求中共當局無條件釋放魏京生，並將魏京生在法庭上的自我辯護錄音，通過《四五論壇》公佈於世，向社會控訴中共當局鎮壓民主思想的真相。

實際上，魏京生對自己將會遇到的情況早有所準備。在被捕前接受外國記者採訪時，他說：「我們什麼都不顧了，為了中國人民能得到幸福，政治上、經濟上能得到幸福，我們就幹，我們一切都拋棄，家庭、生活……。因為我們覺得，過去之所以沒有人起來反對，主要是一般老百姓對這個問題的認識還不算很清楚。為什麼認識不清楚？因為大家有許多看法，每個人都有自己的看法，但是沒有辦法互相交流，沒有辦法整理出來，形成一個比較有系統的看法。如果大家都不來講話，不敢講話，不敢交流思想，不敢說出自己的看法，那永遠也是這個樣子，一般人的認識也只能停留在不滿的情況。但這種不滿還不夠，還需要越認識越清，我們就想來做這個工作。當然，我們做這些工作有很多的危險。起碼我們這幾個人，現在正在做這個工作的幾個人，可以把自己的一些東西拋棄

掉，比如個人的前途、個人的安全、個人生活的舒適，這些都可以拋棄。拋棄這些東西是為了換來將來全國的老百姓、普通的人都可以得到較好的生活，過得較好。」

對於自己的所做所為，魏京生的理念一直非常清楚，他認為他和他的同事所努力的方向：「主要是使更多的人覺悟，認識這個問題。這對政府是一種壓力，同時也爭取到更多人來參加這個工作，這是合法鬥爭的方式。我們不準備搞陰謀，也不搞秘密組織，不準備用向共產黨奪取政權的方式。我們採取廣大人民群眾同意下的漸進方式。實際上，他們（中共）成了壟斷階級，而我們工人、普通知識份子，卻沒有思考他們的專政到底是什麼？針對這個情況，我們就是要讓人們思考，我們要把力量集中起來，我們要相信人民群眾，並且依靠他們。」[104]

今天，當人們重讀這些深具成熟理念的思想時，也許就可以理解，為什麼魏京生會在北京民主牆運動的芸芸眾生中顯得那麼出類拔萃。而事實上，魏京生所提出的在中國大陸實現「第五個現代化」的思想，實際成為後來大陸第三勢力努力追求的目標和方向。他的理念和勇氣鼓舞了整整一代人，為中國大陸的民主運動奮鬥到今天。

（二）徐文立、劉青和《四五論壇》

徐文立生於一九四三年，安徽安慶人。一九六四年高中畢業後參加中共海軍航空兵服役，一九六九年復員，分配到北京豐台鐵路工務工廠當工人，七三年調北京鐵路分局建築段當電工。一九七八年十一月二十六日，徐文立在在北京西單民主牆前創辦第一份民刊《四五報》，不久即與劉青、趙南等合作出版《四五論壇》，於十二月十六日出版了第一期。徐文立將自己的臥室做為《四五論壇》的編輯部，並在那裡編稿、刻鋼版、油印、裝訂。

一九八一年四月九日夜，徐文立在家中被捕，此後渺無音訊長達一年二個月之久。直到一九八二年六月下旬家屬才接到北京市中級法院刑事判決書，以組織反革命集團罪及反革命宣傳煽動罪，判處徐文立有期徒刑十五年，剝奪政治權利四年。從中共的判決書所

104　〈魏京生訪問錄〉（《香港：《百姓》1981 年 9 月 1 日版）頁 7。

列數的「罪狀」中，可以看出徐文立在民主牆運動中的活躍程度和重要作用：「一、一九八零年六月徐文立為首糾集王希哲、孫維邦、劉二安等在北京市甘家口秘密集會，圖謀成立『中國共產主義者同盟』，打破一黨專制。因王希哲認為條件不具備，應先做思想和組織準備，徐文立乃聯合上述三人及徐水良、傅申奇分頭主持出版《學習通訊》，共出六期，散發至十八個省市。誣衊我國社會主義是『特權官僚專制的國家資本主義』，叫囂『必然導致第二次革命』。八零年冬至八一年春，徐文立又秘密策劃成立『中華民主統一促進會』，撰寫了綱領，並決定派人去香港，勾結反華反共份子，陰謀將反革命組織總部設在香港。下設『大陸、臺灣、香港、海外四個分會』，妄圖搞成一個『打不爛、摧不垮的政治實體』、『組織臨時政府』、『舉行大選』，推翻我國人民民主專政的政權。二、徐文立在西單牆張貼、散發傳單、搞民意測驗、發表演講、撰寫文章，歪曲事實，顛倒黑白，煽動群眾，反對司法機關對反革命份子的公正判決，並將抵毀司法機關的文章送外國記者、駐華使館，採取郵寄、傳遞等辦法擴散到海外。欺騙輿論，混淆視聽，為反華反共勢力對我國的攻擊和誣衊提供藉口。」[105]

對於中共的判決，徐文立在法庭上據理力爭，駁斥中共當局的獨裁專制，他說道：「任何一個國家，都不允許一個部門、或一個司法機構把它的某些規定和具體判決，和它的立法機關和經過立法機關頒佈的法律、法令等同起來……如果一個行政機關和司法機構的具體行為和司法判決，不允許別人評論和批評，豈不是太霸道了嗎？」[106] 為了充分表達自己的理念，徐文立在監獄中寫出約十一萬字的《我的申辯》，共二百四十一頁，於一九八四年底完成，並輾轉流傳到海外，在香港和美國發表。該文前半部份敘說了作者自身成長的過程，文筆流暢感人，可一覽第三勢力第一代人的心路歷程。後半部份描述作者積極參與七八年底開始的大陸民主牆運動的梗概，以及被捕、關押、審訊、判決的全部經過。使全世界認清了中共無視法律踐踏人權的卑劣行徑。

劉青，又名劉建偉，生於一九四六年，一九六五年以前在北京上中小學，六五年到山西曲沃縣下鄉插隊，一九七三年就讀於南京

105　〈北京市中級人民法院判決書〉，（美國：《中國之春》1985 年 12 月號）頁 27。

106　徐文立，〈我的申辯〉（美國：《中國之春》1985 年 12 月號）頁 51。

工學院土木建築系，七七年畢業，分配到陝西漢中大陸航空工業部零一二基地。一九七八年底，劉青在北京治病及辦理調動工作事宜期間，參與了北京民主牆運動，是民刊和民眾組織聯席會議召集人、《四五論壇》召集人之一，並參與和領導了民主牆歷次主要活動。

一九七九年底，因組織援救被中共拘捕的《探索》主編魏京生，並在《四五論壇》上公開魏京生的法庭答辯詞而被當局非法關押。一九八零年初，中共未經任何司法程式，即將劉青押往陝西渭南勞改隊勞動教養三年。這期間，劉青寫了〈沮喪的回顧與展望—我向社會法庭控告〉，在美、英、法、港、台等地發表和廣播，激怒中共當局，劉青被中共以莫須有的罪名加重判刑八年。

在度過了整整十年零一個月的，慘無人道的鐵窗生活後，劉青又被強行安置在一個遠離人群的孤立山頭的廢棄庫房裡強迫勞動。在無法生存的情況下，劉青只得返回北京的家中求援，又被中共以非法居留為由，投入監牢半年。在大陸形勢的變化和國際輿論的壓力下，特別是在美國政府的直接交涉下，劉青終於被允許離開大陸，現居住在美國紐約，為國際人權組織「中國人權」的執行主席，亦為哥倫比亞大學的訪問學者。

在自由社會中，劉青對當年的民主牆運動是這樣回顧的：「一九七八年十一月，我和徐文立、趙南等人在民主牆前相會。我們這些在共產黨幾十年災難政治中，飽嘗貧困和政治鬥爭之痛苦的年輕人，全認為中國社會肯定在什麼地方出了問題，要糾正這種毛病，避免再經受反右、大躍進、文化大革命這類的災難，社會必須要有自己的聲音。能夠及時表達自己的願望和要求，使執政黨和政府避免一條道走到黑，做那些危害社會和人民的事……所以，我們有個共同的想法，就是辦民間刊物……《四五論壇》最初的宗旨，就是為中國能夠成為一個健康的民主社會主義國家做點輿論工作，大聲疾呼中國政治體制的改革和經濟體制的改革的必要性和緊迫性。

對於中共所標榜的無產階級專政，劉青深有體會：「八年徒刑中，我終於看清了共產黨是什麼貨色。在我身上，他們用盡了慘忍、橫蠻和卑鄙的手段，使我懂得了共產黨的『真理』是怎樣千錘

百煉得來的。不過，我敢於驕傲地說，他們未能把我錘煉成他們『真理』的板依者，即使口頭上他們也沒有得到一句。我第二件高興的事，就是看清了共產黨的『真理』是倒置的，它是將人打翻在地，讓人在它的蹄子的奴役下向上看，才會像『真理』。人們只要能挺住，堅持站立做人，就可以看清這『真理』的真實面目。在監獄熬了七年時間，我還有些相信社會主義有比資本主義比不上的優越性。但我現在堅信，大陸中國人要逃脫貧困、災難和屈辱，首先要逃出社會主義的桎梏，這就是勞改隊十年改造在我身上的成效。」[107]

從七八年底出刊到八零年三月被迫停刊，《四五論壇》在十五個月中共出版十七期，以其文風穩健、內容廣泛、文章切中時弊的特點，受到讀者的歡迎，成為民主牆運動時期發行量最大的民刊。最多時一期油印一千多份，固定訂戶二百多家，每期僅在西單牆零售就有幾百份。讀者遍佈大陸各地，並供給美國、歐洲及港澳駐北京的新聞機構和外交使團。該刊每期均刊登十幾篇文章，約三、五萬字左右，積極呼籲改革，在政治上，提出立法、司法、行政、黨權四權分立；修改憲法、保障人民真正有權監督和管理自己的國家，成為國家的主人；健全法制，取消終身制，舉行全民選舉，廢除一黨專制；國家武裝力量服從於國家和人民的利益，結束黨指揮槍的不正常狀態，實現人民代表大會為國家最高權力機構的民主體制（見《四五論壇》第四期）。在經濟上，提出發展商品經濟，鼓勵合法競爭，提出打破大鍋飯的設想，給農民耕地的自主權（散見各期）。由於內容豐富而充實，使《四五論壇》受到社會的廣泛注意，也吸引了眾多的青年投入這一事業。先後加入編輯部的除徐文立、劉青和趙南外，還有楊靖、侯宗哲、馬淑季、牟家瑋、李淑英、張勤及後來組織發起「人權同盟」的任畹町等十多人。

《四五論壇》在民主牆運動中，還牽頭組織了援救因組織在天安門廣場進行「反饑餓、反迫害、要民主、要人權」示威遊行，而被中共非法拘捕的傅月華的聯合行動。並因而於一九七九年一月二十五日組織成立了有《四五論壇》、《探索》、《今天》、《人權同盟》、《人民論壇》、《大眾參考消息》和《啟蒙》等民刊參加的聯席會議，定期舉行會議，交流資訊，共同對付中共當局對

107　劉青，〈走出大陸〉（香港：《百姓》1992 年 8 月 1 日號）頁 11。

民主牆運動的打擊壓迫。聯席會議於一月二十九日在西單民主牆前舉行抗議集會，聲討中共的法西斯統治，各民刊負責人借此機會紛紛發表演講，闡述民刊的宗旨及存在的意義，轟動國內外輿論界，使正在美國訪問的鄧小平大丟面子。在中共當局七九年春天大肆抓捕魏京生等激進民刊領袖後，《四五論壇》並沒有停刊，而是繼續以其溫和但深具民主理念的方針向社會發行，並於當年十月一日中共國慶日組織了以「要政治民主、要藝術自由」為口號的星星美展大遊行，由徐文立為一線總指揮，劉青為二線總指揮，使中共當局大為恐慌。當十月十六日中共法院無理宣判魏京生十五年徒刑後，《四五論壇》又以極大的勇氣油印了魏京生在法庭上的辯護詞，於十一月十一日在民主牆前散發，引起世界輿論的一片譁然。由此可以看出《四五論壇》在大陸民主牆運動中的韌性是多麼地強勁。

（三）王希哲、李正天與《李一哲大字報》

王希哲，原籍四川。一九六六年文化大革命開始時，他正在廣州市第十七中學讀書，是該校第一批紅衛兵的骨幹。六七年曾入獄一年，後下放到廣東省英德縣農場勞動改造，六九年回到廣州。一九七三年與李正天、陳一陽、郭鴻志合作寫成〈關於社會主義民主與法制〉一文，即著名的「李一哲的大字報」，貼在廣州街頭，被中共視為思想異端，從七四年開始被批判，一九七七年三月被正式逮捕入獄，七八年底出獄並得獲平反。一度被視為反「四人幫」的英雄，受中共當局的賞識。

但王希哲很快介入當時蓬勃興起的民主牆運動，在廣州創辦《學友通訊》，發表一些理論探討和抨擊時弊的文章。開始時，王希哲的思想觀點不同於其他民運人士，那些人多半傾向西方自由主義思想，而王則鑽研馬克思主義理論。企望從原始的馬克思基本理論中，尋找拯救中國大陸現狀的方法，對西方的民主自由主義基本持否定態度，並一直批判資本主義的剝削制度。以此為出發點，王希哲認為毛澤東不是一個馬克思主義者，而是一個「空前絕後的農民領袖」。他反對鄧小平的「四項基本原則」中的基本概念，而且提出要修正其含義。他的每一篇文章，都顯示出其深厚的馬克思主義理論根底，行文邏輯嚴謹周密，懷有強烈的愛國主義情感，頗得知識份子的好感，故常常在讀者中引起共鳴。

王希哲在一九七九年春發表〈為無產階級的專政而努力〉一文,基本代表他當時的思想理念。該文的主旨是從馬克思政治經濟學理論角度,分析社會主義國家在實行無產階級專政的過程中,會產生官僚主義的危險。文章第一段引述大量馬克思、恩格斯的原著,論述一個經濟落後的國家,在無產階級奪取政權之後,要麼就關閉自守,從而使國家倒退為封建式的社會主義專制國家。要麼就進入資本主義先進的生產方式占統治地位的世界市場,這樣,社會主義國家的生產,就成為在國際資本主義生產方式中出現的擴大了的工人合作工廠,也就是說,社會主義國家在國際範圍內,實際上是一個沒有資本家的資產階級國家。而在無產階級的全體文化水準和管理能力還不高時,就需要有一個政黨來實施專政管理。文章第二段則闡述了一黨專政可能出現的兩種方向,一是隨著生產力的發展,勞動人民的文化水準及管理能力有所提高,而逐步地由一黨專政過度到全體無產階級專政的社會格局;二是一黨專政逐漸變為凌駕於社會之上的力量,成為官僚體制,與無產階級形成對立格局。文章第三段是引述南斯拉夫的社會發展情況,提出黨政分離的設想。文章的第四段和第五段都是圍繞著這個設想來論證,試圖推論出只要中共控制好政治思想,將行政管理權交給「工人直接的民主管理」,中國大陸社會就有救了。此時的王希哲還僅停留在這種原始的共產主義民主思想階段。[108]

但當王希哲於八零年夏天北上遊歷北京西單民主牆之後,特別是在中共當局大肆逮捕民刊領導人,瘋狂鎮壓民主牆運動之後,他的思想開始發生很大的變化。一九八零年王希哲曾發表給中共第五屆人大代表的公開信,要求當局釋放非法逮捕的劉青,「尊重社會主義民主與法制」。並接受外國記者的採訪,聲稱未來是屬於「以青年工人和青年學生為主的第三勢力」,「因為他們的思想最不保守,尤其因為他們是在文革十年中成長的,在他們的思想中,史達林主義和毛澤東主義色彩的正統社會主義思想比較少……就目前的形勢看,他們最有可能集結成強大的輿論力量和社會力量,推動社會改革。」[109]

一九八一年四月二十日晚,王希哲在其工作的廣州新州魚類加

---

108 王希哲,〈為無產階級的階級專政而努力〉(香港:《七十年代》1981年6月號)頁25-26。

109 王懷雪,〈王希哲訪問錄〉(香港:《七十年代》1982年7月號)頁35。

工廠被捕。一九八二年五月二十八日，王希哲因被控「參加反革命集團和散播反革命宣傳文章」被中共判處有期徒刑十四年。[110]直到一九九三年才獲釋。目前居住廣州「研究觀察中國社會現狀」。[111]

李正天是「李一哲大字報」的主要起草人，湖北武漢人，生於一九四六年。幼年與其母遭親父離棄，心靈深受創傷。一九五六年十歲時考入中南美術專科學校，六二年考入廣州美術學院，「對人種學和歷史畫有特別深厚的興趣」。文化大革命時加入廣州紅衛兵，「造反、奪權、派性、武鬥、絕食、……他都參加過。他坐過兩次牢，受過十年審查，挨過上百次批鬥。」[112]一九六八年八月十五日李正天因其所在的造反派在派性武鬥中失敗而被關進監獄，在四年漫長的監獄生涯中，他開始思考「民主與法制問題」。

李正天於一九七二年十一月二十六日出獄，不久就與陳一陽、王希哲、郭鴻志等聚集在一起，開始認真討論「社會主義的民主與法制」，並寫出〈關於社會主義民主與法制〉的「李一哲大字報」，並因此再次入獄，直到七八年底平反出獄。後因感激鄧小平政策的知遇之恩，成為堅定的擁鄧改革派，對時政的認識與王希哲產生分歧，逐漸遠離政治而專心教書潛心習畫。

實際上，「李一哲大字報」的內容並沒有超出馬克思、毛澤東的傳統思想，不能算是大陸民主運動中的產物。但由於當時大陸極端封閉的歷史環境，平民百姓根本沒有論政參政的資格，而「李一澤大字報」的出現和以後所遭受的打擊，使其在中國大陸的影響名氣遠大於其內容實質，特別是當七八年底被當作反四人幫的典型平反後，李一哲一時成為家喻戶曉的名字。但由於該大字報的出發點是出於維護中共的統治，其作者也大多為中共黨員，所以當該案平反後，被「晉升為廣州美術學院教師，並分配了一套教授待遇的小樓房」的李正天、「進了廣東省社會科學院搞研究」的陳一陽及年近半百調到省電視臺「負責審查電影播映」的郭鴻志，[113]也就甘於既得利益地滿足了，從此消失在大陸的政治舞臺。而只有當工人的

110　何立，〈王希哲、何求在廣州受審判刑〉（香港：《七十年代》1982 年 7 月號）頁 33。

111　〈民運人士王希哲出獄〉（美國：《新聞自由導報》1993 年 2 月 28 日）一版。

112　柳瑩，〈傳奇人物李正天〉（香港：《爭鳴》1979 年 3 月號）頁 20。

113　陸明，〈李正天談王希哲〉（香港：《爭鳴》1984 年 8 月號）頁 3-5。

王希哲沒有滿足於現狀，積極地參與了民主牆運動，加入到大陸第三勢力的陣營中，成為一名不負眾望的民運戰士。

（四）任畹町與《中國人權》

一九七九年一月五日，將近半夜時分，在西單帖出了一張簽著七個名字的《中國人權宣言》。這樣，中國人權同盟便初次與讀者見面了。當時，《每日電訊報》和《多倫多環球郵報》的兩名新聞記者已經在場，因為他們事先曾接到電話通知。所以中國人權同盟一開始，就以民主牆時期的最果敢的團體之一的姿態出現，它同時也宣告它的成立之日：一九七九年一月一日。

與魏京生的〈第五個現代化〉一樣，《人權宣言》馬上受到熱烈歡迎。一月底，同盟已經擁有一百多個成員，並且開始成立外省支部。它的創辦人任畹町被推為這個民主運動的中心人物之一，並成為北京活動的各持不同政見團體的聯絡人。一月二十五日的《聯合聲明》就是他寫的，這個聲明由七個團體及民辦報刊簽名，對可能來自當局的鎮壓擺出統一戰線的姿態。事實上，在一月二十三日的一張大字報裡，同盟就已經首先發出警報，指出民主運動可能遭到威脅。一月二十九日，任畹町在民主牆前臨時搭成的講臺上，向四百多個人士發言，他們雖然站得很密，但秩序井然。這便是西單民主牆的第一次「民主討論會」，各種持不同政見的團體都有一個或兩個代表發言，大會一直開了兩個多鐘頭。[114]

任畹町原名任安，於一九四四年生在江蘇無錫一個知識份子的家庭裡，父親是馬克思主義經濟學家，《資本論》專家及其翻譯者，母親是醫生。任畹町在冶金專業學校畢業後，便參加了文化革命。文革時參加了「大串聯」，走遍大江南北甚至去過越南、緬甸。一九六六年至六九年，中共「清理階級隊伍」時，任畹町首度入獄，並於七零年至七一年被指為反對文革而遭受「群眾監督」。一九七六年，他是四五運動的積極參與者。

一九七八年至一九七九年，「北京之春」期間，任畹町發起組

---

114 John P. Burns，〈Democracy，the rule of law，and human rights in Beijing's unofficial journals，1978-1979〉. Internationales Asienforum，1983，vol.14，p33-53.

織了「中國人權同盟」，並擔任領導人，創辦油印刊物《中國人權》。一九七九年三月，中共當局為了遏止民主運動的發展，先後拘捕了傅月華、魏京生等人。在這危險的時刻，許多人只能沉默下來。當政府揚言那些地下團體和民刊危及國家安全時，任畹町第一個貼上簽真名的大字報，表示要和任何人公開辯論這個問題。中共政府說人權是資產階極的觀念，他卻深信中國需要人權，而且不顧一切地，一跌一撞地繼續奮鬥。他與劉青合作召開民刊聯席會義，商量營救傅月華、魏京生等人。一九七九年四月四日，他在西單民主牆張貼大字報和〈中國人權同盟再致全國人大常委會、法制委員會的公開信〉，當場被公安人員綁架送往北京市公安局看守所，後被判處四年勞動教養。在黑牢中，任畹町並未屈服，為了將自己的思想記錄下來，他偷偷利用廁所紙寫稿，四年中完成了十六篇呼籲政治自由化的長篇論文。一九八二年十月，任向最高人民檢查院作了長篇申訴，逐點駁斥了中共公安部門加諸其身的指控，但被駁回。

《中國人權》於一九七九年二月出版了第一期，載有〈中國人權同盟聲明〉、〈人權運動的意義和當前的任務〉和孫中山的〈實行三民主義改造新國家〉等數篇文章。第二期於三月二十二日出版，第三期於四月五日出刊，而第四期雖然註明出版日期為四月七日，但直到九月底才在北京西單牆上貼出。

一九八三年，任畹町被解除「勞教」，被安排到北京設備安裝公司當工人。他沉默了一段時間，把主要精力用於讀書和寫作。一九八七年「反自由化運動」之後，他開始在香港、臺灣和美國的《南華早報》、《明報月刊》、《九十年代》、《爭鳴》、《聯合報》、《紐約時報》發表自己對國事的看法。

一九八八年十一月，他致函聯合國，要求聯合國人權委員會關注中國人權問題。一九八九年二月下旬，美國總統布希訪華期間，任畹町又特別呼籲布希應關注中國人權，督促中共釋放在獄的異議分子。

他發表的〈紀念《北京之春》十周年〉文章中，我們可以看到下列文字：

「在我們回顧十年中國社會改造的日子裡，最該提上日程的，

首先是至今仍身陷囹圄的社會改革者的現狀和命運。如果說十年的中國社會有什麼進步，中國經濟有多大的增長，那麼這一切都是社會改革者以喪失自由和幸福為痛苦代價的。沒有他們的社會改造實踐和勇敢精神，中國人會有如今的言論自由和新式生活嗎？這一切難道是執政者自動賜予的嗎？十年成就閃爍著中國社會改革者的智慧和功績，也滲透著他們的憤怒和抗議，而對統治者來說，這一切進步和增長都充滿著可恥、罪惡和骯髒。」[115]

任畹町在當代大陸民主運動中，長期扮演著獨特和重要的角色，一九八九年二月，任畹町在海外發表了〈中國民主建設與民主實現〉一文，批駁中共玩弄「在共產黨領導下的多黨合作制和政治協商制」的政治遊戲，指出「中國的民主建設和民主實現是依靠持續不斷的人民民主革命運動和被共產黨壓迫的人所推動的，而不是靠人代會、多黨合作制和政協制所賜予的。」[116]四月三十日，任又在臺灣《聯合報》發表了〈悼胡為什麼會爆發民主運動〉，指出「中國政治向人們展現的是一幅黨權一體、黨政一體、黨法一體、黨國一體、黨軍一體、黨民一體、黨經一體、黨文一體的八位一體的這幅漫畫」，「中共當局對國內外尋求赦免民主牆人士的強烈呼聲置若罔聞的事實，再一次向人民呈現的痛苦事實是：在一黨集權的人治國家，法律的制定不但可以違背憲法而不受法律約束，反而利用法律殘酷打擊和迫害政治反對派」。[117]

任畹町積極地投入在八九民運中，雖然他不像嚴家其、蘇曉康等，在青年學生中有廣泛的知名度，也沒有陳子明、王軍濤等擁有渾厚的實力網路。但他本著歷史所賦予的責任心，先後到北大、清華、人大等高校向學生發表講演，公開主張重組公民政府，號召學生與工人聯合進行民主運動。五月三十日，在題為〈人民民主運動何處去？〉的演講中，他回顧和概括了大陸近十年來爆發的幾次人民民主運動，再一次呼籲組成各階層人士參加的公民委員會，與人民代表大會共同行使立法和管理國家的職權。他最後講道：「中華大地的國基不是由什麼四項基本原則，而是由人民民主運動一次又

115　任畹町，〈紀念《北京之春》十周年〉（香港：《九十年代》1989 年 5 月號）頁 39。

116　吳牧人等編，《八九中國民運紀實》（美國：紐約出版公司，1990 年版）頁 201。

117　〈悼胡為什麼會發生民主運動〉，（臺北：《聯合報》1989 年 4 月 30 日）二版。

一次的艱苦錘煉而奠定的！中華民族的民魂不是由日益腐敗的政治風氣，而是由人民運動一個又一個的英雄風範塑造的！」[118]

在整個八九民運過程中，任畹町是為數不多的幾個從一開始就旗幟鮮明地，表達反對中共一黨獨裁統治的知識份子之一。他與那些後來發起簽名運動的一些著名的知識份子不同，由於一直生活在大陸社會的底層，他沒有那些久負盛名的知識份子，所擁有的某種程度的輿論保護。雖然十年前他在民主牆前和海外風雲一時，但在現時絕大多數青年學生中則無人知曉。

然而，他一如既往地為魏京生、徐文立、王希哲等的自由大聲呼喊，為第三勢力的同志鳴冤不平。他的膽量和識見，實非那些顧左右而言他，乞靈於法國大革命二百周年和五四運動七十周年，而向上勸進的體制內知識份子所能望其項背的。六四北京大屠殺後，任畹町成為第一批被捕的人之一，於六月十二日被第三次關進共產黨的監獄，並在一九九零年一月以「罪案重大，無悔罪表現」，被判處有期徒刑七年。[119]

（五）傅申奇與《責任》

傅申奇，一九五四年生於上海一個工人家庭。中學畢業後進入上海動力機廠當工人，一九七七年考入上海第四師範學院，七八年因病退學回工廠。一九七八年十一月二十五日傅申奇在上海組織成立了「振興社」，其宗旨是繁榮文藝促進民主，並以該社的名義在上海人民廣場，貼出〈告上海人民書〉、〈一個值得注意的問題〉和〈結社啟事〉等大字報，積極投入大陸剛剛興起的民主牆運動。

七九年一月傅申奇參與創辦了民刊《民主之聲》，該刊一共出版了六期，其中第三期曾由北京的《四五論壇》摘要翻印，發行到大陸各地，造成一定的影響。當中共逮捕魏京生等一大批激進派民刊負責人後，傅申奇與北京的徐文立、廣州的何求、王希哲等積極聯絡，商討成立全國性民刊組織，以對付日益嚴峻的社會環境。

一九八零年四月，上海開始舉行地方人民代表選舉，傅申奇投

118 任畹町，〈論人民民主運動的歷史任務和奮鬥目標〉（香港：《明報月刊》1989 年 7 月號）頁 47-50。
119 新華社電，（北京：《人民日報》1991 年 1 月 25 日）2 版。

入了所屬南市區第一選區的競選活動,從四月二十九日到六月十四日間,先後發表了十多號《選舉簡報》,向選民提出包括反對官僚主義,鞭撻特權,實行企業經濟體制改革等內容的競選政綱,並主張要「落實人民通過自己的代表,行使監督執政黨──共產黨及各政府機關的政策與工作的權力。」[120]

傅申奇參與競選,在一定程度上帶動了上海高等院校的競選運動,以他在民刊運動的知名度和廣泛的社會聯繫,推進大陸的民主訴求運動。雖然在競選過程中,當局對他參予競選進行了百般的阻撓,甚至不斷攻擊傅為反革命分子,但選舉結果第一論投票中,傅申奇以「非正式候選人」身份在眾多正式候選人中得票高居第二位。由於除得票數第一高者外,其他的候選人選票均沒能超過半數票,而該選區須選出兩名正式代表,依中共的《選舉法》第三十八條的規定應進行第二輪投票。有關當局鑒於傅申奇當選人民代表的可能性非常高,不惜取消第二輪選舉,並使一個得票數遠比傅申奇少的黨員候選人「內定」為正式代表。

隨著上海的競選運動落下帷幕,傅申奇再一次把精力放到建立民刊的全國性組織上來。一九八零年九月,由民刊《浪花》、《人民之路》和《生活》發起,傅申奇等積極參與組織籌畫的「中華全國民刊協會」在廣州宣佈成立,並出版了機關刊物《責任》,原則上決定由各大城市民刊編輯輪流主編。實際上《責任》從成立到一九八一年春天被禁刊,八一年四月號是最有影響的一期。而作為這一期總編輯的傅申奇,則承擔了大部份的編輯出版工作。他在該期以編輯部的名義,發表了一篇題為〈當前的形勢和我們的態度〉的聲明:「民刊被稱之為細菌和傳染病,被說成是無政府主義的產物⋯⋯而被冠以反對四項基本原則罪、破壞安定團結罪、反黨反社會主義罪,仿佛被上了新的刑律,這一切是在撇開政協和人大的情況下做的,這難道不是中共某些領導人以中央的名義進行的赤裸裸的無憲主義的惡劣行徑嗎?我們認為,只能用法律的手段解決民刊問題。所以政府必須立即頒佈出版法或暫行條例,然後由各地的法院或最高人民法院對於各個刊物的合法與非法問題作出裁決。」

該聲明使民刊與中共鬥爭的層次上升到法律問題,並呼籲大陸

---

120 傅申奇,〈選舉簡報〉(上海:《文匯報》,《上海地區競選言論彙編》1981 年版)頁 244。

的各民刊組織起來，到北京去與中共當局進行公開的交涉。在同一期裡，傅申奇還寫道：「我們相信《責任》將成為在中國這塊土地上，爭取民主與法制的一面旗幟，一日不達到民主與法制之境，一日便有《責任》之存在。它會在一些人的手中倒下去，但又會在另一些人的手中豎起來。可以斷言，在我們這個重要的歷史時代，需要能承擔歷史責任的人，也絕不會缺少這樣的人。」[121]

　　傅申奇本人就是「這樣的人」之一。雖然他在《民主之聲》的文章多屬議論式的，但他也寫有一篇可代表他基本思想的理論性著作《民主與社會主義》。在這篇文章中，傅申奇開明宗義地寫道，每一位有大腦的同時代人，都在關注或正在關心這樣一個問題：民主與社會主義。他在文中大力批判東方專制主義、專制制度、專制的蘇聯式體制，主張建立民主的、人道的新社會體制。本著這樣一種理念，傅申奇不顧危險地積極推動民刊的大聯合，以積聚力量與中共抗衡。

　　一九八一年四、五月間，即四五運動五周年，大陸的民主牆運動自一九七八年十一月二十五日西單牆前民主集會開端以來，經過兩年多的風風雨雨，終於遭受到中共官方的全面打擊，大陸各地的民運活躍分子、民刊編輯紛紛被捕入獄，甚至許多僅閱讀過民刊的一般人也受到審查警告。而做為上海最活躍的民刊《民主之聲》主編、大陸第一個自發競選地方人民代表的工人、民刊組織「中華全國民刊協會」機關刊物《責任》總編輯的傅申奇，卻在此時從千里迢迢的上海來到北京，與數百位來自各地的民運活躍人士在天安門廣場上，舉行了一個旨在抗議中共鎮壓民主牆運動的「四五運動紀念會」。會後傅申奇即被中共逮捕，押回上海判刑入獄。

　　正因為傅申奇在結社、辦刊、競選、理論探討這幾個大陸民主運動的基本範疇方面，都有著積極的表現，所以在民主牆運動中，他有著某種意義上的象徵性和代表性。本節以他於二十歲時所寫的〈生命的宣言〉中的一段話作結尾，我們可以瞭解到傅申奇作為一個「人」的深層的精神狀態：「我將能夠這樣驕傲地宣稱，沒有任何東西能阻止我成為內心自由的人，真正的靈魂是不會死的。對於為必然性開闢道路的人，災難會降臨到他的一生，我自己本也知道

121　傅申奇，〈當前的形勢和我們的態度〉（北京：《責任》1981年4月號）頁3、頁12。

這樣的事情，然而我的命運卻早已註定。告訴我，在什麼時候，在什麼地方，沒有犧牲而自由居然會得勝在戰場？為了全人類的徹底解放，我甘願滅亡，我知道我能夠而且也願意做到這樣。我清楚地知道，在達到理想境界的征途中沒有平坦的康莊大道可走，只有在那崎嶇險路上勇於攀登、敢於奮鬥的人才可能達到目的。」[122]

（六）黃翔與《啟蒙社》

黃翔是一九七八年在北京天安門廣場前，第一個貼出批判毛澤東大標語，和第一個呼籲世人關注中國大陸人權狀況的人。黃翔的〈火神交響詩〉於七八年十月十一日貼在王府井大街上，馬上吸引大批讀者圍觀。十一月二十四日晚，黃翔與朋友在天安門廣場靠近毛澤東紀念堂的柵欄上，再次貼出一個在當時屬極其冒犯中共當局的大字報，要求重新評價文化大革命，對毛澤東要三七開，帶起民間一股批判文化大革命和毛澤東的熱潮。一九七九年一月七日，以黃翔為首的「啟蒙社」在同一地點，貼出一張長達一百五十多頁的大字報，裡面主要有一封致美國總統卡特的公開信，呼籲關注中國的人權問題。[123]

黃翔，一九四一年生於湖南武岡縣。在不足一歲時，被送到湖南羅霄山深處的桂東縣，隨其祖父母生活。中共統治大陸後，因其父黃先明曾任國民黨國防部東北保密局局長，黃翔的少年生活極受歧視且非常艱苦。他在十五歲時，被其叔叔接到貴陽工廠當徒工。像大陸許多「出身不好」的青年寄情文藝一樣，黃翔很早就顯露了他詩歌的天賦。據他自己回憶，一九五八年他開始發表詩作，五九年他決定以浪漫的激情浪跡天涯，去「尋找失去的世界」，並遠遊西北的天山和柴達木盆地。但很快就被當做企圖偷越國境的「現行反革命」而投入監牢。三年後回到社會的黃翔，找不到立足之地，常常在火車站或商店門前露宿，「在漫長的饑餓線上掙扎」。一九六六年文化革命驟起，二十四歲的黃翔再次因其父的出身而被無休止地批鬥，一九七零年他寄給妻子的私信被當局截獲，以含有不滿社會主義的內容為罪名，再次被捕入獄。監禁期間，恰逢他兒

---

122 任畹町，〈紀念《北京之春》十周年〉（香港：《九十年代》1989 年 5 月號）頁 39。
123 朱圍，〈黃翔－被遺忘的民運詩人〉（香港：《爭鳴》1985 年 11 月）頁 34。

子出世，因生活環境的惡劣，不久即染上肺炎不治。等他再三請求被監管來到醫院時，擺在他面前的是一副小小的棺木，兒子七孔流血地躺在裡面，嘴和肛門都插著導管。他嚎啕大哭，身心俱裂，久久不能回復正常，幾次被送進精神病院。直到林彪事件後，他才獲得相對的自由。從一九六九年到一九七五年，黃翔潛心創作了〈火神交響詩〉。他多次在青年文友的秘密聚會中，點燃蠟燭，熱淚盈眶地朗讀這首由六組詩組成的政治抒情詩，引起深深的共鳴。

一九七八年，大陸出現了由於中共上層內鬥，而對民間控制疏忽的寬鬆政治形勢，黃翔和他的幾位志同道合的朋友們，決心以他們的詩和心聲表達對民主的嚮往。一九七八年十月十日他們從貴陽到北京，十一日就在中共喉舌《人民日報》社附近的王府井巷口，貼出了民刊《啟蒙》的第一期：〈火神交響曲〉。一個月後，黃翔和同仁再次來到北京，做出了三件「驚天動地」的事情：（1）十一月二十四日在天安門前刷了兩條巨幅標語：〈毛澤東必須三七開〉、〈文化大革命必須重新評價〉。（2）十一月二十四日與貴州的民運人士創辦了第一個民間社團「啟蒙社」。（3）七九年一月七日在天安門前貼出〈致卡特總統〉的大字報，宣稱以一個中國人與一個美國人平等地談談人權問題，指出中國的人權應受到世界的關注。

一九七九年一月，啟蒙社的發展達到了高峰。它鮮明的論調和獨特的表達方式，使其名聲大振，在民主牆運動中先聲奪人。啟蒙社除在貴陽有自己的根據地之外，還在廣西柳州、廣州、重慶及南京成立了分社。一月二十一日，在北京中山公園有一百五十餘人參加了啟蒙社北京分社的成立典禮。在中共統治大陸三十年裡，一個民主社團像這樣公開地宣告成立，應屬第一次。也就是說，它開始公開地要求生存權，結束一黨專政。一月二十五日，啟蒙社在民刊聯席會議的《聯合聲明》上簽名，同時也參加了一月二十九日在西單牆前的「民主討論會」。

啟蒙社本部的期刊《啟蒙》共出過五期，北京分社則出過兩期，同時又由於北京和貴州兩地印刷，有若干不同的版本。第一期是在一九七八年十月十一日出版的，除前言和後記外，全為〈火神交響詩〉。本期一九七九年三月十六日，由黃翔作為《啟蒙叢刊》之一再版。第二期出版日期是一九七八年十一月二十四日，所載均

為在北京和貴州貼過的大字報。這兩期的油印本最早出現在七九年一月初。第三期出版日期為七九年一月八日，有〈致卡特總統〉和〈論人權〉兩篇文章。第四期和第五期沒有出版日期，但編輯在第四期裡指出，所登各文章作為大字報貼出的日期，可估計是三月底印刷。啟蒙社北京分社出版的《啟蒙》第一期為七九年一月二十九日出版，第二期大約在三月底出版。[124]

《啟蒙》的文章主要由黃翔和李家華（路茫）執筆。黃翔除詩作之外，第四期〈論歷史人物對歷史的作用與反作用〉一文，是他對中共左傾機會主義路線的系統批判，意在闡述神化毛澤東的危險性。黃翔在七八年冬，即民主牆運動初期的所作所為，比之後來大名鼎鼎的魏京生、任畹町並不遜色，但由於以他為首的啟蒙社在新潮澎湃的民運中發生了分裂，致使黃翔的啟蒙活動，在遭受挫折之後回復到詩歌創作方面。

啟蒙社的大本營在貴陽，最初的成員有八人，他們是黃翔、李家華、莫建剛、方家華、楊在行、梁福慶、黃傑、鄭繼聯，後來加上各分社的成員號稱有數百人，但無從考據。一九七九年二月底，貴陽民主牆上貼出一份〈解凍社聲明〉，三月該聲明亦出現在北京的民主牆上。聲明稱「啟蒙社內部發生嚴重分裂，日趨保守」，李家華等人已退出，另組「解凍社」，將肩負起啟蒙社「不願或不能肩負的歷史責任」。從〈解凍社聲明〉上可以看出，曾為黃翔戰友的李家華確實思想先進，他完全否定馬列毛的思想，要求以孫文學說代替馬列主義，要求取消階級鬥爭和無產階級專政。相形之下，黃翔的改良主義色彩要濃得多。實際上，改革與改良的的兩派矛盾已普遍存在當時的大陸民主牆運動中，只不過啟蒙社將其公開化了罷。

一九七九年四月七日，《貴州日報》頭版發表攻擊民主牆運動的文章，指責黃翔等是一夥「害群之馬」。同時，《紅旗》雜誌、《人民日報》、《光明日報》連續發表文章批判「資產階級人權」。四月十五日凌晨二點，黃翔被貴陽市公安局強行拘捕並搜家，啟蒙社其他主要成員亦先後被當局收容審查。從此，啟蒙社和黃翔的名字一起，在以後的大陸政治舞臺上就再也沒有出現過。

124　朱園，〈黃翔－被遺忘的民運詩人〉（香港：《爭鳴》1985 年 11 月）頁34。

（七）王軍濤與《經濟學週報》

　　王軍濤，一九五八年生，祖籍河南鞏縣。在北京西郊海淀軍隊大院長大。一九七六年上中學時因參加「四五」運動被第一次關進監獄，一年後獲平反出獄，隨即於七八年考入北京大學技術物理系。一九八九年因參加八九民運被通緝，於八九年十月十四日在湖南長沙被抓。一九九零年十一月二十四日被正式逮捕，一九九一年二月十二日被中共以「陰謀顛覆政府罪和反革命宣傳煽動罪」判處有期徒刑十三年。[125]

　　王軍濤是第三勢力中，為數不多的中共高幹家庭出身，其父是中共解放軍政治學院（現為國防大學）教務處負責人，故有報章稱王軍濤為將門之後。在大陸出身於這種家庭，極有利於以後的仕途發展，但王軍濤卻長期投身大陸的民主運動，與共產黨所希望的方向背道而馳。他最初的政治生涯始於一九七六年的四五天安門廣場運動。年僅十七歲的王軍濤在那次運動中發表了多次演講，並寫下一些詩，成為活躍分子之一。在四五運動遭到血腥鎮壓之後，王被捕入獄，成為當時最年輕的被捕者之一。一年多的牢獄生活使其身心受到極大的傷害，多年後「他對自己在四五運動後坐牢的表現極不滿意。他說，那次當他一聽說毛澤東把『四五』定性為反革命事件，整個精神都垮掉了，痛哭流涕，檢討悔過，什麼都認了。他發誓說，如果第二次坐牢，他一定要洗刷上次的奇恥大辱。」[126]

　　四五事件平反後，王軍濤成為「四五」英雄，並當選為中共共青團中央候補委員，七八年秋又考入北京大學，成為他所在系的團總支書記、校團委委員，有一個共產黨為其安排好的錦繡前程。然而叛逆的性格使他立即投入了七八年底開始的民主牆運動，勇敢地向中共挑戰。

　　一九七九年一月，他與陳子明、韓志雄、周為民、閔琦、鄭曉龍等一起創辦了民刊《北京之春》，並擔任副主編。經過與同仁共同努力，使該刊成為北京西單民主牆運動中，出刊最多、印刷品質最好和辦刊時間最長的民刊。在中共將民刊《探索》主編魏京生判

125　新華社電，（北京：《人民日報》1991 年 2 月 13 日）二版。
126　丁楚，〈我所認識的王軍濤〉（美國：《中國之春》1991 年 4 月號）頁15。

刑十五年，並隨後查封大批民刊，非法拘捕民刊編輯徐文立、劉青、任畹町等的紅色恐怖時期，作為《北京之春》副主編的王軍濤卻不顧安危，堅持要繼續出刊，表示寧可再次入獄也不願停刊，否則，有愧於已入獄的朋友，有於良知。但最後，《北京之春》在強大的無產階級專政壓力下，還是沒有逃過停刊的命運。

一九八零年秋冬之季，大陸各地高校湧現了自由競選基層人民代表的風潮。這是大陸三十年來第一次出現的中共操縱不了的選舉，它的火星始於上海，接著燃到長沙，最後在北京各高校形成燎原之勢。其中以北京大學的競選風潮最為壯觀。八零年十一月三日，王軍濤、房志遠及夏申在北大三角地分別貼出競選宣言，拉開了北大競選活動的序幕。那一年，身為北大技術物理系二年級學生的王軍濤時年二十二歲，正值青春年華，在眾多的競選人中被公認為最具感染力。其競選答辯會將北大的競選推向高潮，他充分發揮他的口才，從政治談到經濟，從歷史論到現實，勇敢地提出馬克思主義是宗教，呼籲為右派徹底平反，要求批判毛澤東的錯誤，並論證大陸經歷資本主義的必要性，提出了許多比民主牆運動更激進更成熟的觀念。

北大競選風潮過後，隨之而來的是中共當局秋後算帳。王軍濤被共青團中央除名，同時失去團委委員和系團總支書記的職務，並差一點被開除學籍。

一九八二年秋，王軍濤大學畢業，被分配到中國科學院原子能研究所。該所地處山溝，與世隔絕。在單位倍受壓抑的王軍濤，為了追求知識份子的獨立人格，出於對理想和真理的執著追求，終於在八三年底毅然辭職，遊歷四川、福建、廣東、湖北等地，成了一名科研個體戶，一位自由的流浪漢，也被一些人稱為「職業革命家」。

在武漢，王軍濤成功地說服了華中師範學院開明的院長章開源先生，開始創辦華中師院成人培訓中心。富有才幹的王軍濤很快就打開了局面，與當地各界建立了廣泛的聯繫。一九八四年冬天，以華中師院成人培訓中心、湖北社科院、《青年論壇》雜誌和武漢大學裡一群青年知識份子為主體的湖北青年理論工作者協會成立，粵、湘、陝三省青年理論工作者協會都派代表前來祝賀。於是，四

個省的小沙龍連成了一個大網，形成了民間力量橫向串聯的燎原之
勢。他們並預計幾年之後，成人培訓中心將為各省培訓出一大批學
員，形成自己的「黃埔」隊伍。

然而，現時中國大陸社會所具有的封建專制的特性，已經命裡
註定了「黃埔軍校」的計畫失敗，王軍濤受到了超乎預想的壓力。
壓力主要來自北京，自北大競選風潮後，王軍濤已被中共情治單位
列為「不安定份子」，開始被長期跟蹤監控。當他始抵武漢之日，
有關他的「黑材料」即轉到了武漢市公安局。公安人員經常以無戶
口、無工作關係為由搔擾他，甚至每當王軍濤以華中師院成人培訓
中心籌備組負責人的名義到外單位聯繫工作後，那裡就會接到一個
來自「權威」機關的電話，聲稱王軍濤有重大政治問題。那個年
代，人們對經濟開放雖已適應，但對政治問題還是諱莫如深。王的
舉動使中共高層極為惱火，連以改革著稱的趙紫陽都親自關照「驅
王離鄂」。

王軍濤結束流浪生活，重回北京是在一九八六年八月，陳子明
等人創建了北京社會經濟科學研究所（前身為中國政治與行政科學
研究所）之後。他很快成為該所的主要負責人之一，並成為陳子明
的最佳搭檔。

北京社會經濟科學研究所，是中共四十年統治下中國大陸第一
個以中國政治、經濟為主題的民間研究機構，集中了一批自四五運
動以來的青年優秀分子。在籌建之初，許多人就預感到在中國民主
化事業成功之前，會有相當一部份人將為之再次入獄，甚至犧牲，
但參與者沒有一個畏懼的，儘管他們中有些人已進過共產黨的監
獄。（六四後，該所有陳子明、王軍濤、陳小平、劉剛、李盛平、
黎明、閔琦、鄭棣、王之虹等近二十人被捕入獄）。

王軍濤在主持該所和後來的《經濟學週報》工作期間，以其旺
盛的精力和良好的人際關係，使該所和《經濟學週報》很快在理論
界奠定了相當的基礎和地位，後來甚至與官方的體改所和發展所都
有學術交流，終於以在野的姿態成為大陸理論界的一支生力軍。王
軍濤還主持了對陝西延安地區和山東兗州煤礦經濟發展規劃的調查
與制訂，同時還主持了大規模的「中國公民政治心理調查」，引起

海內外的普遍關注。[127]

八九年初，王軍濤、陳子明等曾預感到，在五四運動七十周年、法國大革命二百周年之際，大陸會出現政治波動。所以加快和提前了許多研究課題，以期對大陸的政態發展有理論上的準備。學潮之初，王、陳曾決定暫不介入，主要基於對學潮的判斷，認為「學潮是情緒化的，知識界的努力應是理智的；學潮是短暫的，知識界的努力應是持久的。」[128]同時也考慮到，北京社會經濟科學研究所這塊第三勢力的基地來之不易，中共一直想方設法企圖扼殺這股體制外的力量，所以必須謹慎從事。但王軍濤卻一直關注著學潮的發展，在《經濟學週報》上撰寫了大量文章，要求中共回應學生的合理要求，推動政治改革。面對學潮的擴大和中共當局的專橫，王軍濤在五月二十一日的《經濟學週報》上撰文寫道：「我們曾預期北京學潮將趨於平息，一場危機有可能在祥和的氣分中走向和解。然而，由於受傳統思想框架的約束，政府未能做出靈活反應，竟錯過良機，致使事態迅速擴大……但是，不管學潮出現何種結果，它都預示著舊時代的結束，新時代的開始。」[129]並從此走進天安門廣場，與廣大的學生站在一起，以其多年來與共產黨鬥爭的經驗，勸導學生在戒嚴期間離開廣場，避免不必要的流血，保持民主力量，與知識份子、工人及社會各階層團結起來，迫使中共妥協。

但由於八九學潮後期，大學生們失去了必要的冷靜，王軍濤艱苦的說服工作沒有起到應有的效果。但王軍濤的努力和影響卻始終是以推進大陸改革和民主化進程為目標的，他一直是一位堅定的和平、理性、非暴力觀念的主張者。王軍濤直接介入的標誌，是在北京知識份子聯合會和首都各界愛國維憲聯席會中擔任召集人。這與其說是王軍濤自己的選擇，倒不如說是社會各界朋友的共同心願和期望。王軍濤的理念、激情、才幹、奉獻精神和經歷，使大家認定他是極佳的人選。由北京高自聯、北京工自聯、北京市民自治會、北京知識份子聯合會等民運組織派代表組成的首都各界愛國維憲聯

127　吳仁華，〈中國青年知識份子的良心和脊樑〉（美國：《新聞自由導報》1990 年 12 月 7 日）二版。

128　謝小慶，〈陳子明王軍濤的觀念和主張〉（香港：《百姓》1990 年 6 月 16 日號）頁 26。

129　王軍濤，〈寫於大學生絕食第五天〉（北京：《經濟學週報》1989 年 5 月 21 日）一版。

席會，是八九民運後期名義上的最高協調組織。這就是為什麼中共當局認定王軍濤是八九民運的主要策劃組織者之一。

王軍濤介入八九民運時，北京已宣佈戒嚴，形勢極端嚴峻，血腥鎮壓在即。王軍濤臨危受命，表現出一如既往的性格和勇氣。正如他的同學後來成為海外民運領袖的胡平所評價：「他的良心太強，容不得半點欺人與自欺。」[130]四五運動時，他可以沉默但卻選擇了直言；民主牆運動和競選運動時，他可以做官卻選擇了獨立與民間；八九民運中，他可以旁觀卻捲入進最深，並為這沉重的民主十字架，走向殉道之路。

八九民運後，大批知識份子精英流亡海外，而王軍濤卻走上了法庭，為「運動中不該我負責的事情和觀點辯護」，「因為那些死難者無法為自己進行任何辯解……我決定利用我的機會為他們合理的、但當時處於政治利害考慮我不贊成的觀點辯護。我知道，這樣做會加重對我的處罰，但唯其如此，才能讓死者安息」。[131]王軍濤為承擔八九民運的歷史責任，將付出十三年漫長的牢獄生涯，也從此奠定了他在未來中國大陸民主發展運動中的領袖地位。

《經濟學週報》是北京社會經濟科學研究所擁有的重要部門，曾一度成為第三勢力在經濟理論方面的主要喉舌。這份在中國大陸頗有影響的報紙創刊於一九八二年，是由經濟學家、原大陸中國社會科學院院長于光遠為適應大陸經濟改革的形勢，又不滿中共宣傳部所控報紙的死板教條，而利用半官方團體「中國經濟學團體聯合會」的名義經營發行的。但由於種種制約因素使該報一直沒有起色，加上長年虧損、財源枯竭，被北京社會經濟科學研究所於八八年三月以三十萬元全資買下，由原工人出版社副主編何家棟出任總編輯，王軍濤任副總編，陳子明任社長，鄭棣、費遠任副社長。在王軍濤的主持下，該報很快打開局面，在大陸知識份子中以立論新穎、思路開放極獲好評，成為改革勢力暢所欲言的一塊陣地。

《經濟學週報》發表了許多影響深遠的重要文章，如〈關於時局的對話〉、〈關鍵時刻「民意代表」的良知〉等。王軍濤在該報

130　胡平，〈憑歷史的良心寫有良心的歷史〉（美國：《中國之春》1991 年 4 月號）頁 7。

131　王軍濤，〈給辯護律師的信〉（美國：《中國之春》1991 年 4 月號）頁 2。

發表的文章多以評論員名義撰寫，也曾用過「君濤」、「小濤」、「曉濤」、「王均」、「文昌」、「文恬」、「文盛」、「侯軍」和「王曉天」的筆名。比較有影響的有〈中國經濟學的變革與趨向〉（一九八八年三月二十日，第十二期）、〈發展的困境：體制與文化〉（一九八八年三月二十日，第十二期）、〈經濟學者的歷史責任〉（一九八八年五月二十二日，第二十一期）、〈改革與秩序〉（一九八八年六月五日，第二十三期）、〈穩定。改革。發展〉（一九八八年十月九日，第四十一期）、〈重建文明模式〉（一九八九年五月十四日，第十九期）等。

在八九民運中，一面製造輿論要求中共讓步，一面呼籲學生理性地學會妥協的鬥爭方式，解決社會危機，推動民主進程穩步發展。八九年五月七日，該報在由王軍濤主筆的〈在社會進步中實現政治穩定〉社論中，再一次呼籲中共當局認清形勢與學生進行妥協：「四月十五日以來學生的遊行、罷課等活動，向政府提出了一個重要的課題，即如何學會用新方式來處理社會矛盾。這是個機會，處理得當，中國將由此跨進現代文明之門……」。[132]

這種直言在嚴格控制傳播媒介的大陸社會，也只有這種民辦報紙才得以充份地表達。《經濟學週報》在八八、八九兩年間，與上海的《世界經濟導報》南北遙相呼應。對八九民運的形成與發展起到了一定的輿論和鼓動作用，其歷史功績不可埋沒。北京「六四」大屠殺後，它被中共全面查封，與《世界經濟導報》一樣，沒再能出一張報，為八九民運而死。

（八）陳子明與王之虹

陳子明，一九五二年生於上海，浙江海鹽縣人。小學及中學分別在上海和北京完成。文化大革命時，陳子明在北京第八中學上初中一年級，一九六八年八月到內蒙古錫林格勒盟阿巴嘎旗額爾登高畢公社插隊，「接受貧下中農在教育」。七零年當上那仁寶力格大隊革委會副主任，七五年考進北京化工學院二系做工農兵學員。在此期間，由於他在給朋友的信中，談及對當時中共要人張春橋和姚文元兩篇文章的不同看法，被人告密而被拘捕，並被學校開除團

132　王軍濤，〈在社會進步中實現政治穩定〉（北京：《經濟學週報》1989 年 5 月 7 日）一版。

籍、學籍，判處勞動教養。[133]

　　有時，歷史的巧合會改變一個人的一生。一九七六年四月初，正是陳子明從北京炮局看守所到通縣永樂店大松垞勞改場轉換期，被破例回家探視。結果，這個普通的機會卻使他深深地捲入了「四五」這場劃時代的民主運動。對於參予並推動四五運動，陳子明曾回憶道：「我一直克制自己，內心很痛苦，我很清楚自己的身份怕給運動添麻煩。到了四五那天，我覺得要有人出來領頭。那天我做了自以為是有意義的事：一是引導唱國際歌，利用聽眾的義憤，把喊『打倒周恩來』的人從解放軍手裡搶出來，並趕到大會堂前，這使得被圍在紀念碑下的群眾得以轉移，大家於是可以逃命。二是引導劫了廣播車並將其推翻，然後去小樓談判。那次出了頭以後就得老出頭……」。[134]奇妙的是，事後陳直接去了勞改農場，居然躲過了大搜捕。直到七八年十月天安門事件平反，中共當局才知道被他們全國通輯的「小平頭」，一直就待在他們的勢力範圍內。

　　一九七九年底，已恢復北京化工學院學籍，在四五運動中起到相當重要作用的陳子明，再一次成為此時已開始的北京西單民主牆運動的骨幹分子。他和周為民、王軍濤等在四五運動中共過患難的一批青年，打出了後來象徵著這個時代的名字《北京之春》。而陳子明對這份民刊投入了相當大的精力，充分表現出他的組織才能，使其在人才濟濟、自識清高和互不相讓的民刊圈子中，很快成為《北京之春》的核心人物，為他日後在大陸成為第三勢力的代表人物打下了基礎。

　　在八零年底的北京高校競選風潮時，陳子明是這場運動的組織策劃者之一，此時已考上中國科學院生物所研究生的陳活躍串連在各高校之間，充分利用這次地方人民代表的選舉機會，進一部推動大陸的民主運動。他與周為民等《北京之春》的同仁，首先協助北京大學一分校的李盛平在西城區競選成功，然後又幫陳子華在北京商學院拉開競選陣勢。在他自己參加競選的同時，他又幫助當時在北京大學紅極一時的王軍濤參加了競選陣營，使北京高校的競選運動轟轟烈烈，為世人所注目。為了推動競選朝深化發展，陳子明還

133　楊子，〈我的「插友」陳子明〉（美國：《中國之春》1991 年 4 月號）頁 17。

134　陳小勤，〈地下的熱泉〉（美國：《中國之春》1991 年 4 月號）頁 28。

於八一年初在北京師範大學召集了有各高校代表參加的討論會，商討擴大競選運動的戰略和方針，提議發起組織北京十四所高校競選人聯席會議，交流經驗、鞏固成果。聯席會議在陳子明等的籌畫下於八一年一月九日在人民大學召開，七十多名北京各高校的競選活躍分子參加了這次盛會。作為召集人的陳子明在會中對競選運動的目的和作用作了四點歸納：（1）支持改革（2）鍛煉一代政治新秀（3）提高思想解放層次（4）推動人民代表大會制度的建設。此活動極大地激怒了中共高層，他們唯恐第三勢力串聯學生，進行被胡耀邦所稱的「第三次反黨運動」。[135]陳子明雖然最後當選為所在科學院選區的人民代表，卻因為他在競選運動的表現，成為中共情治機關監控名單上的榜首人物。

熟悉陳子明的人，都不會忘記他那種大智若愚的神態，他的寬容性格和謙遜的品質，使他能在民主牆運動和競選運動之後，聚集起大陸體制外青年知識份子的精華，繼續從事推動大陸民主運動的崇高事業。從一九八零年考入科學院生物研究所研究生，到八二年畢業後拋棄學之多年的專業到社科院哲學研究所研究社會科學，到後來的辭職創辦北京社會經濟科學研究所，陳子明選擇了一個艱難而曲折的人生之路給自己攀登。多年的打擊與磨練，不但沒有使他退卻，反而讓他越幹越有勇氣和信心。在創辦與經營北京社會經濟科學研究所的過程中，陳子明投入了全部的精力與時間，卻寫出了洋洋百萬言的文章與學術著作，這不能不歸功於他的勤奮與聰明，同時也應歸功於他的賢內助—王之虹。

王之虹，上海人，一九五七年生於一個知識份子家庭，小學與中學與陳子明一樣是在上海和北京兩地完成。一九七九年考上北京廣播電視大學，畢業後任北京市鐘錶工業公司團委書記。一九八二年三月十四日與從小青梅竹馬的陳子明結婚，不久便辭職與李盛平等創辦「北方書刊發行社」，負責實際業務。在北京社會經濟科學研究所籌建過程中，王做了大量具體事物性的工作，是圈內人公認的「大管家」，是該所主要領導人之一，負責人事和財務。王之虹也是北京青年理論界所熟知的人物，是許多大型研討會組織者之一。

135　陳子明，〈陳子明反思十年改革〉（香港：當代月刊出版社，1992 年版）頁 374-376。

許多人均認為，「沒有王之虹的幫助，陳子明是無法一時做出這麼多的事情來的。」[136]而陳子明對其妻的評價則用一段《聖經》中的話來自勉：「願你在年華飛逝的人生中，與你所愛的那位女子幸福地生活吧，因為上帝賜給你這位妻子，就是對你在塵世中所歷艱辛的最好獎賞」。[137]由此可見兩人之關係。一九八九年「六四」後，兩人一起被中共通緝，八九年十月在廣東湛江又一起被捕入獄。

八九年天安門事件後，中共高層曾指出這次八九民運為「三朝元老」所為（七六年四五運動、七九年民主牆運動和八九民運參與者），叫嚷只要抓到陳子明、陳一諮和王軍濤之中的任何一人，八九民運的真相就會清楚。[138]可見陳子明在中共眼裡的重要程度。

其實，對於八九年的春夏的學潮，陳子明早有預感，但考慮了各方面的因素之後，開始採取了不參與的方針。但由於中共的蠻橫和學生的衝動，才使得以推動民主理念為己任的陳子明開始「扮演溝通政府與學生之間陷入死角的關係，為學潮尋找出路」。[139]儘管後來中共當局和八九學運的骨幹，都一致承認陳子明等第三勢力對八九民運的介入與推動，儘管雙方所持的立場完全不同，但都沒能接受這批體制外改革力量的規勸與努力，導致「六四」大屠殺的發生，令人不勝惋惜。

早在八九民運發生前，陳子明就警告當局：「我認為中國當前的危機是政府和執政黨面臨的危機。」[140]並在學運初起的四月二十三日，在「對十年改革和目前現狀的評價討論會」上，呼籲社會各界清醒自己的頭腦，學會妥協。實際上，陳子明一直是奉行著第三勢力理性、非暴力和漸進推動大陸社會民主的理念和方針，並自始至終地為這一目標而努力。

---

136 張倫，〈憶我的朋友陳子明〉（香港：《爭鳴》1991 年 8 月號）頁 65。
137 王之虹，〈我與我的丈夫陳子明〉（美國：《中國之春》1992 年 10 月號）頁 31。
138 吳仁華，《中國青年知識份子的良心和脊樑》（美國：《新聞自由導報》1990 年 12 月 7 日）二版。
139 丘昭其，〈耶誕節：他們在獄中〉（美國：《中國之春》1990 年 2 月號）頁 45。
140 呂月，〈將民主從街頭引向人民大會堂〉（香港：《鏡報月刊》1989 年 4 月號）頁 30。

對於自己的選擇，陳子明無怨無悔：「如果讓我在人身自由和真理之間做出選擇，我將毫不猶豫地選擇後者。我熱愛我的妻子、父母、弟妹、朋友，盼望與他們早日團聚。但我不會以犧牲真理、喪失人格作為交換的代價。我提倡政治妥協、社會調和，但我唾棄學術無定見、思想如漂萍、隨波逐流、朝秦暮楚……我堅信，議論國事、參與政治、維護憲法、堅持改革無罪。偽造情報、陷害忠良、圖謀倒退有罪。究竟誰是歷史的真正罪人，人民終將做出最有份量的判決。我是無罪的。」「八九學潮是中國歷史上可歌可泣的一頁，改革和現代化的潮流是誰也阻擋不住的。」[141]

（九）北京社會經濟科學研究所

在中國大陸，對於民辦和官辦的區分是很難下一個準確定義的。這幾年像四通公司、京海電腦公司這些所謂的民辦的企業，實際上並不能說是真正的民辦企業，因為他們都有一個上級單位，即掛靠單位。在大陸常規上來說，沒有掛靠上級單位，根本不可能拿到營業執照，所以像四通公司隸屬北京海淀區四季青鄉，京海公司隸屬科學院電腦所。所有的研究機構也是如此，前些年湧現出來的中信研究所、首鋼發展研究所、華夏研究所、康華研究所等等，實際上均為半官辦機構。至於體改所、發展所、經濟所等等，更是徹頭徹尾的御用機構。但是，就是在中國共產黨嚴密控制下的社會制度中，有一批人經過多年的探索和研究，竟在共產黨鐵桶般的封鎖下，奇蹟地創建了沒有任何掛靠單位，純民間的研究機構，也是大陸創辦最早，規模最大的民辦實體—北京社會經濟科學研究所。

該所的籌建醞釀於一九八四年底，一批從七六年四五運動中相識相知的青年人，在經歷了西單民主牆和北京高校競選等幾次政治事件後，深深感到深化自己、補充自己的重要性，同時一致認為應該有一個培訓、研究及拓展事業的陣地。於是經過多方奔波，一九八六年八月，終於在北京軍事博物館對面的羊坊店大街內的一座小灰樓裡，掛出了牌子：中國政治與行政科學研究所。當時這座小樓是二龍路肛腸醫院的病房，地下室和三樓用於出租，所以當時的環境之差是可以想像的。

---

141 陳子明，〈陳子明反思十年改革〉（香港：當代月刊出版社，1992 年版）頁 440-441。

當時參予創辦和初始介入的人，有來自社科院哲學所助理研究員陳子明、大百科全書出版社《百科知識》雜誌編輯李盛平、社會科學院《社會科學戰線》雜誌編輯閔琦、北方書刊發行社負責人王之虹、北京黏合劑二廠工人畢誼民、「職業革命者」王軍濤、中央黨校研究生郭夏、社科院政治所助理研究員楊百葵和陳兆鋼、政法大學教師陳小平、《經濟日報》記者錢建軍、華中師範學院教師劉衛華和謝小慶、民政部管理幹部學院教授黎明、北京經濟學院研究生侯曉天、北大社會學系張倫等。[142]

在羊坊店期間，該所以突然崛起的新形象，震動北京青年理論界，接連召開了「知識份子問題研討會」、「國外政治和行政學研討會」、「軍事政治學研討會」等大量專題討論會。籌組了「中國青年政治研究會」，創辦了《政治與行政研究》雜誌，制訂了一系列出書計畫。隨著時機和力量的成熟，按照所務委員的工作計畫，於一九八七年五月，在北京海淀區雙泉堡一座漂亮的五層大樓前，正式宣佈「北京社會經濟科學研究所」成立。這時的該所已不同從前，經過一年多的探索和積累經驗，已擁有專職工作人員四十九人，特約研究人員近二百人，擁有辦公用房六十餘間。設有社會學部、經濟學部、政治學部、心理學部等學術研究部門，並設有辦公室、科研處、電腦室、編輯部、公關部等科研輔助部門。

該所從成立到八九年初，共開展了近四十項學術課題的研究，舉辦了十四次學術討論會，編輯出版了社科著譯作百餘種。在中國理論界奠定了它良好的基礎，贏得了一致好評，並和體改所、發展所等官辦研究機構開始了橫向交流和協作。該所還聘請了原大陸教育部副部長、中國經濟學團體聯合會秘書長李正文任名譽所長，中國人民大學第一副校長、中國社會科學院學位評定委員會主任謝韜為顧問，聘任了工人出版社副總編何家棟、經濟日報副主編丁望、中國科學院心理學所所長徐聯全、北京大學社會學系主任袁方、北大法律系教授龔祥瑞等為特約研究員。並收購接管了中國經濟學團體聯合會的機關報《經濟學週報》，由原工人出版社副總編何家棟任主編，四五運動參與者、原民刊《北京之春》副總編王軍濤出任副總編，主持全報工作。

142　吳仁華，〈中國青年知識份子的良心和脊樑〉（美國：《新聞自由導報》1990 年 12 月 7 日）二版。

　　與此同時，該所還開始了對延安地區、兗州煤礦等區域進行發展諮詢，擴大影響。第一次在全國範圍招聘資訊員三萬餘人，建立了一支遍佈各地的資訊隊伍。八八年還與《經濟日報》聯合建立了「民意調查中心」，與北京人才交流中心創辦了「北京人才評價考試中心」。完善了「中國行政函授大學」和「北京財貿金融函授學院」的教學計畫，使八八年在校生達二十餘萬人，建立了自己的「黃埔」。

　　北京社會經濟科學研究所的宗旨是：宣導知識份子的良知、客觀性、公正性和歷史感，維護學術的尊嚴和信譽。其目標是：通過具有獨創性、超前性、批判性和實證性的科研活動，推動中國學術走向世界。

　　北京社會經濟科學研究所的崛起，立刻引起了中共上層的恐慌，從一九八七年到一九八九年初，該所曾四次被告到中共中央書記處，兩次上高層內參《情況反映》。[143]中共從公安部到地方當局層層加壓，企圖扼殺這股第三勢力。

　　在八九學運前夕，該所主要領導陳子明、王軍濤等，敏銳地預感到一場新的民主運動即將開始，從八八年底就開始了研究和探討，以便從理論上做好準備。從八九年二月到五月，該所連續召開了十幾次研討會，提醒和探討知識份子所應擔負的歷史責任。雖然他們長期以來一直在中共情治單位的監控之下，但當中共當局無視學生的合理要求，拒絕進行政治改革的主張之後，他們毫不猶豫地勇敢地衝到八九民運的前線，將該所的財力、人力、物力全部投入到這場劃時代的民主浪潮中。

　　八九天安門事件後，該所成為被通輯被捕人數最多的民間組織，王軍濤、陳子明、王之虹被列入中共最重要的七名通輯犯之中，全所先後有數十人被逮捕、收容、拘留、審查，並遭到中共的徹底查封，所有資料全部沒收，使這個第三勢力的重鎮毀於一旦。

　　為了使大家全面瞭解北京社會經濟科學研究所的歷史和概況，下面將詳細列舉該所近年所從事的一些學術活動，以供參考：

143　錢建軍，〈歷史的沉思〉（美國：《中國時報週刊》1990 年 12 月 15-21 日號）頁 29-31。

研究課題一：人民代表的政治認知和政治態度調查

該所在八八年四月人大會議召開前夕，通過抽樣，對一千一百七十二名全國人大代表發出了問卷，回收率為百分之七十。研究涉及人民代表對人民代表大會制度、國家財政、經濟政策等的政治意見和態度，並對他們自身的政治認知和議政能力進行了測量。調查結果的初步分析資料表明：人民代表的政治認知和議政能力頗不足，作為人民代表的角色感尚差，但對人民代表的職能有較清楚的認識。人民代表所關心的主要是：黨風、物價、社會風氣和教育。該項研究的初步結果已在《人民日報》、《人民日報（海外版）》、《光明日報》、《中國青年報》、《北京日報》、香港《文匯報》等報刊上發表。

研究課題二：當代大學生狀況研究

該項研究於八八年五月開始進行。對北京、上海、哈爾濱等十個大城市的一千多名大學生進行了問卷調查和座談。在調查基礎上撰寫了十篇論文：〈大學生對畢業分配制度改革的評價〉、〈大學生的擇業意向〉、〈大學生的人生觀、價值觀〉、〈大學生的倫理道德觀〉、〈大學生的人際關係〉、〈大學生的戀愛觀〉、〈大學生的自我評價〉、〈大學生對學潮的反思〉、〈大學生對中西文化衝突的評價〉、〈大學生對改革的心理承受力〉。調查綜述已在《人民日報》、《中國青年報》上刊載。研究報告在《中國文化報》和《大學生》雜誌上連續刊載。

研究課題三：社會世俗化研究

該項研究原定在兩年內完成。作為第一階段研究成果，撰寫了四篇專論，陸續在《經濟學週報》上刊載。四篇專論的題目是：〈中國功利主義文化的興起和社會變遷〉、〈文化與制度的整合危機〉、〈功利主義文化與中國傳統文化的衝突〉、〈中國功利主義文化的起源及其歷史進程〉。第二階段的研究則終止於八九學潮之中。

研究課題四：改革中的中共幹部心理研究

　　本項研究於一九八七年三月至五月進行，一千九百個調查樣本遍及大陸二十九個省市自治區，研究成果已在《世界經濟導報》上發表。該項研究表明，截止於中共十三大之前，大陸各級幹部的心態已發生根本性的轉變，由重意識形態轉為重生產力標準，由傳統思想轉為改革情緒。絕大多數中共幹部認為改革十年成績為主，但有失誤，對前景較為樂觀，主張兼收並蓄東西方國家制度上的優點，迫切希望調整黨政關係，近半數的人主張以社會科學理論作為改革的指導思想。

研究課題五：黨政分開研究

　　該項研究側重瞭解中共各級黨政幹部，對黨政分開的背景、現狀、前景、具體作法和社會效果的心理反應。由二百多名調查員對二千多名幹部進行了問卷調查，調查資料已經過電腦處理。初步結果表明：各級黨政幹部對黨政分開的認知程度較高，但尚缺乏具體實施能力。在黨政分開的模式設計上，通常希望採用黨中央制訂政策、地方政府施行的方式，黨政職能的認識甚為模糊。黨政分開的阻力主要來源於中、高級黨務幹部。大多數幹部認為，黨政不分的弊端，來自於中國幾千年的政治集權統治的傳統文化。該報告被有關部門扣壓。

研究課題六：公務員制度改革研究

　　該項研究通過問卷、座談和討論會的方式，對於大陸實行公務員制度的必要性、可行性、面臨的問題、障礙和後果，進行了綜合民意調查。近二千份有效問卷已進行了電腦統計處理，該報告未及問世。

研究課題七：當代中國青年社會心理研究

　　本項研究是由所長陳子明親自主持的大規模調查研究，對近五年的中國青年社會心理的演變情況，進行了細緻分析，探求並掌握其中的規律，對八九民運和學潮的發生進行了準確的預報，是一份極有價值的科研成果。

研究課題八：中、日、美三國婚姻比較研究

該項研究是與日本青少年研究所的合作項目。應用相同的調查問卷，在中、日、美三國分別進行調查，然後進行比較研究，瞭解東西方文化及不同工業化程度國家的人民，在婚姻觀上的差異。完成了對已婚、未婚、離婚三類不同調查樣本的抽樣和調查。

研究課題九：勞務市場和用工制度改革研究

勞動力資源在現行體制中，不能受市場機制調節而自由流動，造成大陸用工制度的許多弊病。本項研究旨在瞭解用工制度的現狀，以及人們對勞務市場開放後的心理承受能力。回收有效問卷一千一百份。

研究課題十：多種分配方式的社會贊許度研究

本項研究瞭解了國內各階層對多種分配方式的範圍、比例、限度的社會贊許度和容忍度。研究報告進行了認真詳細地分析和預測。

研究課題十一：政治腐敗研究

該項研究成果曾被中共有關部門定為反動行為。本項研究瞭解和探討了共產黨體制下，在現代化進程中所伴隨的政治腐化的表現形式、波及範圍、社會功能、防止措施和效果等，其結論使一些人很不高興。

研究課題十二：國民外交心理研究

該項研究旨在瞭解國民對於外交問題的敏感性和關切程度，以及對於國內外問題相互關係的認識。對於各種中外關係問題，全球問題和國際問題的態度，從整體上把握國民的外交心理。已完成背景性研究和問卷設計，並進行初步分析定性。

研究課題十三：大陸經濟週期波動研究

該項的研究報告認為，大陸從一九四九年至一九八六年國民經濟出現了十次波動，平均週期為三點六年，與世界上十七個國家一百六十六次經濟週期的頻率分佈三點五年相符合。經濟波動是超越體制和發展階段的普遍現象，不僅僅是對經濟增長的干擾，也要把它看作是一種創生的建設性因素。該項研究在國內外經濟學界有一定影響，《人民日報》、《經濟日報》、《世界經濟導報》、《理論資訊報》、《學術界動態》、《技術經濟與數量經濟》等報刊分別刊登了有關消息和文章。

研究課題十四：國外三大科研計畫的比較研究

該項研究對美國、西歐、日本的三大科研計畫的政治、軍事、科技和社會意義進行了深入考察和比較。認為以這些大規模科研計畫的實施為先導，上述國家與地區的社會發展將出現新的飛躍。該項研究的成果，分別以〈關於美國「星球大戰」計畫的再思考〉、〈「尤里卡」計畫：歐洲聯合發展的基礎〉、〈日本「人類新領域研究計畫」初析〉為題，發表在《科技日報》、《未來與發展》等報刊上。

研究課題十五：價格改革的「連漪模式」研究

該項研究報告提出，以總需求大於總供給為基本前提，在自我援助機制的調節下，按照價格上漲壓力的梯度，分地區進行價格改革的一種思路。報告摘要發表在《經濟學週報》上。

研究課題十六：財稅政策與企業行為研究

該項研究從投資行為、消費行為、提供產品和勞務行為等多個角度，分析了現行宏觀財稅政策與企業行為短期化的相關性。

研究課題十七：醫療保險制度研究

該項研究通過對公費醫療開支逐年增長的數字統計，指出了造成這種局面的諸多原因。這些原因包括新醫療技術設備不斷進入醫療單位，藥品更新換代，職工年齡結構老化，及醫療單位、藥品生

產和銷售部門的不正之風等。

研究課題十八：中國土地制度研究

該項研究考察了中國土地制度的沿革，指出現行土地制度導致兩種所有制之間、城市內部各用地單位之間、市民之間用地利益發生傾斜，造成農業用地日趨短缺，非農業用地肆意浪費。提出改土地徵用為土地購買，城鄉共同實行土地批租制度，改農村土地公有制為共有制等政策建議。

研究課題十九：企業經濟職能與社會職能分離研究

該項研究提出，現行經濟與社會職能合一的企業組織形式，帶來延緩企業形成生產能力和加大資金費用，難以滿足職工過多的保健因素，而影響激勵因素的激發，妨礙勞動力要素流動，造成工資攀比上升，強化經濟過程的非貨幣化，導致非生產性建設和隱蔽性消費基金膨脹等幾大弊端，建議近快建立健全社會保障制度，把企業變為純生產性單位。

研究課題二十：消費經濟研究

該向研究對中國大陸消費體制進行了認真研討，在調查分析的基礎上，出版了研究成果—〈論我國消費體制改革〉、〈我國居民消費水準和消費結構分析〉、〈消費經濟的運行〉、〈消費心理與行為〉。

研究課題二十一：中國公民政治心理研究

該項研究的課題組在大陸首次開展了大規模的政治心理調查。從「政治意識」、「政治責任感」、「政治原則」、「政治倫理」等多方面，對大陸各階層公民進行了充分的調查。初步結果公佈後，引起了國內外學術界、輿論界的極大反響。《世界經濟導報》、《理論資訊報》、《中國文化報》、《人民日報》及海外版、《參考消息》、《中國建設》、《中國法制報》等十幾家報紙，以各種形式報導了有關消息和調查結果。此外，還有十幾種內

部刊物也登載了調查結果。引起中共上層的震動，亦得到一些海外學者的重視。澳大利亞政治學教授丘垂亮在評價這一調查時說：在大陸眾多的調查中，唯此調查「因其明顯突出的嚴謹學術性，才第一次真正引起我的學術興趣和重視」。

研究課題二十二：政黨體制比較研究

該研究是承接中共中央組織部委託的課題，研究報告論述了黨政分開的必要性，提出加強政府首腦任免權，允許多黨議政，在人民代表大會中建立最高行政首腦競爭機制等十條設想。由於該報告研究的過為深入，中組部收到報告後再沒有下文了，所務委員決定將其公開發表在《政制與行政研究》雜誌上。

研究課題二十三：行政效率調查和行政案例分析

該項研究通過問卷調查和個案分析的方法，瞭解大陸各行政部門實際工作中的行政效率現狀，並做出理論概括。且根據上萬名調查員提供的案例編輯一本《行政管理案例分析》。

研究課題二十四：政府人員評價系統研究

該項研究為大陸「七五」計畫期間，社會科學重點科研項目。第一階段研究成果由主報告和十四個附件組成。主報告分為三個部分：（1）西方各國政府人員評價的基本情況；（2）大陸現行幹部評價系統；（3）關於公務員評價的幾點思考。研究報告認為：實行公務員制度主要目的，不是要實行公平的倫理原則，而是提高政府機關的辦事效率。因此，公務員考試不僅需要建立在公開競爭的法制基礎之上，更應建立在可靠有效的科學基礎之上。報告提出四點建議：（1）將公務員評價建立在科學基礎之上。（2）建立公務員評價的合理基本理論框架。（3）建立國家考試研究機構，開展考試研究，協調研究力量。（4）充分利用現有的考試管理力量，避免重複建設。

研究課題二十五：大企業人員評價與人事制度改革研究

此研究是為推動心理學在大企業中的應用，以便科學地評價人員素質和協調人事安排。由心理學部下屬的北京人才評價與考試中心於八八年四月，在山東兗州礦務局實施調查研究，並在該局實驗。

北京社會經濟科學研究所為配合研究課題的深化研究和討論，並帶動大陸理論界的活躍氣息，有計劃地組織了一系列大型理論研討會，在大陸形成影響。幾次重要的研討會是：

一、知識份子問題學術討論會

一九八八年初，該所與《中國文化報》聯合舉辦了兩次知識份子問題學術討論會，對知識份子研究的意義、知識份子的特性價值進行了熱烈的討論。《光明日報》、《世界經濟導報》等分別刊登了會議紀要。

二、中國社會學研究的回顧與展望學術討論會

來自體改所、北京大學、人民大學、社會科學院的專家學者，在這次會上經過激烈地討論後，認為社會學的學術共同體應建立在科學、公正、統一的標準上，形成社會學者的職業行為規範和技術規格，造就一種良好的學術環境和職業道德。

三、中國經濟週期波動問題研討會

一九八八年四月二十五日，由該所和社科院數量經濟與技術經濟研究所、中國科學技術促進發展研究中心、中國數量經濟學會等聯合舉辦了第一階段會議。於同年八月二十二至二十八日又召開了第二階段的會議。對大陸過去三十年經濟週期的非常性的波動進行了認真的分析和總結。《經濟學週報》和《經濟日報》對此進行了專題報導。

四、一九八八年世界經濟展望學術討論會

會議由該所和《中國日報》經濟部、《人民日報》海外版等合辦。與會者討論了一九八八年大陸外經濟的形勢和政策，研究了美國和西歐股票市場的價格變化，以及這些變化將對大陸對外政策的影響。

五、體制改革與法制系統工程研討會

會議於一九八八年九月十六日至十九日在北京召開，由該所和政法大學法制系統科學研究會、體改所法律室、中國系統工程學會、《法制日報》、《世界經濟導報》等聯辦。會議著重討論了法制與社會主義理念的複雜關係。

六、時局與選擇討論會

這是該所與中國管理科學院、《世界經濟導報》於八七年十二月二十七日聯合舉辦的大型研討會，二百多名學者專家出席。會議的主題是有關改革戰略的思考與對話。就政治與經濟改革的策略，理論發展的途徑與環境、新舊體制磨擦的阻力何在，經濟民主與政治民主的同步發展，知識份子在改革中的地位與作用以及當前的文化發展戰略，民主與法制建設，輿論監督和傳播機構的改革等問題，進行了認真的分析和討論。《世界經濟導報》、《中國法制報》、《科技日報》、《理論資訊報》及大陸中央電視臺對此會進行了連續或專題報導。

從八八年底到八九年五月，北京社會經濟科學研究所還舉辦過「中國十年改革與現代化理論研討會」（一九八八年十月）、「卓資縣體制改革座談會」（一九八九年三月二十六日）、「國有制危機理論討論會」（一九八九年四月四日）、「民主、科學現代化座談會」（一九八九年四月十二日）、「對十年的評價和對目前現狀的評價討論會」（一九八九年四月二十三日）、「政治體制改革與工會」（一九八九年五月十五日）等學術及理論研討會，在大陸學術界影響很大。

長期以來，該所還致力於理論傳播普及方面的工作，編輯出版了大量叢書，其中較有影響的有：

一、陳子明主編的《現代化與政治發展譯叢》十三冊，由寧夏人民出版社出版。書目為：《現代化與政治後果》、《現代社會的官僚制度》、《文化變遷與經濟發展》、《政治文化》、《政治人》、《政黨與政黨體制──總體結構分析》、《西方民主政治的文官與政治家》、《政治腐化研究》、《傳播與政治發展》、《教育與政治發展》、《政黨與政治發展》、《政治發展中的危機與延

續》、《官僚機構與政治發展》。

　　二、陳子明主編的《現代化與政治發展叢書》十三冊，由寧夏人民出版社出版。書目為：《現代政治學導論》、《行政學》、《組織論》、《政黨學概論》、《中華人民共和國政治制度》、《行政爭訟》、《政治學新學科要覽》、《政治參與與理論與實務》、《比較議會制度》、《比較行政制度》、《當代政治思潮》、《政治發展》、《政治家概論》。

　　三、閔琦、陳小平、王軍濤主編的《中國政治手冊》七冊，由雲南人民出版社出版。書目為：《政治文獻與政治規範》、《政治結構》、《政治人事》、《政治運行》、《政治發展及有關統計資料》、《政治心理》、《政治理論》。

　　四、北京財貿金融函授學院主編的《現代審計學叢書》七冊，由能源出版社出版。書目為：《審計學基礎》、《西方審計學》、《工商財務審計》、《財政金融審計》、《外資審計》、《行政事業單位財務審計》、《經濟效益審計》。

　　五、所務委員會主編的《當代對外經貿叢書》八冊，由雲南人民出版社出版。書目為：《中國外貿體制的歷史沿革》、《經貿與發展》、《國際貿易政策》、《國際商品市場》、《國際租賃》、《國際企業財務管理》、《對銷貿易》、《技術出口》。

　　六、王巍主編的《現代金融叢書》六冊，由金融出版社出版。書目為：《資產負債管理》、《金融資訊的收集和處理》、《西方金融經濟理論與政策》、《對外金融學導論》、《現代金融市場》、《中國金融發展小史》。

　　七、袁方、王軍濤主編的《當代社會學名著譯叢》九冊，由遼寧人民出版社出版。書目為：《社會學思想的大師們》、《當代西方社會學理論流派》、《社會人口學的視野》、《論傳統》、《街角社會》、《精神、自我與社會》、《現代社會中的基層組織》、《基層組織的極限》、《資本主義精神與當代社會理論》。

　　八、時憲民主編的《當代社會學基礎理論叢書》五冊，由遼寧人民出版社出版。書目為：《現代組織》、《社會問題》、《社會

進化》、《社會分層》、《越軌與控制》。

九、所經濟學部主編的《財會改革與發展叢書》六冊，由地震出版社出版。書目為：《流動資金管理》、《成本核算》、《責任會計》、《租賃會計》、《利改稅概論》、《財會論文寫作》。

十、所經濟學部主編的《現代稅務管理叢書》八冊，由能源出版社出版。書目為：《稅收管理》、《稅務原理》、《稅務會計》、《國際稅收》、《工商稅務檢查》、《我國現代稅制》、《現代國外稅制》、《中國賦稅史》。

在舉辦研討會和編輯出版叢書的同時，北京社會經濟科學研究所還辦有「北京財貿金融函授學院」和「中國行政函授大學」兩所對社會公開招生的民間大學，有專職及兼職教師近百人，學員最多時達二十餘萬人，在大陸聞名一時。不但為該所帶來了豐厚的財政收入，亦為發現和培養人材提供了最好的機會。該所還積極開辦實業，與北京黏合劑二廠合辦了「北京現代應用技術研究所」，拓財開源，以商養研。

八八年初該所與《經濟日報》研究所合作，創辦了「中國民意調查中心」，設有網管部、培訓部、抽樣部、編碼部、研究部、市場調查部等部門。在技術條件上具有多台電子電腦、光電錄入機和先進的分析軟體，擁有經過嚴格培訓的抽樣調查員和可用十年的全大陸調查網。從一九八八年三月起，該中心根據嚴格的科學抽樣方法，分別建立了全國性城鎮和鄉村調查網，招收錄用資訊員三萬多人，遍佈全大陸，為該所的學術研究和論證提供了良好的基礎。

為了將科研與應用有效地結合，該所心理學部還創辦了「北京人才評價與考試中心」，致力於人員評價的科學化和準確化，為企業機關提供人事管理方面的諮詢和考核鑒定。中心成立後為大陸許多單位提供了人員招聘、承包、培訓、考核等服務，對該所進一步走入社會提供了眾多的機會。[144]

北京社會經濟科學研究所還擁有《經濟學週報》和《政治與行政研究》為自己的喉舌，發表政見及研究成果，在共產黨嚴密控制

144　吳仁華，〈中國青年知識份子的良心和脊樑〉（美國：《新聞自由導報》1990 年 12 月 7 日）二版。

的大陸，不能不說是一個奇蹟。《經濟學週報》自一九八八年春從半官方的中國經濟學團體聯合會買過來後，發表了大量有關經濟、政治改革的新思想，成為活躍於大陸思想理論界的一面旗幟。被中共認為是「不斷製造思想混亂的」，「在散佈、傳播資產階級自由化的思想、理論、觀點等方面，起了惡劣的作用」的「兩報一刊」之一。[145]「六四」後為當局所查封。

《政治與行政研究》是一九八六年創刊的理論刊物，出過八期，發表過一百多篇論文和調查報告，撰稿人大多為理論界新秀，以其立意新穎，實證性強，受到政治學界及知識份子的好評。該所還和香港中文大學等合辦了由包遵信主編的大型理論刊物《太平洋論壇》，但只出了一期就被「六四」大屠殺一起斬殺，實為又一件憾事。

從以上所述中，我們可以看出，北京社會經濟科學研究所已具有非常成熟和完備的機體，從而使其在中國大陸社會發展中有不可忽視的作用和力量。這也就是為什麼中共一定要借八九民運的「黑手」之名，將這個第三勢力的堡壘摧毀的根本原因所在。但是，不管怎樣，北京社會經濟科學研究所，在大陸社會改革過程和八九民運的產生及發展中的作用與貢獻是不容質疑的。

4、第三勢力未來的影響及角色

經過上述對大陸第三勢力發展歷史的解析研究，不難發現第三勢力不同於以往的中共敵對勢力，其真正的目的並不是要剷除消滅中國共產黨，而是要以和平演進的方式，改變大陸政治制度的專制與獨裁，實行多黨民主執政，推動中國大陸社會的現代化進程。

因為第三勢力的成員經過十幾年的探索與思考，認識到：一黨制的中共政權對於自由化市場經濟改革的容忍和承受限度，已經達到了飽和界線。個人化的人治政權及其無規則的權力鬥爭，早已使這個政權的元氣大傷。不健全的官僚化發展，加上無界定的權力分配，又使得這個政權的經濟政策，以多變和不穩定而著稱。單向動員體制，更是使社會各階層對中共政權的信心喪失。這樣一個政權，根本不能夠完成大陸自由化導向的經濟改革這一歷史性任務。

<hr>

145 華原，《痛史明鑒》（北京：北京出版社，1991 年版）頁 128。

要引導中國大陸經濟改革走出目前的死胡同，就必須從根本上改革中共政權及其政治經濟制度。然而這種改革絕非一朝一夕之舉。更不是「砸碎舊的國家機器」的暴力革命所能完成的。從辛亥革命算起，中國已經經歷了幾次革命，「砸碎」了幾次「舊的國家機器」，但是新的政權在革命成功後，又都變成了需要被重新砸碎的低能的舊政權。如此可怕的革命循環應該被終止，解決經濟自由化改革難題的出路，雖然最終在於政治制度的變革，但是其最基本的依靠，則是在於外界力量對統治階級本身進行不斷而有效的衝擊。

中國大陸經濟改革的起始原因，在於經濟發展與社會主義意識形態之間的矛盾，其暫時的成功，也在於經濟發展所產生的新興政治力量的推動。這絕非過分強調和平演進的必須性，因為大陸目前政治制度本身的問題已經十分透明，它的改革只能是漸進的才能有實效，中國近百年的革命史已經證明了這個論點，近十年經濟改革與中共一黨制政權及其政治制度的衝突結果，也證明了這一點。激進的政治革命不一定能夠帶來有效的經濟發展結果，而沒有政治制度變革的經濟改革又難以成功。中國近代史就在這兩種境地中徘徊，任何簡單化的處方都於事無補。中國大陸目前需要的是沒有革命的政治演變，而第三勢長期以來就是朝著這個目標努力，這是一個看似簡單實際及為複雜的課題，更是一個不容易完成的歷史過程。

為了理解第三勢力的這種理念，不妨回顧一下現代民主制度發展過程：西方政治學者的研究將其化分為四個階段，第一個階段從一八二零年到一九二零年，在這一百年的歷史中，民主制度逐漸出現於北美、北歐、西歐、其它英聯邦國家及其個別拉丁美洲國家中。這個時期，是世界民主運動蓬勃發展的時期，連古老的亞洲國家也被捲入了這場世界民主潮流之中，中國的「五四」民主運動正是在此階段後期發生的。一些西方學者當時所寫的論著，因此而樂觀地認為民主的潮流已不可逆轉，並可能波及全球。

然而，正當布利士如此樂觀地描述民主潮流之時，現代民主發展史進入了它的第二時期。一九二零年是世界獨立國家中民主潮流所達到的一個高峰，此後的二十年，這種趨勢變發生了逆轉。德國、義大利、奧地利、波蘭、西班牙、葡萄牙、希臘、阿根廷、巴

西等國的民主政權相繼消失，民主進步的趨勢在此期間似乎再難看見，來自左的和右的兩股極端勢力正在摧毀著世界的民主制度。

第二次世界大戰的結束，標誌了現代民主發展史的第三個時期。戰後的民主政權又紛紛出現，在美國的幫助下，西德、奧地利、義大利、日本等國重新建立了民主制度。在非殖民化過程中新獨立的一些國家，諸如印度、以色列、菲律賓等國也相繼承襲了民主制度。其它一些國家如土爾其和一些拉丁美洲國家，仿效維多利亞時代的一些西方國家，建立起了自己的民主制度。到五十年代初期，世界新獨立國家中的民主發展又達到了一個新的高峰。

現代民主發展史的第四個時期是從五十年代初到八十年代末。與早先的三個時期不同，這個時期的特點是變化曲線先緩後劇，或者說，這個時期是個跳躍性趨勢時期。一些西方學者的統計指出，五十年代初至六十年代，民主政權似乎有所增長，但十分平緩。六十年代中至七十年代末，似乎又減少了，七十年代末至八十年代初，民主政權數量又有所增加。但總的看來，從五十年代到八十年代，世界民主國家總數基本上沒有多少變化，上升與下降的波動總的呈現出一條平穩的曲線。這種總數的基本穩定是基於兩個方面的變化原因：一方面，在第二次世界大戰獲得獨立的前殖民地國家，大多數由民主制度變成了非民主國家。另一方面，有些國家出現了相反方向的變化，西班牙、葡萄牙、哥倫比亞、委內瑞拉、希臘、多明尼加等由非民主轉變成了民主制度。有幾個南美國家，包括智利和烏拉圭這兩個具有長期民主傳統的國家，和巴西、阿根廷這兩個具有多元制度的國家，變成了軍政府統治下的「官僚權威主義」政權。許多其它拉美國家，包括秘魯、厄瓜多爾，及非洲的加納、阿爾及利亞，還有土耳其等國，一直在民主與非民主之間徘徊。在亞洲，韓國、新加波、印尼、菲律賓和臺灣，在此期間也處於不穩定的政治改革變動狀態之中。

從八十年代中期以來，世界各國的民主化發展似乎又出現了新的衝突力量。拉丁美洲一些官僚權威主義政權紛紛開始了重新民主化進程，巴西、墨西哥、智利、阿根廷等國都出現了公民選舉的政府。亞洲的臺灣、韓國、菲律賓的民主政治更是有了長足的發展。蘇聯東歐的共產主義陣營在八十年代末期全面崩潰，使變化曲線大幅度跳躍性變化，民主國家與專制政權的數量比第一次出現懸殊狀

況，社會主義的專制國家陣營幾乎不再存在，只有中國大陸轟轟烈烈的八九民運毀於坦克槍口之下，在躍變的關頭又回復原來的狀態，令人不勝惋惜。這種不規則發展，和從專制政權經跳躍式過程進入民主體制所引發的各種問題，如俄國的經濟困境、塞爾維亞的民族糾紛，已經引起了越來越多的學者的興趣，使他們提出了如何科學地向民主逐步過度的研究課題。學者們開始重新客觀回顧和提出各種民主化發展的社會、政治、經濟等方面的條件，企圖據此不僅解釋和預測民主政權產生和發展，更重要的是為民主化發展提出更為可行的政策依據和指導。

在這種大的背景下，大陸第三勢力認識到，如果要想在大陸最終實行民主制度，就必須充分利用中共專政制度中有限的空際，去挖掘動搖其專制的根基，在經濟改革的過程中推動必須進行的政治體制改革，使中共面對歷史的潮流妥協屈服。因為他們經過十幾年的磨煉，逐漸開始明白，長期以來民主一直是大陸知識份子的一種理想，他們為此奮鬥、流血，甚至犧牲自己寶貴的生命。然而，民主不僅僅是一種理想，更是一種現實的制度，是建立在利益競爭和妥協上的一種政治制度。利益的衝突使政治活動成為必要，利益的妥協使民主政治成為可能。民主化的過程實際上是建立一種調節利益的衝突，使妥協得以實現的制度。這兩種利益衝突的結果，在民主制度中常常會出現兩個勝利者，而沒有一個失利者。在向民主化過渡的階段中，必需建立起一整套競爭機制、擴大政治參與範圍，盡可能減少暴力行為產生的條件，由此建立起一整套民主制度。這是西方民主制度建立過程中已經出現了的過程，許多發展中國家也在經歷著類似的過程，中國大陸也不該例外。

民主的建立需要一系列先決條件，但是無論是經濟發展條件，還是社會多元化或容忍差異存在的文化條件，都不是民主化發展的充分條件，而只是必要條件。民主化的發展的過程是一個政治過程，即各種社會力量通過有組織的或其它方式競爭談判協商的過程。政治家們如果學會了妥協和容忍，「政治」將不再是一種骯髒的勾當，而變成一種藝術。民主制度中的政治家們競爭選民的支持，受到選民的尊重。當政治家們開始感覺到他們必須通過競爭爭取選票時，經濟發展帶來的政治過渡方向才會明確為民主化。這種民主和民主化的概念，如何能融入中國化的民主和民主化概念之

中，如何認識和學會競爭、參與和妥協的藝術，是中國大陸第三勢力及其政治家們所面對的一種挑戰。

一九八九年的大陸民主運動，引起了全世界的普遍關注，新聞出版自由、政治參與和多黨制、反對官僚及實行普選等民主政治的基本原則，都成了天安門廣場上學生和知識份子的政治訴求，這表明中國大陸的民主發展已達到了一個新的歷史水準。而對於這場具有歷史意義的八九民運，無論是中共當局還是世界輿論，都不同程度地承認了大陸第三勢力的組織作用和影響力，這無疑使第三勢力自覺或不自覺地擔負起領導大陸未來民主運動發展的歷史責任。而事實上，第三勢力今後也必將成為中國大陸民主發展的主導力量，這不但是基於它過去的發展歷史，同時也基於以下幾個原因：（1）大陸知識份子精英的柔弱性，使其需要一個堅強的脊樑（2）第三勢力與中共第三代接班人的可調和性，為其提供了發展的空間（3）第三勢力與大陸海外民運和留學生的同屬性，使其有了堅強的後援和同盟軍。下面將詳細討論上面的論點，從而得出第三勢力最終將成為推動大陸民主化的主導力量的結論。

（一）中國大陸知識份子精英的柔弱性，使其需要一個堅強的脊梁

中國兩千年來的封建社會歷史發展，造就了知識份子對統治階級的依附性和柔弱性，這一點已有許多社會學者和歷史學家予以論證，本文僅從其對民主認知的表現，來說明大陸知識精英的非獨立人格所造成的柔弱性。

從近四十年大陸社會的發展過程中，可以看到中國大陸的知識份子精英對民主的認識常常體現在表層。他們不能夠運用國家和社會關係的理論架構來分析大陸社會，只喜歡談論民主的理念，喊出最響亮的口號，而對於如何建設和發展社會卻缺乏認真的思考。大陸知識份子精英的另一特性是隨波逐流，在共產黨強盛之時，他們以各種理論解釋大陸的一黨專制，認為無產階級專政構成了一個權力的金字塔，使其在大陸社會可以自上而下地、無所不在地對社會各個階層、各個領域進行全面的干預和控制，社會完全沒有自主的能力，是被他們稱為「大國家小社會」的政體。雖然他們也時時對中共的專制有所非議，但他們在對封建專制主義批判時，總是強調

中國歷史的特殊性和他們無法超然的社會地位，因為在以儒學為根基的中國歷史傳統中，知識份子從沒有也從來沒有想過要做一個獨立於社會各階級的超然階層，用自己獨立的思考和理念，指導社會向前發展。

所以，他們在八十年代初，拼命地擠入中共的決策層周圍，以謀士之身求清客之差，企圖依靠中共黨內的改革派實現社會的改良。這些體制內的知識份子，口頭上也都贊成民主化，因為民主化意味著權力的多元化，起碼會抬高他們在執政者眼中的地位。但他們則強調民主化的前提是經濟社會化，以經濟發展帶動民主的發展。這種表面上看起來有道理的觀念，實際上掩蓋著他們對民主理論的政治和經濟二元化的不認同，不敢嘗試政治民主化和經濟多元化同步發展的可能性。

所以當中共的經濟改革在八十年代末走進死胡同時，中國大陸的知識精英們一時不知所措，對社會的前途失去信心，在極度的垂喪與失落之時，企圖用新權威主義的最後一步棋來安慰以往的錯誤抉擇。於是他們推出了平常似乎對他們很理解但卻本應是中共經濟十年改革失敗的替罪羊的趙紫陽，借八九學潮實現他們為趙紫陽鏟除垂廉聽政的鄧小平，以掃清最後的障礙。為達到目的他們不惜以學生的生命作為籌碼，製造氣氛搖旗鼓譟，而真實的目的卻是希望利用八九民運的大潮，衝垮鄧氏王朝，換上他們所屬意的趙紫陽來實施改頭換面的專制形式—新權威主義。

所以，指望大陸知識份子的精英階層，在未來大陸社會民主發展中起到主導作用幾乎是不可能的。但中國大陸的社會現實又不可能短期內出現工農為主體的民主訴求運動，因為民主對他們來說是排在保證基本生存條件之後的第二、第三之需求，並需要有人給他們灌輸民主對他們保有基本生存條件的重要意義。這種啟蒙和推動民主理念的重任，就落到了大陸的第三勢力身上。

他們從四五運動中誕生時，所匯集的力量來自工人、軍人階層的精華，在民主牆運動中，他們是目睹了農人窮困、工人艱難的一代青年的代表，他們生在共產黨專制之下，長在無數次政治運動之中，幾乎都狂熱地當過紅衛兵，又嘗受過插隊下鄉的人間冷暖，體驗過被利用、被遺棄、被玩弄的辛酸苦辣。他們的覺醒來自親身

的感受，對民主的認識出自內心的需求。他們被稱為「思考的一代」，因為他們是在經受了種種磨難之後，開始懷疑一切、重新認識一切，努力思考自己及社會的未來。他們曾經失去受教育的機會，耽誤過美好的青春，沒有顯赫的社會地位，沒有光明的前途。但他們會思考，並有批判吶喊的能力和權力，於是他們建起了北京西單民主牆，開始了議論時政，推動社會改革發展的使命。大陸第三勢力這種歷史背景和其以後的努力，使他們在大陸人民中有很深的基礎和聯繫。而他們在八十年代中的學習、研究、探討又使他們在知識份子中佔有一席之地，並能夠產生一定的影響。所以它的所作所為代表著廣泛的利益。

從技術層面上看，鄧小平死後的大陸政局，必定出現類似七十年代末期的中共高層權力角鬥。不管誰上臺，都會為鞏固自己的地位，為六四天安門事件平反。而比十多年前更加壯大的第三勢力勢必會成為決鬥雙方考慮政治天平傾斜的籌碼，會不得不再一次在大陸的政治舞臺上為第三勢力割出一席之地供其舞劍，以平「六四」之憤。但那時的民心已反，而第三勢力已非從前，其成熟的理念和豐富的政治經驗，很可能就會出現項莊舞劍之舉，趁勢將中共逼入政治妥協的死角，促成民主政治在中國大陸的實現。由於第三勢力對民主有極強烈的需求意識，是中國知識份子中最堅定的民主追求者，而且它對民主訴求的力量來自民間，又不會依附於共產黨統治者。所以，在未來中國大陸社會發展中，第三勢力將會以中國知識份子精英中一支獨立的階層，繼續扮演著推動民主進程的脊樑身份。

（二）第三勢力與中共第三代接班人的可調和性，為其提供了發展的空間

如果把中國共產黨從一九二一年建黨的一批人稱作第一代，把參加內戰並在四九年後擔任大陸中下層官僚的一批人稱為第二代，那麼從四十年代末到五十年代末出生的目前已佔據中層以上職位的一批人就可以被稱之為第三代人。這一批人與第三勢力有許多相同的歷史經歷，他們都經歷了包括文化大革命在內的多次政治運動，當過名聲不佳的紅衛兵，也做過上山下鄉的知識青年，對中共的極左主義的路線有著相似的感受和認識。但在七十年代末的那場民主與改良的抉擇中，他們開始分化，成為兩種理念完全不同而思維方

式卻極為相似的一代人。

中共第三代人在第三勢力為民主在西單牆拼命吶喊時，選擇了高考、參軍和提幹的從仕之路，他們對鄧小平當時的改良主義思想極為崇拜，是大陸十年經濟改革許多新思想和新事物的創造者。雖然他們對共產主義毛澤東思想已不再相信，但由於其特殊的位職和潛在的野心，他們依舊需要馬克思主義的袈裟來維護他們所得到的一切。他們這種矛盾的心理個性、無原則的功利理念成為他們這代人的局限，使其不會成為推動大陸社會改革的主力。

但第三代畢竟不同於第一代和第二代人，他們既沒有第一代人如鄧小平對權力的專橫，又沒有第二代人如李鵬對權威的欲望。複雜的經歷使他們在行為、思維和情感方面充滿了矛盾，他們好像共產主義的邊緣人，一隻腳還留在過去，另一隻腳已步入將來，中共今天對過去的否定，使他們知道將來也不會有他們的希望和成就，但同時又不願拋棄今天和明天那渺茫的希望。他們經歷過中國歷史上最專制的時期，所以比較能理解社會中對民主的呼聲。他們一面以極大的毅力和耐心承受著第二代人的僵化、保守和無知，一面又要警惕社會其它勢力對即將到手的權力的窺視、侵蝕和催毀。在面臨中國大陸今後新的變化和新的選擇時，第三代人往往會流露出當年在農村「接受貧下中農再教育」時所烙下的那種實際、自私和保守，會以他本能的新奇去理解，用謹小慎微的心態去判斷，用傳統的理念去權衡。雖然每一個得志的第三代都具有強烈的成就欲，儘管在今天這種無具體內容的欲望已變得非常抽象，但大多數第三代人對此仍有著執著的追求，但他們對漂亮的共產主義前景早已失去興趣。

在與中共第一代和第二代交錯的官場中，第三代人早已學會了中共政治中的所有權術和陰謀。他們也會老謀深算，在八九民運中樂當旁觀者，坐山觀虎鬥，看準時機還插進一腳，恨不得第一代人立刻退出歷史舞臺，使自己的前途少一座山。他們也會收買人心，對提倡民主的民間勢力稱朋道友，開闢些理論和輿論的陣地讓其吶喊，給第二代人施加些壓力，為自己這邊的天平添一些籌碼。在東歐整個社會主義陣營土崩瓦解之後，第三代人對於共產黨將在全世界範圍內失去合法性這一大趨勢十分清楚，以中共高幹子弟為主體的第三代人多少還不甘心讓共產主義的紅旗就此消失，同時也不甘

願馬上就要到手的權力被他人分享。他們企圖「以非意識形態的共產黨組織為社會力量，以非絕對專制的統治方式，以官辦資本（非官僚資本）市場化的經濟運行為主體，以利益均沾的軍隊、國家機關領導層、企業經理、地方諸侯、一部分非共精英人士的階層和集團結合」的「橙色革命」的手段，「爭取走過鄧之後這一難關」。[146]總之，中共第三代人的性格是獨特而充滿了矛盾，內涵複雜，參與政權的意識十分強烈，而前途卻充滿未知數。

不管怎樣，第三代人目前已擔任了中共絕大部分的市、局、縣、處級崗位，相當一部分還進入省、部級，已接近中共權力中樞的邊緣。他們在大陸未來的權力變革中，起著一個承上起下的作用。大陸在第一代人消失的時候，面臨著幾種選擇：是和平改革還是流血割據？是民主化還是繼續專制？第三代人的作用與表現是十分關鍵。而第三勢力與第三代人的關係，將主導中國大陸民主化進程的快慢。

從以上對第三代人的分析中，可以看出第三代人與第三勢力有同根的血緣關係，他們通常被認為是同屬「被耽誤的一代人」。在相同的生活經歷下，儘管後來的理念有完全的不同，但第三代人可以有限度地理解和同情第三勢力對民主理念的追求，因為他們自己也在時時刻刻地試圖掙脫第一代和第二代中共掌權者對他們的束縛。這種有條件和有限度的理解和同情，在「六四」事件的前後表現的非常清楚。儘管在八九民運中，第三代人基於各種原因，公開站到前臺的人很少，但他們憑藉著對中共老人黨的瞭解和手中可控制的權力，在幕後幫助和鼓動第三勢力的介入與參加。「六四」後，他們又利用手中的權力和關係，應付上層，使中共高層要求的清查流於形式，並使大多數學生和民運骨幹免於入獄或刑事處罰，令中共高層對第三代人普遍失望。

第三代人與第三勢力在未來大陸社會變革中共存的可能性，還基於他們在大陸十年經濟改革中有過合作的經驗。對一些理論的探討儘管從理念上看法不同，但卻可以為某種共同的利益尋找妥協的方法，而妥協的本身就是一種政治民主理念的基本體現。所以，雖然從目前看，中共第三代人還沒有立即揚棄共產主義的可能性，但

146　黃海濤，〈高幹子弟現況綜述〉（美國：《中國之春》1992 年 3 月號）頁32。

由於它對第三勢力可能存在的有限度、有條件的容忍和理解，使得第三勢力有了遊刃揮刀的空間，可以在未來大陸社會的變革中，努力宣傳民主的理念，推動社會民主化，迫使中共第三代執政者放棄獨裁專制，實行多黨制的民主政體。

（三）第三勢力與大陸海外民運和留學生的同屬性，使其有了堅強的後援和同盟軍

中國人自容閎（1828-1912）於一八四七年赴美留學以來，視西方為學習先進科學技術的必由之路。於是自清末民初以來，大批炎黃子孫背井離鄉，負笈異國。近代中國之所以對外派出大量留學生，基本上是緣於對自己傳統的文化與制度喪失信心後，才不得不採取的措施。而留學生到了國外後，在學習科學知識的同時，不知不覺地會受到所在國的思想、文化、習慣的薰陶，對異邦的社會制度也會與祖國做比較，返國後自然會以留學期間的所見、所聞、所思、所感作為改革中國的依據。在中國近代史中產生過影響的先進人物中，留洋出身的占了相當的比例。國共兩黨的領袖中也不乏受異邦教育者，如孫中山、蔣中正、陳獨秀、周恩來等。

七十年代末，隨著中共經濟改革的擴大，從七八年六月開始擴大派出留學人員至今，使近年來在海外的大陸留學生超過二十萬人，僅在美國一九九一年到一九九二年度正式註冊的大陸留學生就有四萬二千九百四十人之多，[147]而據全美中國大陸學生組織的統計，持學生簽證到美國的人數要遠遠超過這個數字。

大陸留學生由於生長的特殊背景，早期來海外的人大都對文化大革命餘悸仍存，多抱著少說多學的心態，生怕給自己和家人帶來麻煩，對海外民運更是敬而遠之。直到一九八六年底的「一二九大陸學運」，致使中共激進改革派代表胡耀邦下臺，黨內持不同政見者方勵之、劉賓雁和王若望被開除黨籍，才在大陸海外留學生中引起反響，聯名給中共寫抗議信，要求「政府堅持改革，反對倒退，堅持民主法制，反對以言治罪」。[148]

但此時留學生的「愛國」運動還是與以《中國之春》為旗幟的

147　〈留美外國學生人數創高峰〉，（美國：《新聞自由導報》1993年1月8日）一版。

148　曾慧燕，《中國大陸學潮》（香港：萬盛出版社，1987年版）頁461。

海外民運劃有很清的界限。直到八九年前後，才發生「在美國的數萬名留學生和學者積極聲援國內的愛國民主運動，全美各大城市都有數次有上千人參加的集會和遊行，抗議中共對八九民主運動的鎮壓。[149]從此結束了大陸留學生不介入海外民運的狀況。六四之後，當傳來第三勢力的代表人物王軍濤、陳子明被做為八九民運的「黑手」判處十三年重刑時，激起海外留學生的普遍抗議。他們開始關注和營救第三勢力的成員，將他們的命運與自己的未來結合起來。因為相當多的留學生都經歷過大陸民主牆運動和高校競選運動，對第三勢力的民主理念在來到海外後有很深的感受，認為與自己對中國未來社會發展的要求有一種同屬感，所以會對陳子明、王軍濤的法庭答辯詞有強烈的共鳴。當這批留學生有朝一日（而且一定會很快）回國時，必定會以在西方所學到的民主的思想、方法、理論協助第三勢力對大陸社會現代化的推動，成為第三勢力的盟友和後援。

從目前及未來大陸的經濟發展形式看，留學生為前途和其自身的經濟利益考慮，大批人在拿到外國居留身份後回國，是一種必然的趨勢。而這種在身份有保護的前提下回歸，實屬對大陸政權專制的恐懼和無奈。這使得早期回國的大陸留學生只能從事經商、教學和科研等事業，自覺從政和被共產黨提拔從政的可能性都非常小，這是因為他們的保護性身份，阻礙了他們從政治上的發展。因為他們在大陸老百姓眼裡是華僑，在中共心目中是假洋鬼子，在大陸知識份子中是腳踩兩隻船的實利主義者，使這一批最早回國的留學生失去了像本世紀初的那種由留洋學人主導社會改造的機會。

但是，這一大批留學生回到大陸，勢必將西方的所見、所聞和所學帶進政治上還封閉的大陸社會，他們還是要說、要寫和提出一些基本人權的要求。這一切肯定會對大陸的社會思想有所衝擊，帶動老百姓對政治改革的基本願望。而這時以本土為根據地的第三勢力，就自然而然地成為這兩種社會訴求的希望所在，他們所推動的社會現代化的理念和民主思想，也立刻會在上述的兩個階層中得到認同，並會很快成為他們的同盟軍。加上本來就與第三勢力有共性的知識份子，大陸的社會改革就會在第三勢力的帶領與推動下，形

149　全美學自聯，〈美國國會通過保護留學生法案〉（美國：《中國之春》1992年11月號）頁85。

成一種不可抗拒的規模，最終迫使統治階級妥協。

當大陸的政局在這種壓力下發生變化時，將會有大批的不具有或拋棄保護身份的留學生回歸大陸，主動地參與社會的改造運動，並隨著社會的承認和需求進入政府各部門，成為代替第三勢力對新政體進行實際管理的後援力量，最終實現中國大陸的現代化發展，完成和平、平等、理性的兩岸統一大業，建立一個民主富足的新中國。

中國大陸的海外民運自共產黨統治大陸後就已開始，其主要力量來自華僑對共產主義的不滿和反抗，但由於大陸對外封鎖的嚴密和對內控制的嚴屬性，使得海外民運在大陸人民中產生的影響不大，而海外民運的自身也沒能形成規模。自從七十年代末大陸社會對外開放以來，大批學生、移民來到西方世界，對民主制度與專政制度有了一個比較的機會，開始產生對自由民主的嚮往和追求，並由此承擔起繼續海外民運的責任。

由大陸出來的人自覺加入到海外民主運動來的一個重要標誌，就是一九八二年十一月的《中國之春》雜誌的創辦和民主團結聯盟的成立。它使得大陸社會第一次有了不受共產黨約束的反對力量，並利用它與大陸社會千絲萬縷的聯繫，將反抗中共獨裁專制和宣揚民主的資訊傳進大陸，形成對中共統治者的一種壓力。雖然在八九民運前，海外民運沒能得到大部份留學生的參與和支持，但它的努力與理念卻早為國內的第三勢力所認同。海外民運與第三勢力在目標的追求上幾乎是一致的，但在方法和運作方式上有些不同。海外民運由於其歷史和生存環境自由的原因，它所面臨的政治作用，第一是對中共現政權的直接而公開的全面否定，第二是在中共政權所能控制之外建立有組織的反對派，第三由於它最低的政治訴求是推翻中共政權，所以不排除使用武力在內的各種方式達到目的。它的優勢在於在中共政權還嚴密地控制大陸，國內民主力量一時無法公開進行反對中共獨裁統治的活動時，能夠站在海外毫無顧慮地宣傳民主思想、揭露批判中共專制政權，動員與團結海外華人和國際民主力量，給予中共政權一切可能的打擊，並將自由民主的聲音通過各種管道傳回大陸，鼓舞國內的民主訴求。

但這種優勢的反面也成為它的缺陷，由於海外民運的客觀條件

和形成背景，使其遠離大陸而往往力不從心。雖然八九年後海外民運形成前所未有的歷史規模，但由於海外民運組織的內鬥層出不窮、紛爭不斷，使其不但沒能起到應有的作用，反而自身削弱了反抗專政的能力。更為可悲的是由於海外民運「精英」的種種不良表現和素質的良秀莠不齊，失去了大陸的老百姓原有的所理解和尊重，使它面臨著即使有機會返回大陸，也不為中國大陸官方和民間的各階層所樂於接受的困境。

而第三勢力則由於其在中國大陸長期奮鬥的歷史，和在八九民運中的優秀表現，作為一支紮根於本土的民間改革力量，逐步形成一種獨立的、有組織的、有理念的政治力量，在未來中國大陸的社會變革中，不但會為廣大的人民所支持，同時也易為中共第三代中的改革派所接受，成為一支舉足輕重的社會民主力量。

所以，以目前海外民運的構成和組織結構，尚不能形成一種可以對中國大陸社會現狀具有壓力的力量，它們如果要想繼續發展，必需在國內尋找可以依靠的力量，以幫助自己在大陸民運發展中有一席之地。這可以依靠的力量最有可能的就是大陸第三勢力。因為隨著「六四」的平反，第三勢力將因為其為八九民運所承擔的歷史責任，而得到大陸人民的尊重和擁護，成為在大陸內唯一可以與中共抗衡的民間改革力量，最終形成一支反對力量制衡於社會發展之中。

回顧第三勢力的發展過程，這股力量在中國大陸社會發展變革所起的促進作用，是非常明顯和不容質疑的。那對於在今後未來中國社會民主的發展中和對兩岸關係變動中，將會起到的良好的潤滑劑和橋樑的作用，也應當是不容懷疑的。做為本論文的結尾，大陸第三勢力代表人物任畹町一九八九年春天在北京大學講演的一段話，也許可以代表整個這股民間改革勢力的心聲：

「四十年來，我國人民民主運動由五十年代民主黨派嘗試同共產黨輪流執政開始，以至一九七六年爆發的『四五』革命，以至七八至八一年的『民主牆』工人學生運動，以至八零至八一年的高校人大代表競選運動，以至八五學潮、八六學潮，以至八九年知識界上書呼籲赦免『民主牆』人士運動，以至此次學生領導的民潮，人民運動已經到了壯年時期。如果我們不能夠將壯年的人民運動的

全貌呈現給全體人民，那麼，我們就不配做一個『國家興亡，匹夫有責』的中國人，我們就不配做一個堅定的、成熟的、經過磨難的中國社會改造人……現在是組織合法政黨與社團，正式參加中國社會體制改造的重要時刻和時機了。」[150]

　　＊1993年5月，完稿於美國匹茲堡，匹茲堡大學圖書館。

150　任畹町，〈論人民民主運動的歷史任務和奮鬥目標〉（香港：《明報月刊》1989 年 7 月號）頁 47。

二、西部問題

當今世界，人們最關注的問題之一是把地球作為一個整體的發展問題。

一個值得令人深思的現象是，若把地球東西分開，西部大多發達而東部大多不發達。占世界總人口三分之一弱的發達國家，幾乎占了全世界總產值的百分之八十五，而占世界人口三分之二強的發展中國家僅占世界總產值的百分之十五，從而形成了人類世界的巨大不公。然而在中國大陸，東西部狀況正好相反，由於歷史和地理諸方面的原因，中國地區經濟發展極不平衡。特別是近半個世紀以來，東西部社會經濟的差異在政策等人為因素的干預下愈發加大，日益嚴重。於是，一個又可以養活許多經濟學家、學者及學生的新課題展現在人們面前：中國西部發展問題。

（A）

以大陸「中國西部發展研究課題組」1985年發表的權威報告〈西部發展的若干問題〉白皮書中定義，中國西部地區為目前大陸行政區劃分中的內蒙古、青海、寧夏、甘肅、新疆、西藏、雲南、貴州、四川、陝西、廣西十一個省（區）。該區域有土地面積680.3萬平方公里，占大陸土地面積的70.89%。1989年工農業總產值為4748.3億元，為全大陸工農業總產值的16.6%，其中工業總產值占全大陸的14.4%，農業總產值占全大陸的24%。從總體來看，西部資金缺乏，經濟效益低，地廣人稀，是目前中國大陸經濟發展中的一個沉重負擔。但同時也應看到，西部地區重工業、能源工業具有強勢，資源豐富，是未來中國經濟發展的一個重要的基地。

　　西部地區的黃河中游，是中華民族文化的一個重要的發源地。關中平原、成都平原等地，一直是中國古代農業經濟最發達的地區。經過西晉、北宋以後，中國的社會經濟重心逐漸南移。鴉片戰爭以後，西方列強從海路侵入大陸，從而使中國經濟格局發生重大變化，使70%以上的工業集中在僅占國土面積12%的東部沿海地區，而占國土45%的西北地方及內蒙古的工業總產值僅占全國的3%，占國土面積23%的西南地區的工業總產值僅占全國的6%。直到抗日戰爭爆發後，沿海和中部地區的部分工業企業大量內遷，使四川、陝西等省的近代工業和交通運輸有了初步的發展。中共統治大陸以後，由於長期戰備的需要，在西部地區的包頭、蘭州、西安、成都、新疆以及其它各省區，建立了以大軍工工業為主體的新的工業基地，構成了重工業起主導地位的目前西部經濟發展的現狀。

　　中共從1978年十年經濟改革開放以來，對於大陸經濟宏觀發展的框架設計問題，從一開始就分成兩大派系：一方主張首先集中全部力量，加速東部沿海地區的經濟，再用東部沿海地區的資金積累和技術力量等來開發西部地區的經濟；另一方的觀點認為，中國西部地區幅員遼闊，資源豐富，經濟潛力很大，而東部地區雖然基礎較好，但缺乏資源，特別是能源缺乏，與西部優劣相抵。所以應全面開放西部市場，吸引外來資金，使東西部均衡發展。前者被大陸理論界稱之為「兩步論」，後者被稱之為「均衡發展論」。做為調和兩對立理論的一部分中青年經濟學者，於80年代初期提出「梯度論」，其論點是：由於長期的歷史原因及地理環境因素，中國大陸經濟發展水準由東向西逐次降級，呈階梯狀。這種階梯經濟格局，在今後一個較長的歷史時期內難以徹底轉變，因此大陸經濟在目前或將來一個較長時期內，只能順其現狀發展，在東西部經濟現有差距下同步發展。

　　上述三種觀點，各有所據，但認真仔細地分析和思考，都帶有明顯的地域主義觀點。以西北為據點的學者李黑虎、丁文峰等強調「西部資源優勢論」，廣東學者于幼軍等則力證「沿海社會領先論」，而身居北京的學者因其地理文化和視覺角度的不同則自覺中庸，如田廣、王豐等就提出一個調和色彩濃厚的論點：中國大陸的經濟結構從東到西並非兩層或梯度結構，而是一種多層次的結構，呈複變函數曲線逐次遞減。

筆者較同意這種觀點，因為從1979年至1989年統計資料表明，大陸經濟發展速度並不均衡，雖然東部南部的增長導數較大，但西北部部分地區也有較大的增長速度，個別地區甚至大於東部平均增長數值。這是因為長期以來，大陸經濟基礎並非像大多數人想像的那樣由東到西遞減。而影響經濟發展的條件和因素又是多種多樣，從地理環境、礦產資源到交通人才等諸多因素，加上社會政治、民族習慣等等因素，使大陸各地區在不同的歷史時期有著不同的經濟發展曲線，從而構成了中國大陸多層次複變結構的經濟函數。根據經濟輻射效應（即某一局部地區在有利因素下經濟速度迅速增長時，會不自覺地牽動附近地區或相關部門的經濟發展速度）。筆者認為，大陸今後的經濟發展，無論實行什麼樣的政治制度和管理體系，在制訂經濟發展規化時，都不能片面強調東部地區的先導方針。因為西部的某些地區和部門，很可能在各種有利因素的促使下，取得經濟增長的局部性突破，趕上或超過東部沿海地區的經濟發展。否則，不均衡的經濟發展方針，勢必導向中共十年改革所呈現出來的畸型後果，使嚴重的東西部經濟勢差轉換為政治情緒對抗，同時又抑制了西部的發展基因，使大陸經濟從總品質上無法加快。

（B）

大陸在中共統治四十餘年來，由於眾多人為及政策上的因素，使東西差距越來越大，「西部問題」所形成的困擾，也成為每次制訂「經濟社會發展五年計劃」時的一個頭痛的問題。去年，大陸「中國區域發展研究小組」在對1952-1990年東西部和29省市區人均收入差距的變動趨勢分析表明，1973年以來，中國大陸各地區間人均國民收入差距的變動總體上呈擴大的趨勢，其中東西部間和各省區間的人均收入差距，以及各省市區間的農民家庭人均純收入差距，擴大的幅度最為明顯。

當然，地區間差距的擴大，是伴隨著國民經濟的高速度增長而出現的必然現象。世界上許多國家在經濟發展的過程中，都曾經歷過地區間差距由擴大到縮小的漫長歷史過程。在大陸的現階段，要獲得經濟的增長，而同時又避免地區間差距的擴大，顯然是一件十分困難的事情。特別是中國東、中、西部目前處於不同的成長階

段，其經濟社會基礎、產業結構特點、投入產出效果和自增長能力等都相差甚大。因而在相同的外部競爭環境下，條件較好的東部地區將最先獲得快速增長，從而地區間差距擴大的趨勢將不可避免。要人為改變這種格局，勢必以犧牲經濟效益為代價。但是，也應該看到，近年來大陸地區差距的急遽擴大，有相當一部分是人為的政策因素造成的。首先，中共投資向沿海少數地區過度傾斜，嚴重影響了西部特別是那些長期依靠中共政府資金投入的資源省區經濟的增長。

參與起草大陸〈八五經濟發展規劃報告〉的工業經濟學家陳棟生，曾帶領一個課題組，對大陸近年的投資分佈作了一些調查，其調查表明，1981-1988年，中、西部全民所有制單位固定資產投資，占全大陸的比重由46.4%減為41%，減少了5.4個百分點，而同期廣東、山東、江蘇三省這一比重卻增加了6.5個百分點。對於西部資源省區來說，與東部相比其經濟發展更嚴重依賴於中共中央政府資金的投入。1988年，全民投資占全社會投資的比重，西部為69.2%，中部為62%，其中幾個增長速度較慢的西部省區西藏、甘肅、青海、新疆、內蒙古分別為99.4%、80.8%、83.8%、72.2%和74.4%，而東部這一比重只有57.1%。其中增長速度較快的浙江、江蘇、廣東、山東分別只有30.1%、40.1%、54.9%和52.0%。

因此，中央政府投資的急遽減少，不僅直接影響西部一些嚴重依賴國家投資而又缺乏自我發展能力的省區經濟的增長，而且也將使這些地區在心理上產生一種失落感。其次，中共目前所採取的梯度開放政策，極大地增加了沿海經濟的活力，直接刺激了沿海一些地區特別是廣東、福建經濟的高速增長，使這些地區直接或間接受益。使東西部在一個極不公平的外部環境中相互開展競爭，既人為地加劇了地區間差距擴大的趨勢，也在許多方面產生了不良後果。現行價格體系的不合理也嚴重影響了西部經濟的增長，加劇了地區間差距擴大的趨勢。長期以來，大陸東西部之間已形成一種「產品互補」型的區際貿易格局，在這種區際貿易格局下，價格的扭曲將形成雙重利潤機制，促使商品價值由西向東轉移。一方面，西部在向東部輸出能源、原材料和初級產品的過程中，因價格不合理每年都有大量價值轉移到東部；另一方面，東部高價返回的製成品又把一部分西部的價值帶入東部，儘管中共通過財政補助的形式對這些

地區給予了補償，但中共的財政補貼主要是考慮地方財政的收支平衡，並非以增強地區自我發展能力為目標，其效果顯然是極不一樣的。

這種不良政策實施的結果，導致西部各省區開始盲目自設資源保護政策，防止肥水外流。東西區之間的經濟摩擦日益嚴重，致使東部更具擴張性，西部更具保守意識。兩地區的經濟差距，引起巨額資金、大量人才、技術資訊等生產要素逆向流入東部，形成強大的「空吸效應」，區際間發展水準出現斷層，使經濟與生產力佈局更加不平衡，東西部區際間摩擦衝突和相互封鎖日趨嚴重……

另外一個使東西部矛盾及差距增加的原因，是中共的少數民族政策所造成的。長期以來，中共在強權政策統治下，大力推行大漢族主義政策，以共產主義思想強加於各少數民族的意識領域，摧殘少數民族現有的文化傳統，致使民族矛盾日益惡化。西藏地區少數民族為擺脫壓迫，不惜以獨力為口號呼走世界各地，已引起全球性的關注。而新疆維吾爾族、寧夏回族、內蒙蒙族等較大的少數民族，近些年來也開始出現一些自治抗爭活動。據統計，從1980年到1990年，少數民族地區出現的「叛亂」活動從而引起軍民、警民衝突的惡性事件達三千餘起。

以發展經濟理論的觀點來看西部地區的經濟發展，其具備了發展地區的「二元經濟結構」，即優勢和劣勢，先進和落後同時同地存在。即存在政治障礙、文化障礙，又存在地理障礙、技術障礙。但如果未來政府的決策者仍然想把中國大陸做了一個整體的社會來發展，就不可能避免「西部問題」。而過去幾百年來，中國的西部問題一直是執政者的困擾，而未來它仍是一個大難題。

（C）

要探討西部經濟的發展問題，首先要瞭解它的優劣所在，才能對症下藥，以期達到治理的目的。中國西部地區在地貌上，由於橫臥著阿爾泰山、天山、昆侖山、祁連山等一系列呈東西走向的巨大山脈，自古南北封閉，而就在這高山夾峙下的山谷、盆地中，卻孕育了聞名於世界的絲綢之路，自周開始，周王以「乃疆乃理，乃宣乃畝」的宗旨開發西北，歷經秦漢兩朝「遠屯絕域，近修塢壁」的

治理發展，西部地區在歷朝歷代中都是統治者所無法忽略的發展區域，其豐富的資源尤為突出。

中國的水能資源極為豐富，理論蘊藏量近七億千瓦，居世界首位，而西部水能資源約占全國水能資源的百分之八十。大陸十個大水電基地有八個在西部地區，年開發的水能資源達四億千瓦。據統計，大陸煤炭的理論蘊藏量為一萬五千億噸，探明的儲量七千多億噸，而西部僅貴州的煤炭總儲量就有近二千億噸。西部的石油和天然氣的蘊藏量也不少，相當數量分佈在少數民族地區，如新疆的克拉瑪依、准格爾盆地，甘肅的玉門、青海的柴達木盆地均有油氣。石油保有儲量，新疆為五萬四千億噸，甘肅為二萬四千億噸，寧夏為三千八百億噸。

資源優勢是西部經濟發展的基礎，但長期以來，由於種種因素，使得西部地區仍然存在著下列問題：

（一）工業基礎差。西部地區四十多年來，基本建設投資不足四千億元人民幣，1990年工業總產值不足全大陸百分之二十，由於工業經濟效益低，導致產品換代和設備更新的能力缺乏，企業有回天無力之感。

（二）環境容量差。西部地區雖占全大陸土地面積百分之七十，但可耕土地面積遠少於東部，交通不發達，水土流失嚴重。以西北為例，土地面積雖廣，但百分之四十為沙漠、戈壁，土壤以貧瘠的荒漠草原土為主。從農業現實的生產能力看，西部人口已處於過剩狀態。從農業生產的潛在能力看，西部所能養育的人口也是有限的。西部表面上有數億畝宜農荒地，但大都分佈在乾旱少雨之處，墾殖受到水的嚴格限制，一有不慎，便會引起自然環境的破壞。

（三）開發資金不足。西部地區開發資金嚴重不足，儘管中共政府大量補貼，但大部分費用都用於公務開支和扶貧之中，而且在「六五」計畫期間，中共投資的重點已開始由內地轉向沿海，各地區全民所有制固定資產投資占全國的比重，東部增加了1.2個百分點，西部卻減少了1.2個百分點。

（四）人才缺乏。整個西部中、高等學校稀少，教育水準低，

除四川、陝西外，西部各省區均遠低於全大陸平均數。西部地區企業工人所占比重百分比率極低，與東部沿海地區比，西部的人力資源條件具有雙重差距：一是專業技術人員數量少。如科技人員的分佈是：西部地區平均每4平方公里有1人，東部沿海地區平均每平方公里有3人，其間相差12倍之多。二是勞動者平均文化程度低。西部人口中，不僅大學畢業文化程度者比例小，而且受過中等教育的比例，與東部比差距尤其顯著。大陸文盲和半文盲比例為人口的百分之二十三，東部為百分之十九，西部地區則平均為人口的三分之一左右，有的省竟超過人口半數。人口平均文化低，勞動力素質差，這就難以形成一支文化和科技兼備的、能適應新時期經濟發展要求的勞動者大軍，因而成為經濟發展的重大障礙。

（D）

本文用了大量篇幅探討了西部經濟發展的歷史及現狀，對於「西部問題」在今日中國大陸以及未來中國社會經濟發展中，所產生的影響及制約將是無可質疑的。如何解決這些問題，是當代中國經濟學者的責任和義務。如果不能很好地解決「西部問題」，勢必將引發整個中國社會的不平衡狀態，也必然導致新制度在發展中的困擾和不穩定情形。筆者就多年對西部經濟發展問題的探索和研究，謹提出以下幾點個人的思考供學人們討論，以期引起海外學者們對中國西部問題的重視。

（A）西部的活力在於企業私有化和加強外部輸入。

西部的貧困在於工業的落後，而工業的基礎能源在西部則是優勢。這是一個怪圈，具有工業基礎的西部工業卻長期不發達，無疑是對西部現狀的一個諷刺。近半個世紀以來西部經濟停滯的原因，如果歸罪於中共的國有化和強權統治的話，那麼未來西部工業發展的活力，則在於西部工業的私有化。資本主義工業的發展經驗告訴人們一個基本常識：產權私有是生產力發展的原動力。

西部經濟如果仍在目前「大鍋飯」的情形下去發展，是永無出路的。西方國家的許多實例也為之證明，國有企業是製造高成本、低效益的溫床，在國有企業發展走入窮途時，私有化是一劑最佳藥

方。所以，未來的中國經濟政策制訂者應清醒地認識到這一點，未來中央政府對西部企業的直接控制權越小，對西部自身的發展越有利。任何的控制政策和行政干預，將對西部經濟發展產生不利影響。但企業私有化和擺脫來自中央政府的調控政策，並不意味著不需要來自外部的資金、技術輸入。相反，外部的輸入對西部未來的發展，將產生非常大的作用。另外，外部輸入方式的轉換是一個綜合性很強的經濟問題，它包括資金、物資、技術、資訊、人才等眾多的生產要素的輸入方式轉換。

在現代經濟發展過程中，資金運用是全部生產要素流動的核心。要使外部輸入方式的轉換真正準確、有效地達到預期目的，必需抓住資金這個關鍵，發揮其帶動、影響其它要素輸入的作用。應成立一個以扶持西部地區經濟發展為目的的金融信貸機構（類似世界銀行），它以中央政府應輸入西部地區的一部分財政性撥款為主要資金來源，融通其它輸入管道的資金，運用其導向和組織機能，牽導資金的使用方向，組織其它生產要素的綜合輸入。它並不包攬對西部地區的全部資金輸入，也不是向西部輸入資金的唯一管道，而只是提供與其它輸入方式並存的一種新的輸入方式。它的首要目的不在於立即增加輸入的數量，而是在於通過這種輸入提高資金的運用效益。但顯然，後者的成功也就預示著前者的實現。

這一信貸機構的資金運用主要有：第一，向農、牧區和貧困落後地區，向重點生態和環境保護地區，提供資金、技術、人才、勞務的綜合輸入以及有關的各種服務。第二，向西部地方政府及企業提供低息或無息中長期建設貸款，專門用於對區域經濟發展有戰略意義，但投資期限長，自身盈利機會不高的建設項目，如小範圍的基礎設施建設、高速公路等。第三，向西部公、私營企業提供低息或無息的專案貸款，專門用於重點企業的技術更新、改造和企業結構的調整，企業的技術開發與引進，各類企業的新產品、新技術的研製以及新興產業的建設。第四，向地方政府或私人公司提供專項貸款，用於地方優勢產業，特別是國內、國際市場需求旺盛資源型產業的開發與建設。

此機構應具有以下三大特點：第一，靈活的投資和融資方式與高效優惠的投資服務。如接受西部地方政府或公私營企業的委託，發行建設債券和股票，為西部地區特殊建設專案籌集資金。第二，

溝通東西部的橫向經濟聯繫，為西部企業組織資金、技術、勞力等
各項生產要素的一攬子輸入。第三，建立由經濟、法律、工程技術
等多方面專家組成的投資諮詢機構，開展對信貸支援的專案及地方
政府，或公私營企業委託的其它建設項目的可行性分析和項目評
估。

（Ｂ）西部的起飛在於調動中心城市的功能及幅射影響。

中國西部地區不但資源豐富，而且也有許多歷史悠久、工業相
對發達的大中城市，如西安、成都、蘭州、昆明等，這些已基本具
備現代工業的中心城市，是西部未來發展極具實力的「發展極」。
發展極（Poles de Croissance，Development poles）這個概念，
是由法國經濟學家弗朗索瓦・佩爾魯克斯等人提出來的。他們主張
以非總量的方法安排計畫，把國民經濟按幅員分解為部門、行業和
工程項目。在不同時期，增長的勢頭往往集中在某些主導部門和具
有創新力的行業，而這些部門和行業一般聚集在不同的地區，因
此，經濟發展在不同時期往往集中在不同地區。又由於主導部門和
有創新力的行業聚集的地區常常是某個大城市或某個區域，這個大
城市或區域就成為發展極。

發展極分兩類：一類是吸引中心，它是把邊沿地區的居民吸引
到發展極來，減少邊沿地區人口的壓力，使農戶的耕作面積擴大並
改進生產技術，從而可以提高邊沿地區的人均福利水準。另一類是
擴散中心，是指極區投資的結果，促使邊沿地區的人口密度加大，
從而使經濟發展的格局有所不同。

發展極在它所影響的地區發揮著「擴展效應」的作用。區域經
濟發展過程，在某種程度上是一種「極化」過程，就是首先在一個
區域內彙集生產要素，形成發展極，迅速發展起來，帶動這個地區
經濟的發展。發展極理論強調產業群體的密集，在此基礎上才會產
生協同效應，各種產業相互促進、相互補充並促使新的產業產生和
發展，推動整個地區經濟較快地發展。發展極論者的政策建議是：
如果一個不發達國家或地區要發展經濟，而又缺少發展極，那就應
該首先創造發展極。發展極理論是反平衡發展的，發展極理論已經
對經濟計畫的指導思想發生了重大影響，成為今日一些發展中國家
強調區域計畫的理論依據。

就西部地區的生產力水準看，在西部的工業總產值中，中心城市的工業產值比重大於70%，無論從目前的狀況，還是對於將來，西部的中心城市作為一個地區、一個省甚至一個經濟片區的中心，它具有各種綜合的中心功能，具有相對完備的各種基本條件。具體來說，西部的中心城市已具備了以下這些條件：

a. 綜合服務的條件。主要是中心城市為城市及區域內的生產、生活及城市系統的正常運行，所提供的各種基本條件和環境，如城市道路及四通八達的立體型交通，給排水、電力、電訊及各種城市服務。中心城市的綜合服務條件，實際也是中心城市的最基本功能，它直接為利用外資提供著生產、生活上的必要保證。

b. 有組織、管理、協調社會經濟發展的條件。中心城市作為一定區域的政治、經濟、文化、科技中心，集中著社會經濟發展所必需的各種職能部門，這些部門根據各自的管理職能，通過經濟的、法律的、行政的手段和市場機制，對城市和其幅射區域內的社會經濟發展起著組織、管理、協調的作用，是一個地區經濟發展不可缺少的，它能避免盲目性，引導外資、技術和人才投向有利於社會經濟發展的方向。

c. 有比較發達的商品流通管道。中心城市由於集中著門類比較齊全的各類產業部門，擁有眾多的商品生產企業和便利交通運輸條件。同時，密集的城市人口和龐大的企業群，又進行著巨大的生產和生活消費。因此，與中心城市的商品流量大相適應的各種商品流通管道，構成了中心城市的流通、貿易中心作用，這種中心作用為中心城市在對外開放中，實行商品的大進大出提供了條件。

d. 有科技文教的聚集、轉化、擴散條件。由於中心城市具有優越的生產、生活及科研條件，絕大部分的科技研究及文教單位集中在中心城市，使其科技文教事業極為發達，成為區域內的科技、文教中心。集中於中心城市的這些單位和部門，通過科學技術的研究和推廣應用，使得科技研究能夠就近與生產結合，轉化為現實的生產力。

e. 有金融的聚散功能。隨著商品經濟的發展，社會生產力的進步，中心城市的金融聚散功能越來越明顯，它通過有利的經濟、技術條件，巨大的金融實力，在吸引外資及其投向方面，起到十分重

要的作用。

f.有各類型的專門人才。中心城市由於集中著眾多的生產、流通、科技、文教等部門，因而擁有各種各樣的專門人才，使得中心城市在發展中能夠充分利用他們的專業知識，發揮他們的才能。

從以上可以看出，西部經濟的發展必須要依靠這些中心城市來帶動或幅射貧困地區的經濟效益，以點陣的方式連成一個可控平面，使整個西部經濟向前發展。所以，建立西部經濟發展的幅射源，是發展西部的必要條件，而充分發揮中心城市的極幅射效應，則是西部發展起飛的關鍵。

（E）

以上，僅從經濟角度提出了對中國西部地區未來發展的幾點設想，從社會、政治角度，筆者還認為，西部問題的解決還應該解決民族區域自治問題，和省區間文化貿易壁壘及西部特殊政策的制訂等問題，這已不屬於本文的研討範疇。

總之，中國西部的經濟發展無論對目前大陸的中共當局，還是對未來的民主政體，都是一個十分重要而不容忽視的問題。特別是當未來一個新的民主體制建立時，如果不能很好地對待並解決好這個「西部問題」，其後果將直接影響甚至危及到這個制度的本身。

發展西部經濟，是一個十分複雜的問題，大量傳統的和現代的，經濟的和社會的，歷史的和未來的，文化的和民族的，直接的和間接的諸多因素交織在一起，相互作用，相互制約，很難找到一個情逐徑直的實踐順序和方向，也不是改變一個體制或社會制度就完全可以克服的問題。但即使有這樣多的複雜性，我們卻又不能不正視它。

西部地區佔有中國半數以上的國土，如此廣大區域的遲滯發展，勢必延緩整個國民經濟的全面起飛。因此，尋求新的途徑，加快西部經濟的發展，減緩擴大以至逐步縮小東、西部間的差距，就成為未來執政者在中國的經濟發展建設中一個無可迴避的戰略性問題。

*1991年7月，完稿於美國達拉斯，德克薩斯州立大學圖書館。

三、美華文學

　　根據有關資料統計，北美地區現有華僑華人近三百五十萬人，是除亞洲以外的最大的華文閱讀群體。自上世紀末以來，北美華文文壇開始出現繁榮景象，其表現主要有二：一是形成了有組織而且較為龐大、穩固、規範的華文作家團體；二是在創作上不斷有佳作出現，除了陳若曦、白先勇、於梨華的作品之外，一些後起之秀的作品在兩岸三地連連獲獎。「歷史的發展常常有些奇妙，正當神州文壇苦求突破，港臺文學茫然無歸的時候，人們卻突然發現：遠在北美新大陸的華文創作，卻展現出一派風景這邊獨好的盎然生機。從老華僑移民血淚的記述，到六十年代留學生文學的蒼涼，再到八、九十年代大陸新移民作家的昂然崛起，整個北美文壇可謂風起雲湧，各領風騷。」（陳瑞林語）

　　有學者指出：「現階段海外的華文文學作品，當以北美洲最多最佳……若看北美華文作家的寫作風格，應該也可以說是看到了大半個世界華文作品的趨勢，因此，北美作家的作品，具有海外華文文學的代表性。」這番話不無道理。

　　如果橫向地解析美華文學的建構，基本上有四大群落：

　　第一個創作群落是六十年代由臺灣赴美的留學生作家，「他們的確曾一度創造了海外華文文學的高潮，其特點是學貫中西，對中華傳統文化的有深厚的依戀難捨之情。」這一批人，後來大都成為美國高等學府的中國文化研究者，從而以學者的形態取代了早期創作上的激情。

　　第二個創作群落就是正在日益壯大的大陸新移民作家群。「他們的特點是年輕氣旺，視野開闊，目光敏銳且出手快，表現出相當

高的文化素質，多數作家在出國前即有筆耕的修煉。」這一特定的作家群普遍被認為是北美文壇的後起之秀，創作前景不可限量。

第三個創作群落是一批用英語寫作中國故事的華裔作家，他們出身各異，教育水準不同，但大都歷經世事蒼變，用英語講述自己或家族的生命故事，作品有濃郁的中國氣氛。

第四個創作群落是活躍在網路上的留學生作者，他們年輕且受教育程度高，「自然也就成為網路這個先進傳播手段的最大的受惠群體，亦不可推卸地成為華文網路文學的催生者。」因為互聯網擁有任何一種平面媒體所無法比擬的龐大的讀者群，「其影響力遠遠超過了報紙和文學雜誌的作用，成為海外華人，特別是知識份子階層汲取中華文化的主要管道。」

對這四大群落，本文將逐一進行介紹，使大家對美華文學的現狀，有一個比較清楚的瞭解和認識。

1、臺灣移民作家群落

臺灣移民可追溯到上世紀六十年代的留學熱潮，曾出現過許多感人的文學作品和留學感言，但最終被讀者和學術界共同認可的大家卻不多。著名文學評論家、美國哥倫比亞大學教授夏志清認為：「旅美的作家中，最有毅力，潛心自己藝術進步，能為當今文壇留下幾篇值得給後世朗誦的作品的，有兩位：於梨華和白先勇。」

於梨華，1931年生於上海，臺灣大學歷史系畢業，美國加州大學新聞系碩士。曾任教紐約州立大學，得過米高梅文藝獎、臺灣嘉新水泥文藝獎及兩度福布萊特獎。出版有《夢回青河》、《又見棕櫚、又見棕櫚》、《傅家的兒女們》等近二十本書。

於梨華堅持寫作四十餘年，不但是早期留學生的代表作家，亦是海外華文文壇的一顆長青樹。白先勇在〈流浪的中國人〉一文中言：「在全面描繪中國知識份子旅美生活方面，沒有臺灣作家比得上於梨華。」於梨華的作品，不但描述了旅美華人從失落漂泊的寂寞到尋根意識的覺醒過程，而且準確地捕捉到上個世紀五、六十年代，彌漫於臺灣留學生心中的，那種漂泊無定的彷徨和無根可尋的幻滅感。文字細膩，情節曲折，把中國傳統小說的工筆白描手法，

與西方現代小說注重心理刻畫的技巧熔於一爐，被評論界譽為「留學生文學的鼻祖」。

白先勇，1938年生於廣西，臺灣大學外文系畢業，美國愛荷華大學碩士。代表作品有：《孽子》、《臺北人》、《金大奶奶》、《遊園驚夢》等。他是美華文學的一個異數，迄今為止，短篇小說不過30餘篇，長篇僅有一部《孽子》，再就是一些散文與評論，但卻構成了他在世界華文文學領域不可撼移的領先位置。其創作成就集中體現在他的短篇小說上，分為《臺北人》、《寂寞十七歲》和《紐約客》三部分，其中又以14篇《臺北人》影響最大。

白先勇自稱是生於憂患，長於離亂。和曹雪芹一樣在青少年時代，就經歷了從紅塵萬丈到白茫茫大地真乾淨的生活劇變，這使他的命運先天地打上了悲劇色彩，他的小說也無一不具有強烈的悲劇性。他每篇小說中都設法營造一種獨特而濃郁的悲憫氛圍。比如，〈玉卿嫂〉的決絕，〈悶雷〉的壓抑，〈寂寞的十七歲〉的冷寂，〈芝加哥之死〉的緊張與苦悶，〈遊圓驚夢〉的熱烈與淒涼，〈花橋榮記〉的哀惋，〈冬夜〉的落寞，〈金大班的最後一夜〉淫樂掩蓋之下的無限惆悵等，都處理得十分考究，耐人尋味。夏志清讚譽白先勇為「當代中國短篇小說家中的奇才」，「著意的都是歷史的興衰感和人生的滄桑感」。

在這一批從臺灣旅美的留學生中，湧現出一大批才華橫溢的優秀作家，如聶華苓（《桑青與桃紅》）、陳若曦（《尹縣長》）、歐陽子（《秋葉》）、叢蘇（《獸與魔》）、張系國（《昨日之怒》）、鄭愁予（《夢上土》）、許達然（《土》）……以這批作家為基礎的臺灣旅美第一代新移民作家群，後來組成了一個到目前為止仍是北美華文文壇最大的作家團體—「北美華文作家協會」。該會於一九九一年五月在紐約成立，現任會長是美國世界日報創辦人之一馬克任。該會下設十六個分會，共有近千名會員。其辦會宗旨是「凝聚志同道合人士，以文會友，相互切磋，交流創作經驗，聯絡感情，發揮力量在海外宣揚中華文化，推行文藝活動」。用會長馬克任的話說，「北美地區具有自由安定的生存發展環境，華人人才薈萃，是散播華文文學種子的溫床」。該會每兩年召開一次會員代表大會暨創作研討會，對聯絡作家感情、互通出版資訊、交流創作經驗、促進華文文學的發展起到了一個的橋樑作用。為了更清楚明瞭起見，我選

擇了幾個有代表性的分會，介紹如下：

紐約華文作家協會：

紐約是個大都市，到處充滿著故事，也充滿著文學，華文文壇中有許多重量級作家在成名後遷居於此，也有人在此與文學結緣，或成為作家。1991年5月成立的紐約華文作家協會，正因為這群人的支持和推動，文學活動才如此興盛，寫就一篇篇精彩的頁章。會員中有許多大名鼎鼎的人物，如夏志清、王鼎鈞、琦君、劉墉、王德威、馬克任等，他們在文壇享有崇高的地位，卻總是謙和親切，與年輕後輩融洽相處、鼓勵提攜。紐約分會常常舉辦小型讀書會，增進會員之間互動聯誼。亦邀請本地或外地作家演講，豐富文學心靈，充實見聞。他們請王鼎鈞先生評點過諾貝爾文學得獎作品《靈山》，請章緣評析張讓的《空間流》，請夏志清、趙淑俠辯論錢鍾書的《圍城》……會員中相繼出版的新書有章緣的《疫》、馬克任的《穿上母親買給我的睡衣》、劉愛貞的《紐約的十三種可能》、鄭麗園的《禮儀寶典》、殷志鵬的《夏志清的人文世界》、冰子的《醫生趣談》、俞敬群的《畫翅集》、遊健治的《廿四個天才與十一個意外》……等等。歷任會長有陳裕清、馬克任、李秀臻等。

美南華文作家協會：

美南作協於1991年6月在休斯頓成立，秉持以文會友的宗旨，為提倡讀書風氣，經常舉辦讀書會，介紹各類文學作品，鼓勵新人寫作，並出版雙年刊《南軒集》，為美南文友耕讀之精華選集。作協現有會員近八十人，請世副主編田新彬講過〈如何報導？怎樣文學？〉，請丘宏義教授介述〈美國文學的新傾向〉，請女作家周芬娜談〈美食與旅行文學〉，鐘玲教授主講〈創作與生活〉，請杜維明教授論〈文化中國的傳統資源〉……。歷任會長有石麗東、劉毓玲、姚嘉為、劉緯、陳紫薇、廖秀菫等。

北加州華人作家協會：

三藩市不僅是美洲的黃金地段，也是華人渡洋開拓新土的最愛。從金礦到半導體，從鐵路到網路，都是百年來華人心力和智慧

所追逐的目標。於是便有很多人生的故事在此產生並演義，使文學與高科技在此相遇碰撞。1991年成立的北加州華文作家協會，一直擔任著作家與文藝愛好者溝通的橋樑，邀請過張系國、李黎、簡宛、葉維廉、張錯、非馬、嚴歌苓、吳玲瑤等前來演講。會員中名作家亦不少，於梨華、紀弦、喻麗清、吳玲瑤……新書不斷出版，成果繁華似錦。協會還協助成立了各類讀書會，為他們提供作家講讀、新書介紹等等，一起為推廣高科技中的書香而努力。歷任會長有喻麗清、魯肇煌、胡為美、蔡玲、陳漢平等。

洛杉磯華文作家協會：

1991年成立，從初創時的會員五十餘人，至今增至百人以上。會員中有著名作家《藍與黑》作者王藍、《花鼓歌》作者黎錦揚、《滾滾遼河》作者紀剛等。該會除定期出版會刊《洛城作家》外，還舉辦過數十次文學演講和會員新書發表會，創辦過兩期青少年中文寫作班，並成立了「洛城作協出版社」，已為會員及書友出書三十餘冊。自一九九四年起，該會還與中國大陸作家協會交流互訪，接待過許多大陸著名作家。此外，洛城作協於1998年和2000年還分別承辦了第四屆北美華文學術研討會及第四屆世界華文作家協會會員大會。歷任會長有蓬丹、蕭逸、周愚、文驪、陳春生、王娟等。

華盛頓華文作家協會：

1991年9月在美國首都華盛頓成立，會員中有陳香梅、林太乙、張天心、吳崇蘭、韓秀、鄭義等名作家。該會與美國世界日報、華盛頓新聞報、華府郵報等新聞機構有長久友好的合作與互動關係，並出版《華府作協年刊》。多年來邀請過許多作家來華府演講，其中有吳玲瑤、羅蘭、琦君、鄭愁予、嚴歌苓、張純如、朱天文、古華、於梨華等。除此外，還對冉亮《風聞有你，親眼見你》、於梨華《別西冷莊園》、高行健《靈山》、陳香梅《風雲際會·繼往開來》、韓秀《團扇》等作品作深入的討論。歷任會長有張天心、江偉民、張朗朗、韓秀等。

北卡書友會：

1991年11月成立，是該地區第一個完全由華人組織和策劃的書友會。北卡羅萊納州在美國東部，是個很平常，沒有特別知名景點足以吸引人專程到此一遊的地方，所以讀書就成為這裡中國人的一個愛好。北卡書友會的宗旨，是「以書會友」，他們先後討論過徐志摩的詩，余秋雨的散文，高行健的《一個人的聖經》。也細讀過王鼎鈞、白先勇、琦君、黃春明、王安憶、廖玉蕙、龍應台、哈金和隱地等人的作品。幾年下來，大家已經不知不覺的研讀了近百本書，使書成為生活中最好的朋友。歷任會長有簡宛、劉瑪玲、王明心、陳又治、林如瑋、賈小婷、李民安等。

新英格蘭華文作家協會：

1993年在波士頓成立，該會主要作家有鄭愁予、趙如蘭、張鳳、鄭兆沅等。該會經常在哈佛大學內舉辦定期或不定期的文學聚會，請過於梨華講「九十年代女作家的前途」、吳玲瑤談「兩性之間男人與女人的戰爭」、趙淑敏解說「歷史小說」、孫康宜剖析「張藝謀電影中的性與文化隱喻」、陳忠實漫談「《白鹿原》的創作及反應」、少君介紹「網路文學的歷史與發展」、康正果笑論「《廢都》現象」等等，反應強烈，影響很大。歷任會長鄭愁予、張鳳等。

北德州華文作家協會（文友社）：

地處美南的德克薩斯州是全美面積第二大洲，給人根深柢固的印象是到處充滿牛仔及廣大綿延的草原。但達拉斯則是一個以高科技特別是通訊業為主的現代化都市，所以那裡的華裔基本上以高級知識份子的上班族居多。1996年成立的「北德州文友社」，除在當地報刊開辦「北德州文友社專欄」外，還邀請過許多名家前來達城講演，如著名詩人鄭愁予、洛夫，著名作家古華、吳玲瑤、簡宛、韓秀以及《世界日報》副刊主編田新彬等。除了邀請外來的名作家演講外，該會還先後舉辦了不少文藝座談會，其中包括「人間四月天座談會」、「二月河作品研討會」、「蘇東坡作品研討會」、「余秋雨作品研討會」……等，並與美南以美大學協辦過「老舍作品研討會」。歷任會長有溫英超、少君、謝素珠、王國元等。

芝加哥華文寫作協會：

1996年5月在芝加哥成立，邀請過張大春、瘂弦、朱小燕、簡宛、楊煉、韓秀、於梨華、廖玉蕙等作家前來演講。該會會員中有著名作家非馬、張系國、嚴歌苓和高千惠等。自1997年開始與《世界日報》副刊合作，每年舉辦徵文大獎賽。七年來，共有來自美國、加拿大、巴西、泰國、馬來西亞等二十三個國家的寫作者，合計一千四百人次參賽，評出三十四位優勝人選。已在全球許多愛好寫作的個人及團體，留下深刻印象，各地的文藝社團紛紛鼓勵會員參賽。歷任會長有邱秀文、謝天詒等。

新澤西書友會：

新澤西在美國五十州中雖然面積屬倒數第四，但在個人收入及經濟繁榮上卻往往名列前茅。這是一個介於紐約與費城之間的人文彙集的寶地，是以《草葉集》聞名的桂冠詩人惠特曼的最後歸隱地。據美國人口普查，新澤西的華裔人口居全美國第四位，中文報紙雜誌密度最大，在這樣的大環境下，新澤西書友會於1998年5月應運而生。至今舉辦過近四十場的讀書座談活動，請到著名作家張讓來談汪曾祺的小說，請趙淑俠來談女性文學，請章緣談小說的寫作，請林露德談〈美國華裔的多層面貌〉，請於梨華談她寫《在離去與道別之間》的心歷路程……。歷任會長有王甯、孟絲、劉安中等。

聖路易華人寫作協會：

聖路易的文風向來極盛，1998年成立的該會在當地的中文報紙開闢《匯流文刊》園地，以小說、散文、詩歌為主體，同時提供文壇最新動向和書評，讓感情的泉湧、哲理的思索，建造在中華優美的文字上。會員裘小龍的英文小說《The Death of A Red Heroine》曾獲安東尼推理小說大獎，小說《忠字舞者》和《中國情詩》都獲得主流社會的關注和肯定。有討論，無爭執，是寫作協會成立至今，最讓他們津津樂道。彼此的感情從寫作延伸至內心的感同深受，是讓他們最享受的。歷任會長有李笠、謝惠生、周密等。

亞利桑那華文筆會：

許多到過鳳凰城的人，都不會忘記那裡燦爛的陽光，因為那裡每年有三百多天的日照，那裡也是北美最早有華人的地方之一，最有名的地方是大峽谷，摩特羅拉和英特爾最大的工廠及研發中心均建在此地。亞利桑那華文筆會成立於2000年5月，會員中有來自大陸的留學生、工程師和來自臺灣的退休將軍和商人，還有久居此地的老華僑、越南華人和韓國華僑。自筆會成立後，會員們在本地僑報《亞省時報》上闢有專欄，並與當地僑聯總會和中文學校聯合舉辦過三次青少年中文寫作比賽，為推廣中華文化盡一份責任。會員有多人出版了專著和文集，如李樹明的《綠卡的代價》、少君的《少年偷渡犯》和《東城西域》等。歷任會長有甄碩欽、少君等。

……

北美華文作家協會在北美地區華文界有較大的影響，與其有相對充足的活動經費有很大的原因，加上《世界日報》的副刊和幾十種華文報刊的全力協助和提供發表作品的園地，各分會之間互相來往密切頻繁，舉辦講座交流不斷，有力地促進了北美地區華文文學的發展。

2、大陸新移民作家群落

北美大陸新移民作家的特點是在雙重文化背景下寫作，無論表現離愁別緒還是榮辱沉浮，他們的精神層面都印著痛苦掙扎的痕跡。「他們的作品與中國本土以及臺灣本土、香港本土、東南亞本土的作家有著截然的不同。大陸新移民文學發端於八十年代後期，濫觴於九十年代，經歷了由浮躁到沉潛階段，從單純描寫個人沉淪奮鬥的傳奇故事，逐漸走向對一代人命運的反思和對中西文化心態的價值的探討。」陳瑞琳認為：「走過近二十年的風雨探索，無論是從社會人生的積累，還是從文學意識的醞釀和崛起，應該說，湧現新移民文學成熟作品的時代已經來臨。」

二十個春秋的歷程不能說太短，掀開一部轟轟烈烈的中國現代文學史也不過才三十年。根據資料，查建英在《小說界》發表的〈留美故事〉是國內發表的最早的北美新移民作品，該雜誌1988年

正式開闢「留學生文學」專欄。國內出版的第一部留學生小說集，是1988年由北京十月文藝出版社出版的《遠行人》（作者阿蒼）。九十年代後，由於海外留學生內心焦慮和情感失落，以及社會文化的根本衝突逐漸浮現出來，冷靜地思考代替了直接的傾訴，審美的意象代替了紀實的故事，於是誕生了一批非常優秀的作品，它們所表現的新移民在生存環境中的悲喜劇，其深刻的內涵和深遠的影響還有待學術界去認識和研究。

這一代旅美新移民文學作家中，最具影響力的應該是嚴歌苓。嚴歌苓1957年生於上海，從軍多年，1990年赴美留學。她出國前就著有長篇小說《綠血》、《雌性的草地》等，因此，她的執筆創作就比同時期的新移民作家有了較高的藝術起點。在異域生活的切換過程中，全面激發了嚴歌苓潛在的創作才情。嚴歌苓對於文壇的貢獻是她擅長描寫異質文化碰撞中的人性衝突，從而給讀者展示出現代社會的冷酷和人性的柔弱。嚴歌苓小說的特點是客觀、冷漠，曖昧而充滿歧義，她的語言靈動、俏皮和細緻，駕馭文字的能力很強。她能夠在尺幅之內字字珠璣，窺探出人物性格的無限張力。作品有《少女小漁》、《天浴》、《扶桑》、《人寰》等。曾獲臺灣《中央日報》文學獎、臺灣《聯合報》短篇小說獎及臺灣《中國時報》百萬小說徵文獎等。

另一位聲譽鵲起的作家是張翎，她第一部小說《望月》，就因文筆成熟、風格奇特而引人注目。張翎，1957年生於溫州，1986年赴加拿大留學，獲卡爾加利大學英國文學碩士和美國辛辛那提大學聽力康復學碩士，現任職多倫多某聽力診所。評論界認為：「她擅長將海外如火如荼的生活，納入在陳年舊事的煙雨中娓娓道來，從而超脫了新移民文學普遍的浮躁，從而熔鑄了一種傳統與現代奇妙交合的典雅風範。」代表作有《望月》、《交錯的彼岸》、《郵購新娘》，這三部作品構成一個系列，作者以純熟的筆法駕馭了鎖鏈套環式的網狀結構，恢弘纏綿地演出了一幕人生的悲喜劇。

在北美長篇作品中影響比較大的是閻真的《白雪紅塵》，它是早期新移民文學中最具代表性的作品之一。作品描述了新移民在海外如何重新尋找自己的人格位置，又如何面對感情天平失衡的痛苦，這幾乎是每一個海外遊子所共同經歷的心路歷程。後來該作者回國後又創作了一本獲獎作品《滄浪之水》。另外，盧新華的《細

節》、宋曉亮的《湧進新大陸》、陳謙的《愛在無愛的矽谷》、曹桂林的《北京人在紐約》、戴舫的《第三種欲望》、顧曉陽的《洛杉磯的蜂鳥》、韓秀的《折射》、李舫舫的《我倆一九九三》、樹明的《綠卡的女奴》、王小平的《刮痧》、鬱秀的《太陽鳥》等長篇，都是北美華文的不錯的作品。

北美的華文文學的紀實文學，一直在新移民的創作中佔有相當重要的地位。陳瑞琳指出：這一方面是現實人生的彩色斑斕刺激了作者的表現衝動，另一方面也是因為海內外讀者對異域生活渴望認知的欲求。在紀實文學的範疇內，最有影響力的作品首推強尼的《留學美國》，這是一部難得的反映當代留學生命運的全方位報告，同時也是海外新移民文學創作的一個重要參照。除《留學美國》之外，也有像周勵的《曼哈頓的中國女人》、張敬民的《美國孤旅》、張慈的《浪跡美國》、穆京虹的《在美國屏風上》、陳燕妮的《遭遇美國》、劉子毅的《八年一覺美國夢》、力揚的《北美生活實錄》、劉予建的《萬聖悲魂》、龐劍的《留學美國的日子》、張效武的《我在美國當律師》等，只可惜許多作者大都如流星般閃過，真正執著不懈且努力創作有成的當數近年來突現的紀實文學作家沈寧。

沈寧，1947年生於南京，成長於北京，插隊於陝北。西北大學畢業後，於八十年代赴美留學，在愛荷華大學取得學位後，做過大中學教師、美國之音記者、空軍學院教官，奔波在東西海岸，深入美國社會各個領域，體味比一般留學人較為廣闊的社會人生。在充分的生活積累和情感蘊積的基礎之上，沈寧寫出了一系紀實作品：《美國十五年》、《戰爭地帶》、《商業眼》及長篇紀實小說《嗩吶煙塵》等。特別是《美國十五年》，寫的是沈寧自己這十幾載海外漂泊的風雨歷程。他把自己十五年來肉搏美利堅的酸甜苦辣寫得絲絲可辨，縱橫經脈撥根見骨。是目前為止新移民文學中表現美國社會最真實、最全面的力作。沈寧因為出身世家，又畢業於中國西北大學中文系和美國愛荷華大學比較文學系，所以他的生活閱歷和文字都與凡人異同，用筆行文如行雲流水且底氣十足。

論及北美的新移民文學，不能不矚目到在北美作者最多、創作題材最廣泛、讀者最眾的網路文壇。因為在北美，中文電腦網路雜誌已成為傳播華文文學創作的最主要的途徑，並成為知識份子階層

文化生活的重要管道。在北美,就網路文學的歷史來看,影響最早的當屬1991年創刊的全球第一家中文電子週刊《華夏文摘》,可謂首開新移民網路文學的先河。之後,全球電子刊物如雨後春筍,影響較大的有《新語絲》、《楓華園》、《橄欖樹》……等。在北美近百種電子刊物裡面,湧現出一大批新移民網路作家,有些化名,無以考證,有些又如流星閃過,光彩奪目卻瞬息間消失。其中實力派作家少君的名字是被廣泛矚目的。「這位本名為錢建軍的創作多面手,1991年即開始在網路雜誌上露面,之後一發不可收地發表了數百萬字的小說、詩歌、散文和報告文學,一舉成為北美華人網路文學的重要作家。」

少君,1960年生於北京,曾就讀北京大學聲學物理專業和美國德州大學經濟學專業。做過大學教授和高科技公司的主管,曾在網上網下出版過《未名湖》、《愛在他鄉的季節》、《西域東城》等書,作品遍佈在上萬家中文網站。他最有影響的作品是一百篇的《人生自白》系列,其中所寫的人物三六九等,各形各色,從大廚到小姐,從紅塵掙扎的影視演員,到情場可憐求救的ABC,為讀者展現了一幅斑駁陸離的海外人生的「清明上河圖」。「少君創作的意義,首先是他努力打破傳統作家與讀者交流的格局,他成功地運用了自己把握生活的機智和文字修煉上的簡潔,並在網路上找到了自己獨特的寫作優勢,同時也找到了這個時代特定的千萬讀者。他作品的價值並不僅僅在於人物戲劇化的傳奇故事,而是凝聚著作者對海外人生的冷靜關照,以及對輾在生存車輪下如泣如訴生命的理性關懷,這一精神高度,界定了少君為當代新移民文學所做的重要貢獻。」(陳瑞琳)

當然,網路文學的產生,是華文文學史上的一個最新且最具爭議的論題,但因它而產生出了成千上萬個文學愛好者和寫作者,卻是無可爭議的事實。北美網路作家是新移民作家中被學術界關注並研究最早的,有關的博士、碩士論文越來越多,並帶動了北美新移民作家研究這個新的課題。網路作家的產生和消失常常如網路本身般快捷迅猛,像圖雅、阿待、方舟子、程靈素、枚枚、伊可、百合、堂郎……這些令人熟悉的名字,有的早已消失在茫茫無際的網路中,有的還堅守在鍵盤和螢幕前,有的則換一個或多個不同的面孔繼續遊蕩在網路上,偶爾露崢嶸……

　　說起北美華文文學在兩岸三地越來越引起人們的關注，有一個名字是無法讓人忘懷的，她就是北美著名的文學評論家陳瑞琳女士。她是最先把目光投向新移民作家的評論家，也是對北美華文文學研究最有力的推動者。1962年出生於西安的陳瑞琳，1977年15歲就考入西北大學中文系，碩士畢業後任教於陝西師範大學十年，著有《中國現代雜文史》、《中國當代文學》、《神秘黑箱窺視》等理論著述和散文集《走天涯》、《蜜月巴黎》。1992年赴美後，長期主持編輯《北美行》、《華人世界》、《自由人報》等華文報刊，將敏銳的文學感覺觸向正在蓬勃發展的北美新移民文學，以其深厚的學術功底展開對北美新移民文壇的掃描，並以其獨特的視角寫出了一系列扎實細緻且膾炙人口的文學評論，是當代北美新移民文學研究的開拓者之一。

　　關於以大陸新移民為主的文學社團，雖然較之臺灣新移民文學社團的起步很晚，經費亦顯不足，但目前已開始活躍和引人注目：

中國文化學社：

　　1987年成立於美南休士頓，是大陸留學生在北美的第一個文化團體。主要作家有老路、泰閣、陳瑞琳、許赤嬰、周春梅、余建一、陳家傑、周本初、侯鐘等。他們下意識地將留學生在社會變遷、思想演進過程中的文化運動作為關注的重點，將文化碰撞與交融視為社會文化發展的重要媒介。在他們看來，留學潮本身即是重要的文化活動，旅美華人的感受、情懷、思想等皆在反映一種文化追求。他們創辦的《北美行》雜誌，也是大陸學人在北美創辦的第一份雜誌，至今已出版了多年。這是一份以刊登文學作品為主的綜合性刊物，十多年來，辦出了如下二個方面的特色：一是反映出一種強烈深刻的文化感受，二是寬容和自由的精神。由於該刊執著地表現留學美國的感受，因而早期在留學生中有較大的讀者群。歷任社長劉洪飛、老路等。

美國華文文藝界協會：

　　1995年在三藩市成立，其主要作家有黃運基、劉荒田、王性初、李碩儒、陳雪丹等，會員有五十餘人。該會創辦人黃運基是一

位著名的作家和出版人，他創辦了北美華文界唯一的一份純文學刊物《美華文學》，堅守純文學陣地十數年。據統計，除了美國各大學的圖書館、資料館收藏外，大陸的一些報刊，如《人民文學》、《光明日報》等均選載它的作品。其發刊辭言：我們自覺地聚在一起，以飽滿的熱情和遠大的抱負，最大的願望，除了以文會友之外，更要通過多樣化的文藝形式，從廣度和深度上反映華僑文化，反映華僑、華人今昔創業的軌跡。我們決意開拓和耕耘這塊園地作出無償、無私的奉獻。歷任會長有黃運基、劉荒田等。

夏威夷華文作家協會：

該作協成立於1997年10月。為提供發表園地，特辦了一份文學性報紙《珍珠港》，並將會員的作品結集出版了兩冊《藍色夏威夷》文集。幾年來，該會部份成員出席過「北美華文作家作品研討會」、「第五屆國際華文詩人筆會」、「第十一、十二屆世界華文文學國際研討會」、「第四屆世界微型小說研討會」等重要學術會議，與世界各地的華文作家進行廣泛的接觸和交流。歷任會長有黃河浪、葉芳等。

文心社：

這是一個成立於2000年11月，在新澤西州註冊的文學團體，其社員大部份是旅居北美的文學愛好者，但也有一些中國大陸地區的愛好者加入。社員的作品亦散見《僑報》副刊、《世界日報》副刊、《新象》週刊和《亞美時報》等，主要作者大多數為網路作家。歷任社長有茹月、施雨等。

加拿大華裔作家協會：

1987年在溫哥華成立的該會，是加拿大第一個有組織的華文作家團體。加拿大華裔作家協會早期是以香港新移民作家為主的寫作協會，近十年間，融入很多大陸的旅加作家，發展迅速，會員有劉惠琴、古華、胡菊人、馮湘湘、朱小燕、梁麗芳等。該會每年主辦的大型文學研討會，至今已辦了六屆，每一屆都有獨特的主題，應邀為主講嘉賓的有白先勇、於梨華、古華、劉再複、劉恆、陸星

兒、陳忠實、梁秉鈞、葉嘉瑩、梁錫華、洛夫、劉登翰、少君、阿成、嚴歌苓、吳玲瑤、何鎮邦、蘇童、鐵凝、孫隆基、張炯等。該會還在溫哥華《明報》和《星島日報》上設有《加華文學》專版，並出版《加華作家》中英雙語季刊。歷任會長有盧因、陳浩泉、梁麗芳等。

加拿大中國筆會：

加拿大東部的多倫多是華人移民的重鎮，有華裔人口五十萬，憑藉著白雪紅楓和安大略湖的自然美景，養育著一批獨特的新移民作家。「加拿大中國筆會」彙集的就是以孫博、李彥、張翎、川沙等人為代表的一個新移民作家群，該筆會成立於1995年，是以旅加大陸學人為主的寫作團體。該會目前有五十多名會員，文學創作和研究相當活躍，在海內外發表了數百篇小說、散文、詩歌和評論，出版了數部詩集、散文集和紀實文學集，僅長篇小說就出版了十幾部。如王兆軍的《大瀑布》、閻真的《白雪紅塵》、李彥的《紅浮萍》、陳霆的《漂流北美》、張翎的《望月》、孫博的《回流》、原志的《不一樣的天空》、余曦的《安大略湖畔》。《白雪紅塵》被喻為移民文學的代表作；張翎的系列長篇被評論界譽為「一個成熟作家寫出的成熟作品」；李彥的《紅浮萍》曾獲加拿大全國小說新書提名獎；孫博的《回流》是第一部描寫「海歸」的長篇小說；余曦的《安大略湖畔》被《收穫》雜誌選登。近年來，筆會還曾邀請聶華苓、莫言、陳若曦、蔣子龍、遲子建、北島、洛夫等著名作家座談和對話，在本地的中文報紙開辦副刊。歷任會長有王兆軍、胡清龍、洪天國、孫博等。

由於北美的特殊國情，幾十美元即可註冊一個社團，所以在北美的華文作家組織遠不止上述這些。又由於在美國和加拿大的華文作家絕大多數人不是以創作為第一職業，他們在激烈的生存競爭中只能把創作當作副業。所以，有些組織尚能開展活動，有些往往虎頭蛇尾，有些則有名無實了。國內經常見報的一些文學組織，如「國際中國作家協會」、「全美中國作家聯誼會」、「聯合國科教文組織中國作家分會」、「北美中文獨立筆會」、「中國作家協會北美分會」、「北美華文女作家協會」、「多倫多華人作家協會」、「加拿大華文作家協會」等等，一般都屬於後者。相較而

言，各地的一些小型的、以個人愛好為出發點的文學聚會和讀書會倒是不少。例如在溫哥華，古詩詞的愛好者就經常請葉嘉瑩教授講課，形成了詩人們的「古詩雅集」。還有由作家談衛那、劉慧琴發起，詩人洛夫指導的「雪樓詩書小集」等等。它們不定期地舉辦活動，把名作家和文學愛好者聚集在一起，品茶論文，談詩論書，成為北美文學愛好者中一些頗有名氣的沙龍，從而也體現出了北美華文作家文學活動多元化的一個顯著特色。

3、華裔文學作家群落

最早用英語寫作的華裔作家，是上世紀初一位筆名為水仙花（Edith Maude Eaton)的女作家，現在還可以查到的作品是《中國女人在美國》、《她的中國丈夫》、《華工在美國》等。她開創了華裔創作的先河，在華裔文學發展史上佔有重要地位。其代表作《春香夫人》和1887年李恩富(Yan Phou Lee)發表的《我在中國的童年時代》被稱之為華裔文學的開端作品。到了上個世紀20年代，德齡公主因其特殊的身份，用英文寫的清宮秘史在西方大受歡迎。三十年代，林語堂名震一時，其英文小說《京華煙雲》、《風聲鶴唳》，折射了現代中國的重大變革。40年代初，黎錦揚寫了《花鼓歌》，被改編為舞臺劇在百老匯上演。張愛玲、韓素音、聶華苓等也都寫過英文小說。

如果這樣算起，北美華裔文學已有100多年的歷史。在過去的100多年裡，北美華裔文學經歷了從被忽略到被關注，從被邊緣化到逐步進入「主流」的曲折而動盪的發展歷程。今天，北美華裔文學經過幾代人的努力，尤其是自20世紀70年代以來，已在北美當代多元文化的大背景中，逐步受到關注並形成比較繁榮的局面。

比如目前擔任加州大學柏克萊分校英文教授和《加州文學》主編的湯婷婷(Maxine Hong Kingstion)，在1976年出版了在北美華裔文學史上，具有里程碑意義的作品《女勇士》，使其成為當代北美文壇上最具有影響的華裔作家之一。這部作品將中國神話、傳說和戲劇故事與實現美國夢的經歷巧妙地揉合在一起，反映了在雙重文化影響下，如何探尋與重建華裔女性傳統的困惑。她以獨特的敘述視角和手法，豐富的文化形象和奇特的中國故事，震撼了當代北美文壇，豐富了北美文學的內涵，並獲得該年度非小說類美國國家

圖書評論界獎。

包柏漪的《春月》，則記述了中國一個家族的歷史，交織著中國的文化和哲學。譚恩美的《喜福會》取材於自己家族的經歷，用母女針鋒相對的衝突，暗喻東西方文化的差異。任璧蓮的長篇小說《地道的美國人》，由於將中國故事用英語演繹得十分成功，被譽為華裔作家描寫華人「美國生活」最成功的作品之一。類似的作品還有徐忠雄的《天堂樹》、嚴君玲的《葉落歸根》、黃玉雪的《華女阿五》、李健孫《支那崽》、雷祖威《愛的痛苦》、伍慧明的《骨》、王大衛的《愛的痛苦》等等。

在華裔作家中最暢銷的作家譚恩美（Amy Tan），1952年出生於美國加州，曾就讀醫學院，後取得語言學碩士學位。她因處女作《喜福會》而一舉成名，成為當代美國的暢銷作家。著有長篇小說《灶神之妻》、《靈感女孩》和《正骨師的女兒》等，作品被譯成20多種文字在世界上廣為流傳。美國《新聞週刊》稱其為「當代講故事的高手。是一個具有罕見才華的優秀作家，能觸及人們的心靈。」她的作品主題始終是女人，《正骨師的女兒》像《喜福會》一樣，在美國和中國之間快速傳遞，女性主題又一次充滿震撼力。不過，它更加直截，更加強烈，是一種標準的「中國故事」。

對於「中國故事英文述說」持反對態度的是被稱之為「美國亞裔文學教父」的Frank Chin，他中文名叫趙健秀，是第五代華裔，1940年出生在加州的伯克利。他的《雞籠裡的華人(Chickencoop Chinaman)》、《龍年(The year of Dragon)》等都在主流社會引起很大的反響，獲得過哥倫比亞基金會、洛克菲勒基金會和蘭南基金會頒發的圖書獎。趙健秀一直用自己的作品努力打破種族歧視性的華裔固定形象，致力於重塑華裔男子漢氣概的新形象。趙健秀反對華裔作品中的謙卑、忠孝、順從和辛勤勞作的傳統形象，他希望重述和重塑華裔的新形象。他與陳耀光、徐忠雄等人合編的兩部文學選讀《哎呀！—美國亞裔作家選讀》和《大喊一聲！—美國華裔和日裔文學選讀》都是美國大學亞裔研究的必讀課本，在美國華裔文學史上具里程碑的意義。

另外，新一代年輕的華裔作家也在成長，如1970年出生的新移民之女張純如，是被出版界看好的華裔作家之一。她畢業於伊利諾

大學新聞系，曾任職美聯社和芝加哥論壇報，目前專職寫作。作品有《蠶絲》、《被遺忘的南京大屠殺》、《在美華人》。《在美華人》一方面展現了華人移民強韌的生命力和開拓精神，另一方面揭示了華人在美國的經歷不是一條漸進的單線，而是周而復始的循環。「華人在美國的經歷不是一條漸進的單線。他們作為模範少數族裔之一，並非像某些少數族裔那樣，是從受迫害的社會最底層漸漸發展到社會上層的。華人在美國處於周而復始的循環，美國社會對華人一直在容忍接納和疑慮恐懼中旋轉。」在張純如筆下，詳細講述了美國華人的移民歷史，從一百多年前加州的「淘金熱」到今天「矽谷」創業的故事，展示了華人對美國工業和科技發展的重要貢獻。書中最後寫道：「談到華人在美國的地位，許多人都會想到華盛頓州的州長駱家輝。可有誰知道，他父母親開設的餐館，離首府奧林匹亞只有一英里，而華人走到首府當州長卻走了整整100年！」她認為，華人只有團結起來，共同奮鬥，才能改變自己的命運。

　　如果說在北美的華文文壇，從臺灣留學生文學的花果飄零，到大陸新移民作家的落地生根，一支來自故土的文學生力軍正在北美日益壯大，並呈現出風景這邊獨好的創作趨勢。那麼，那些開始向北美英文文壇進軍的新移民華裔作家，同樣成就斐然的，令人欣喜。過去二十年，北美主流文壇出現了幾十部華裔新移民的小說，描繪了新移民在新世界的文化生命的歷程。這些作家大都根據自身的經驗，表現新移民在複雜多變的時空轉換中，如何追求和建立自我意識的完整。雖然華裔英文作品實際上是一種英文文學，作品主要描寫的是中國人的故事，但它與中國文學有著密切的關係，因此荷載著特殊的文化內涵。很多華裔作家筆下的中國文化，是西方語境中的中國文化，既不是純粹意義上的西方文化，也不是純粹意義上的中國文化。最近二十年，這種文學呈現出了茁壯發展的勢頭，已開始引起海外學術界的重視。

　　在這些華裔新移民作家中，最被主流評論界看好，文學造詣最高的，是現任波士頓大學寫作教授的哈金。今年48歲的哈金，原名金雪飛。14歲入伍，1978年考入黑龍江大學外語系，1985年赴美，在布蘭岱斯大學獲英美文學博士學位，畢業後在艾莫理大學和波士頓大學教授詩歌和小說創作。他在北美文壇上獲獎之多，在海外華

裔作家中無人能出其右。他的第一本小說集《Ocean of Words》獲得國際筆會海明威獎;《Under the Red Flag》獲得Flannery-O'Connor小說獎。1999年底,他以長篇小說《等待(Waiting)》奪得第50屆美國國家圖書獎;這是美國最重要的圖書獎,該獎每年在全美新出版書中只評選一本。這是華裔作家第一次榮膺此獎,也是第三位由非英語母語寫作獲獎的作家,另外兩位是Isaac Bashevis Singer和Jerzy Kosinski。

《等待》是一個涉及男女三角關係的婚姻愛情故事,但情節卻不曲折:一個軍醫由父母做主娶妻生了孩子,但他同時愛上了一個護士。家鄉的父老鄉親都不同意他離婚,直到18年後他才把婚離下來,而此時的護士情人已患上不治之症,他們的感情也早就被消磨變質。哈金用白描的手法,以冷靜安詳的語言講述著那個對於許多讀者來說並不熟悉的故事。他對人物的描寫,並沒有為了藝術效果的需要而誇大。然而,正是這種客觀地、不加作者觀點的描寫,使得讀者看到了真實的人性。在這個人性裡,有真誠也有偽善,有善良也有醜惡。在小說裡,愛情是不可阻止的,同時它又是非常地脆弱;愛情是美好的,同時它又摻雜了數不盡的苦惱。《等待》所表現的是具有中國特點的愛情和生活,但是它的內涵卻超出了國界,是具有普遍意義的人性和愛情。它描寫了社會對人所產生的有形和無形的影響,以及人們的命運在社會動盪中所受到的衝擊。在這樣一個浮躁淺薄,不肯安於平常的時代,如此精彩,如此踏實的作品並不多見。

一個母語並非英語的華人作家,能在短短數年間囊括這麼多桂冠,哈金被美國文學評論界視為奇蹟。《紐約書評》、《華盛頓郵報》等媒體的權威評論家不吝讚美之詞,認為他簡練遒勁的風格直承小說大師契訶夫,《紐約時報》讚賞他為「作家中的作家」,美國筆會稱譽他是「在疏離的後現代時期,仍然堅持寫實派路線的偉大作家之一」。

另一個引起主流社會注意的是來自北京的華裔作家裘小龍,他2000年6月出版的英文小說《紅英之死》,獲世界推理小說大獎,被法國、義大利、日本、瑞典等國翻譯出版。與哈金相反,裘小龍在《紅英之死》和《忠字舞者》中塑造的刑警隊長陳超,是一位時尚人物—他畢業於北京外國語大學,年輕英俊,在官場、職場、情

場都遊刃有餘。在破案過程中，陳探長還不忘精神和物質的雙重享受：讀李商隱、吃大蟹、說英語、下舞池……對於西方讀者來說，陳探長不失為是一個全新的人物形象。如作者所說，西方對中國的介紹，時間上不是上世紀30年代，就是文化大革命，人物不是偏僻鄉間的農民，就是紅衛兵。因此他想到要寫一部關於當代中國的書，作品裡面的主人公不同於西方讀者所習慣看到的，並能觸及到中國社會在轉型期的一些深層文化問題。《芝加哥論壇報》的評論讚揚裘小龍讓西方讀者進入了一個「可從美國人的角度看到的更商業化、更現代的中國」。裘小龍認為，自己用英文寫的小說能獲獎，一半是因為他注意到了西方人的閱讀口味，另一半就是因為從小浸染在東方文化裡。他再三強調「寫作時必須意識到特定的文化讀者群的需要」。

　　九十年代出版《山之色》的作者陳達，是1962年出生的留學生，他的際遇與哈金有所不同。他身為地主之子，在文革中無法升學，曾與小混混結交。後在女教士的協助下來到美國。他以自己的經歷為素材，寫成了《山之色》。這些著作表明，華裔作家正逐步擺脫光靠講奇風異俗的套路，正以自身的文學實力，企圖躋身於西方書市的主流。在1997年出版《紅杜鵑》的閔安琪，以前曾是上海電影製片廠的演員，她特殊的生活經歷，曾引起主流書界的一陣矚目。還有描述童年經歷的《紅領巾》，其作者蔣吉莉亦是來自上海的留學生。她用日記的敘說方式，講述了一個少女眼裡的文化大革命，現已成為許多美國中小學的輔導教材。

　　如果說以湯婷婷、譚恩美、任璧蓮等為代表的ABC，主要是用英文寫在美華人的故事，那麼以哈金、裘小龍等為代表的新移民作家，則是用英文書寫當代中國的人物、當代中國的故事，表現的是一個完全沒有英語語境的世界。對於選擇用英文寫作，新移民作家首先面對的是從「邊緣」走向「中心」，這似乎是很多新移民作家選擇用英文寫作的動因。哈金坦言他是「走投無路，要謀生才投身英文寫作」的，他說他在美國得到文科博士之後，想不出自己有能力在美國幹什麼，於是只好選擇寫作，因為「寫作的成本最低，你只需要筆和紙。」（哈金語）。裘小龍則說完全是自己選則英文寫作是一種「陰錯陽差」，因為「用中文寫過沒人看，故而再用英文寫」。（裘小龍語）

許多華裔作家認為，進入英文寫作的狀態並不難，最大的難度是文化。有些歷史背景對中文讀者來說相當熟悉，英文讀者理解起來就有很大的困難，作者得通過這樣或那樣的辦法來解決。比如如李商隱的詩：「相見時難別亦難，東風無力百花殘」，必需譯成「It is hard to meet，but hard to part too，the east wind languid，hundreds of flowers wasted（相見很難，分離也很難，東風無力，百花衰敗）」，但美國讀者能不能完全明白，只有天知道了。

隨著近年來的全球化趨勢，以及網路時代的來臨，使得國與國之間的隔閡正逐漸消失，文學作品取材的廣度和深度也勝過以往。以華文文學為例，華文創作者不再局限於中國大陸、臺灣、香港或新加坡，而是隨著移民行為遍及全球。換言之，今日的文學已不再是區域性的文學，而是國際性的活動。在這種情況下，英美主流文學也面臨一種困境，都市越來越大，都市人的精神生活越來越貧乏、語言表達的精緻性逐漸下降，相比較下的新移民非母語寫作狀況正處在一個逐漸上升的階段。這些新移民作家讓英美文學界看到了新鮮的寫作意境與視野，他們使用的雖然不是母語，但是文學素養、語言駕馭能力，為西方主流文壇注入了一股新鮮的力量，他們有的已經站在了文學金字塔的塔尖上。近年來，諾貝爾文學獎等世界級文學獎已經多次垂青這個群體，如奈保爾、拉什迪，就是一個最好的例證。

任何一種文學，一經產生，便有可能引起評說，華裔文學也不例外。自八十年代初開始，華裔文學批評迅速發展起來，湧現出林英敏、金依蓮、張敬珏、徐忠雄、麥禮謙、李磊偉、陳耀光、尹曉煌、趙健秀、夏志清等評論學者，使得華裔文學研究成為美國族群文學研究的一個分支。他們或為之正名，或為之修史，或探賾抉隱，或爭辯是非，或褒獎新秀，或評騭舊作，試圖在美國主流文化圈內爭得一席之地。不過，北美華裔作家畢竟是一個特殊的群體，對於北美文化與文明來說，他們是中國人，承續著中華文明的衣缽；而對於中國文化來說，他們又是一個「異類」，難免在描述「中國形象」時發生偏轉與「誤讀」，而且他們難以擺脫來自北美主流文化的認知範式。這種矛盾使他們在雙重的「他者」身份上，對自我異質性進行充分發揮和運用，以迎合所置身其中的主流社會

的文化思潮和審美習俗的流變。在一個多元的國家中,決定文學的「國別」,不是文字,而是內容。顯然,北美華裔作家,無疑是處在這兩種文明在歷史文化語境和文明碰撞的最前沿。因此在全球一體化語境中,如何對中華文明進行全新反思,已經是華裔文學乃至整個華文文學必須解決的課題。

4、網路作家群落

在近代人類發展過程中,幾乎每個世紀都有一個最重要的科技進步,產生一個工業的革命,從而推動社會發展和變革。如十八世紀末的蒸氣機的發明,推出了十九世紀的工業飛速發展。十九世紀末的汽車的發明,又帶來了二十世紀初的工業革命。當今天二十世紀接近尾聲時,一個新興和巨大的高科技全方位的資訊革命,已滲入到全球的每一個角落—它就是互聯網路(INTERNET)。

目前全世界每天上電腦網路的人有上億人次,每天又以百萬人次地增長,其中以中文為媒介的網路讀者就有數千萬人以上,電子網路已成為當今世界最便捷最有效的傳播媒體之一。由此可見,它擁有任何一種平面媒體所無法比擬的龐大的讀者群。今天在國外,特別是歐美地區,中文電腦網路雜誌已成為傳播華文文學創作的最佳途徑,其影響力遠遠超過了報紙和文學雜誌的作用,成為海外華人,特別是知識份子階層汲取中華文化的主要管道。

由於電腦網路系統最早是由美國在八十年代初期開發出來的,美國的大學是除政府之外的第一批用戶。隨著臺灣的經濟起飛和中國大陸的改革開放,大批留學生赴美加學習移民,自然也就成為這種先進的傳播手段的最大的受惠群體,亦不可推卸地成為華文網路文學的催生者。

A、網路文學的歷史

互聯網路開始於美國,在60年代末期,美國政府為了預防在發生大的災難事故時電腦無法相互聯繫,便建立了初級互聯網路的前身。

1979年,美國北卡羅來那州杜克大學的兩個學生(湯姆·楚斯

科特和吉姆‧艾利斯），為了更好地發佈他們關於控制UNIX作業系統的新聞，開始組織開發一個新聞發佈的程式，並定義了一些基礎的連接規範。於是，在1980年初，USENET得以形成。至此，美國大學間的網路交流開始通過BBS和USENET得以溝通。80年代中期開始，商業使用者開始要求政府開放電腦網路向商業應用過渡，美國政府在壓力下於80年代末期將網路開放給公眾。使得90年代後，網路藉著通訊技術的不斷更新而提高，迅速向商業化、社會化發展，為社會提供各種資訊與需求，從而使網路活動發展成今天的滾滾洪流。正如網民們所言：商業既然產生，文化自然也已形成，網路文化在這種無中心隨機連接的物理鏈路中出現了「資源分享，言論自由」的人文要求是毫不出奇的。

一九八九年北京發生六四事件，在美國的中國大陸留學生自告奮勇地籌辦了每日一期的英文電子刊物《中國新聞摘要》（CND），利用聯網各大學的這一初級網路系統，逐日轉發西方國家各大通訊社有關中國的最新消息。這份集中國新聞大成的電子刊物，雖有助海外華人及時瞭解大洋彼岸故國的局勢變化，但仍難以化解身在異國他鄉的憂愁煩悶。一九九一年四月五日，全球第一家中文電子週刊《華夏文摘》，在時代風雲激盪的思國懷鄉深情中應運而生。這份週刊的編輯主體是分佈在美國各大學讀書的中國留學生，大多已獲得或正在攻讀碩士和博士學位。他們憑藉各自不同的專業眼光，從祖國及海外的中文報刊及大量來稿中精選佳作，即時向讀者推薦。每期週刊在星期五編定後，通過無所不達的網際網路INTERNET傳送到全球各國數萬訂戶，成為眾多華裔家庭週末必讀的「精神美餐」。雖然它至今仍叫文摘，但相當數量的文章，特別是文學作品，都是作者直接用電子郵件投稿。從一九九一年第四期的第一篇留學生小說《奮鬥與平等》到後來連載十四期的《回國求職隨筆》，都在留學生和華人社會中引起極大的反響，編輯部每天接到的讀者來信數以百計。由於當時的電腦沒有中文視窗，有許多學校的中國留學生會還負責每期列印出來，供平時沒時間或沒電腦的同學閱讀。如果你問當時在美、加、澳、日留學的幾十萬中國留學生，大概幾乎沒有人會說他沒看過這份雜誌，其影響力超過任何一種中文媒體。

1993年，海外華人為了能夠在網路上找到一個以中文作為交流

的地方，在USENET上開設了alt.chinese.text（簡稱ACT）。在中文國際網路上，ACT是經常被提起的一個名詞，它是互聯網新聞群組alt.chinese.text的簡稱。ACT是國際網路中最早採用中文張貼的新聞群組。

ACT是在一九九二年六月二十八日，由美國印第安那大學的魏亞桂請該校的系統管理員建立的。對於當時的初級程度，現為《新語絲》主編的方舟子曾回憶道：在當時的互聯網路，直接傳遞二進位檔案還很不可靠，那個用於定義國標碼的非美標符號在傳遞時經常丟失。為了保險起見，在傳遞之前必須用加密方法把它改編成文字檔，到達終點後再解密還原成二進位檔案供閱讀。因此，在當時的互聯網上，是沒法直接閱讀國標碼中文的，很是麻煩。為了解決這個問題，在一九八九年，黎廣祥、魏亞桂、李楓峰等人提出了一個新的解決辦法，即恢復國標碼為純文字的本來面目，但在中文的段落之前和之後各加上控制符號與英文區別開來，這些控制符也屬於美標。這樣，整個檔就都是一個純文字的檔，可以在網路上直接傳遞了。這種編碼方法，被命名為「漢字」碼，簡稱HZ。建立ACT的動機，就是為了推廣、使用HZ碼，所以，該新聞群組對張貼的內容沒有任何的要求，唯一的要求是必須使用HZ碼張貼。因為HZ碼屬純文字，所以才有了新聞群組名稱後面的那個奇怪的text，一度聚集了大量海外華人在上面以漢語一償思鄉之情。

1993、1994年的兩年間，ACT這個新聞群組特別活躍，「參加新聞群組的大部分都是學理工的留學生，而且主要玩主大都是溫哥華的。最初不過是非常想家鄉，非常想讀方塊字，讀多了，自然也會和朋友交流，而網上的交流只得寫。眾所周知，網路上的交流是非常方便的，往BBS上貼個貼子，你的聲音就會被不知多少人看見，打個不太貼切的比方：像文革中往專欄上貼大字報，但是又比貼大字報方便得多、有影響得多。都是海外留學生的課餘、業餘創造。」因此，海外網路文學有著校園文學、留學生文學的許多特點，而且由於作者基本上都是理工科出身，其實談不上具有多少寫作的專業性。難能可貴的是，他們的創作沒有流俗，更沒有半途而廢，雖然很難產生巨作，卻也不乏珠璣之篇。

北美大學校園內孕育的中文電子雜誌，走向全球千萬華人家庭。無遠弗屆的網路世界中，各種新聞檢查制度及政治藩籬面臨全

新挑戰。在北美大學校園孕育而成的中文電子雜誌,從問世到走向遍及全球的千家萬戶的華裔家庭,僅經歷了歷史長河中屬彈指瞬間的七、八年的時間。全年五十二期《華夏文摘》,加上不定期出版的文學增刊,總計達上百萬字,但只需兩片磁片就可以永久收藏,輾轉流傳十分方便。這份文摘週刊宛若報春使者,預告中文電子刊物春色滿園的景象。從九三年起,由遍佈世界各國各校的中國學生學者聯誼會主辦的綜合性中文電子雜誌如潮湧現,如美國的《威斯康星大學通訊》、《布法羅人》和《未名》,加拿大的《聯誼通訊》、《紅河谷》和《視窗》,德國的《真言》,英國的《里茲通訊》,瑞典的《北極光》和《隆德華人》,丹麥的《美人魚》,荷蘭的《鬱金香》,日本的《東北風》等等。

中國大陸滯留海外的知識份子大都持有獨立的價值判斷,對故國現存體制有諸多的批判。在這一方面,他們和海外中文傳媒的舊立場相近。但在另一方面,他們身上又留有以黃河和長江為象徵的中原文化的印記,和港臺出版報刊的思想判別標準,甚至語言詞彙不盡相同,因此感到海外中文傳媒「沒有味道」。中文電子刊物正是在這種特定的文化疏離和心靈掙扎造成的夾縫中破繭而出的奇葩。致使中文電子刊物又出現了專業分工的發展趨向。除純文學刊物《新語絲》、《楓華園》、《花招》和《橄欖樹》問世外,還出現以特定讀者群為物件的《足球世界》和《謎徑通幽》,甚至像《當代中國研究》和《東亞外交與防務評論》那樣的學術刊物也已問世。

由於北美網路文學的快速發展,讀者群日益龐大,從而帶動了兩岸三地(大陸、臺灣、香港)的文學雜誌爭先恐後上網的趨勢。目前在北美任何一台已聯網的電腦前,你都可以免費看到近百種文學刊物和報紙的副刊。這樣,就產生出一大批網路作家,在數以萬計的網路讀者群中,其知名度往往還高於那些只在報章雜誌發表作品的作家。眾所周知,在當今的商品社會,生活節奏的加快,大多數人都忙於生活沒有時間閱讀文學作品,而對作家來說,最大的憂慮是失去讀者。但網路作家的讀者卻是遍佈世界的各個角落,好的文學網址一天到訪的讀者達幾十萬人次,若你的作品登載在幾十個網址上,試想一下,你的作品一天的讀者就上百萬人次,這絕對是任何印刷媒體所渴望而不可及的事!

B、網路文學的特徵

　　網路文學的基本特徵：第一個特徵是發洩型，不過分講究文句的修飾，不太考究表達方法。而其中最重要的是：語句構成簡單、情節曲折動人和貼近網路生活本身。也許很多文學素養比較好的作家對這類作品不怎麼看得起，但是無疑，這種類型的作品是目前最被網路認同的作品。文學最大的社會價值就在於對生活的描述和提煉，然後得到最多數的人的認同，並能夠影響其他人的道德、生活觀念以及人文思考。所以，當網路文學反映的是網路生活本身時，最容易被網路所接受，這是符合傳統文學評判理論的標準的。只有出現了越來越多的反映網路生活的優秀文學作品，人們才可以從中比較出達到更高境界的作品。

　　華文網路文學目前大概有三種內容，一是利用網路的多媒體功能交互作用而創作出來的文學作品，大多只存在於網路，其代表有聯手小說等形式。第二是把傳統媒體的文學作品輸入放上網路而已，類似文庫或稱網上圖書館。第三種是以網路的語言和特色所創作的文學作品，這類作品目前是文學評論界關注最多的，也可稱之為網路文學的代表作品，幾乎所有的文學網站都以這類作品為主。

　　對於今天的X世代或Y世代的年輕人，寫出來東西後，用不著考慮給誰發表，就往網上一放，既滿足發表欲望，又可以與人交流。這種文學創作，其實這也是一種現代族類所稱之為的「發洩」過程，而且這種意識形態的發洩還可以得到最大限度的流傳，只要你能寫得好、有特色、吸引人。這體現了網路文學創作獨特性：最大限度地向更多的人表達自己的理念和情緒。

　　早期的網路文學作品由於大都是留學北美的網人們所寫的，其特點大都流露出身在異國他鄉的憂愁與煩悶，從而構成當時的留學生文學作品的主流。而且由於作者基本上都是理工科出身，其作品談不上具有多少專業性。「雖然很難產生巨作，卻也不乏珠璣之篇。」海外中文網的成因，首先在於留學生對中文的依戀和相互溝通的需要，這些年來也出現過許多具有網路特色的言論，只不過文學網刊記載的是更為精緻的那一類作品。海外文學網大部分的建設者都是學理工的留學生，年齡層大多是文革後七七年到八六年上大學的那一代。讀書還是那一代人的值得驕傲的事，大量的閱讀和思

考，能夠在網路上宣洩出來的直接結果就是這些文學故事，文字功力和思考力，應該不弱如其他形式的中文出版品。大多數的網路作家和詩人不是歐美大學的博士碩士，就是擠身於跨國大公司的工程師和管理人員，他們有的早在國內讀大學或工作時，就曾主編校園刊物或發表過作品。到海外後，「有家歸不得」的中國人不僅指像蘇曉康等由於政治原因被迫流亡海外者，也包括由於學習、工作和經濟的需要而長期滯留海外的「自我流放者」。由這些「流放者」用母語創作的，以海外華人為讀者對象的文學，則可稱作「流放文學」。在中文網際網路上發表的文學創作，其內容都具有「流放文學」的特點，多以懷舊和描寫文化衝擊為訴求。人在異國他鄉，懷舊就有了特殊意義，並且也由於祖國距離遙遠而產生超出現實的美感。中文網路是這種華文「流放文學」宣洩的肥沃土壤。

第二個特徵就是它的隨意性。大約有人群的地方就會有所謂的「文學」。既然有「校園文學」、「課桌文學」、乃至「廁所文學」，在互聯網路上，自然也就有「網路文學」。

當中文國際網路在一九九二年創建起來的時候，電腦還遠未像現在這樣普及，上網張貼也不像現在這麼簡單。有條件上網和知道怎麼上網的，基本上是在海外大學校園從事理工科工作的學生學者，而且以男性為主。正如方舟子所言：「最初操練中文網路文學的，也就是這些不曾接受過任何文學訓練的『野路子』。他們不曾把網路當文壇，也不會刻意追求什麼文學的思想性和藝術性。之所以要張貼，或者是為了交流，或者是為了發洩，鮮有出於創作的衝動。所用的形式，大體上是隨意為之的隨筆、雜感。其內容，從評論世界大事、雞毛蒜皮到相互進行人身攻擊，無奇不有。而其特色，則是嘻笑怒 皆成文章，無所顧忌，也不會受到任何的限制、審查。如果這也算文學的話，不妨稱之為隨意文學。其上乘者，以譏諷、挖苦為能事，辛辣幽默，令網人肅然起敬……但能有這等水準、這等心思的罵人高手屈指可數。

到後期海外的互聯網路已進入了平民百姓家時，家庭主婦們在相夫教子之餘，也可以上網打發時間了。這時候，在中文網路，就出現了另一類隨意作品。無非是小女子見花落淚、對月傷心、油鹽醬醋、廚房臥室、孩子尿布、愛情手冊、育兒日記、好幸福好傷心好苦悶好生氣……總而言之，日常生活的流水帳和廉價的擦面紙

是也。生活、感情豐富者乃至於像祥林嫂一般天天嘮叨個沒完沒了。」

嚴格地說，這些隨寫隨發、聊天對罵式的文字，當然都算不上文學。嚴格意義上的網路文學，是要等出現了像《新語絲》、《楓華園》、《橄欖樹》等這樣的嚴肅文學刊物，有了比較正式的發表管道，並擁有一批對文學追求的作者群之後，才算真正地誕生了。

網路文學隨意的特點實質上是來自於文化的衝擊，是以一個外來者的身份抒發在居住國的感受。多抒發個人的悲歡，而缺乏大手筆，對於居住國的文化，也還沒有真切的深刻感受。在形式上，此類的網路文學多採用散文、隨筆、詩歌這種便於直抒情懷、無需花費太多時間的形式，較短小，也較隨意。在品質上仍與常規文學存在著較大的差距。

在隨意這一網路文學的特性下，我們可以引申更多的討論。因為文學愛好者一旦踏上網路這塊土地，一定就會有創作的衝動。為什麼不呢？有各種階層的讀者，肯定可以找到知音；有自由的發表權利，何愁沒有地方說話。於是，不用為了某種目的而強迫自己寫命題作文，不用為了怕碰上合不來的編輯而改變寫作風格……在這種情況下，自由的創作雖然使作品顯得比較粗糙，無庸置疑，這些自由、粗糙的作品恰恰充滿了活力和生機。

反正網路什麼都不管，只要你願意，再怎麼樣的奇技淫巧都可以用。無論你是不是大師級人物，只要你的技巧玩得好，就有人欣賞，就可以得到承認，就可以開始為作品被無限度傳抄而苦惱了。技巧的自由發揮在那些著名的網路文學刊物中倒不是很明顯，這大概因為那些著名的網路文學刊物所網羅的作者，一般都有比較深厚的文學根基，所以反而受習慣的基礎所束縛。而一般的作者劣則思變，於是決定出奇制勝，甚至出現了只有在網路上才可以有的寫作技巧，他們要看看能否依靠左道旁門而成為一代宗師。

比如寫詩，傳統的詩人要講究押韻及文字排列，但網上你可以天馬行空，內容可以是古香古色的全圖片詩文，配以纏綿溫柔的MIDI作為背景音樂，將詩、畫、音合一的多媒體藝術展示，是一種成功的網路文學的代表。雖然在網路的技術層面上看，一切都是平平無奇，但是看這個主頁的感覺所得到的，遠非翻開一本同樣內容

的書所能代替。

　　寫作技巧的自由變化除了利用媒體特性以外，也有自己網路生活文化所特有部分的句子構成。比如近來風頭十足的《第一次的親密接觸》中，作者痞子蔡還運用了大量的網路交流的習慣用詞，不熟悉網路生活的朋友一般不是能夠看得比較投入。因為網路文學的起因不僅僅是為了文學，而更是為了自身體驗的表達、個體情感的宣洩，所以網路文學的內容從她一開始，就是一種基本上顧忌不多、相對更為真誠實在的東西，內容的自由也給予文學創作以心靈上的自在。很明顯的一個例子，在十多年前由朦朧詩引發而成的大陸現代主義詩潮中，遠去海外的詩人，現在已經在網路上重新展示他們的風采。如朦朧詩代表人物北島、撒嬌派代表京不特以及嚴力等人都有在《橄欖樹》上發表作品，將那種熱情的詩歌追求利用網路延續了下來。而在那段時間開始風風火火崛起的眾多詩人，卻因為媒體選擇問題而沉默了。傳統媒體對於藝術內容的引導，固然有它的社會作用和特定歷史意義，但是對於自由藝術創作的打擊無疑有很大的負面影響，網路是靈感能夠得以恣意飛揚的一個最佳場所。當然，自由是相對而言的，對於文學藝術的熱誠者來說，這個對於自由的限制，就是自己的良知、道德以及修養。

　　正如把商品包裝得華麗是一種很常見的推銷手法，幽默實在是網路上推銷文章的最好手段。只要你能夠把一個螢幕前面弄著滑鼠的人逗樂，你的作品就成功了一半。網路上有一句老話，大概的意思就是在網路上，沒有人知道對方是否是一隻狗。那麼，當你能夠用幽默賺得對方的笑聲時，對方就應該可以確認你人的資格了，因為到目前為止，據我所知，狗雖然也可以逗你玩，卻還沒有可以表現幽默的能力。

　　網路的瀏覽行為註定了網路文學的主流是一種速食文化。而幽默作為一種吸引瀏覽的行為，無論是大師式的笑中見淚，還是胡鬧而已的無厘頭搞笑，無疑都是網路民眾所喜聞樂見的。眾所周知，要在平面媒體上營造一個偉大的幽默的象徵實在不是易事，但在網上卻不是很難的事情。以幽默作為意見的包裝，需要敏捷的思路和沒有束縛的視線，網路作品大多來自正在象牙塔裡面喘氣的學生，他們對於生活本身的思考不可謂不深刻，可惜因為閱歷不足，只是一種被套在各種各樣的間接經驗裡的深刻而已。於是，對於這種思

考本身的調侃雖然沒有王朔那麼老練痛快，但是因為他們不乏敏捷的思路和自由跳躍的思維，所以他們的幽默少了一些油滑的調侃，更能顯出其赤子之心和特立獨行的自由意志。由於臺灣的基礎教育在對於國學淵源方面的功夫下得實在比大陸好，所以大概是因為這個原因吧，在活剝古典名著方面，臺灣網的作品總是比較出色，各種活剝古典的作品大多可以在眾多BBS上面得到足夠的流傳。雖然，就整體意義來說那些作品的文學價值很少，但是其擔任的網路文學的功效卻也有一定的生存價值。

有學者認為，在網路上經得起嚴格意義的文學審美的作品不多。但通俗和流行不是一種罪過，像我們的古典名著，哪一部不是曾經的「通俗」和「流行」作品呢？在網路上走這樣的路，要比在傳統媒體上容易得多，因為會少了很多砍殺、封鎖和非人文意義的長官意志導向。自由的批評和廣泛的意見，也給予網路作者提供了更好更實際的題材。

不可否認，後現代的解構主義不是網路文化的主流，網路上連具有反叛精神的真正駭客，其目的也不是摧毀解構，而是發現問題、找出問題，是一種以重構作為訴求的積極性的技術嘲弄。在網路文學方面也是一樣的道理，在現實社會中，民眾不滿的情緒只是一種對於局部現狀改革的訴求，而當這種情緒無處可說，或者說了也沒有人聽時，網路這樣的媒體被作為跨時空的新型社區，充當了現實社會矛盾的緩衝區。

網路文學另一大特徵，是作家和讀者可以雙向交流。在電腦網路上神交已久但素昧平生的朋友，可以仔細交談，讀者可以把最新的感受傳達給作者，作者也可以在最短的時間內得到讀者的回饋，並在原作品上直接修改，以最快的速度面對讀者。網路作品電子化的這個特點本身，就決定了網路作品有永遠的可修改性，作為認真的網路創作者，一有時間就可以對自己的作品進行進一步的思考和修改。所以，作品一開始或者粗糙，但是可以慢慢地精細起來。和傳統媒體不同，印刷品如果要修改，就只好重新印刷一次，這樣成本和市場選擇的問題使一般作者作品的修改機會不多。而網路媒體上，作品永遠以草稿的形式存在，網路作者有責任和權利對這些自己的東西進行不斷的完善和改造。

　　無限度的可修改性固然使網路作品在短時間內失去了可靠的文獻意義，但是這種讓作品趨向完美的可修改特質，可以避免了傳統作者那種發表後的遺憾，從而讓作品得以精悍。LINUX軟體工程的操作是一個偉大的創舉，一個人做出了內核，然後公開代碼讓其他人修改和提意見，接著，更多的人參與進行了功能程式補充，終於把這個系統用網路協作的方法做成功了。甚至，在作業系統的領域已經對龍頭老大微軟公司形成了一種很大的競爭威脅。那麼，這種操作手段在網路文學創作上也一樣適合，網路協作和可修改性如果可以在某種契機中得到發揮，那麼在網路上出現一種新形態的偉大的文學作品也不是天方夜談。

　　或者有人說，藝術創作和軟體工程不同，因為藝術缺乏嚴格意義的價值可比性。而且，歷史上集體文學創作從來沒有真正成功過，因為寫作風格和意境營造上容易出現混亂，集體修改又往往以失去個性魅力作為代價。但是這種看法是基於傳統媒體的限制而產生，利用網路特性，多分支的發展、多連接的表達、多媒體的意境等等這些已經不乏實驗的手段，甚至立體的創作，這些前所未有的新藝術表現形式，已經在暗示著一種新的文學革命。我們不能以老眼光來判別其潛在價值，不管如何，我們知道，好的文章一般都是改出來的。更何況網路文學肆無忌憚的形式實驗，汪洋恣肆的笑諷嘲，形形色色，度姿多態，那種自由度，正是擺脫了主流文學樣式的種種的約束。

C、大浪淘沙─北美華文網路文學中的小說

　　北美華文文學中的小說創作，發表在傳統刊物上，在海外一直有，至今也還有人在寫，但大多是「前文化人」癮發難忍，重做馮婦。由於讀者過於分散，郵費比刊物還貴，只有在如紐約、溫哥華等若干華人集聚處，可以本地發行。但銷量十分有限，虧本倒貼，以至於有「要想害人，勸他辦刊」的說法。

　　學者趙毅衡指出：網上中文刊物、網路文學，則形成一個有效的世界性網上漢語文化，不再有海內外之分。受歡迎的網路小說刊物，每天有數萬至數十萬訪問者，其影響力，超過海外任何一個傳統的文學刊物。

眾所周知，國際互聯網路最初出現在美國科研、教育機構，在很長的一段時間內完全是英文的天下。順理成章地，最早使用這個交流工具的是留學美國的中國留學生，最早在這個英文世界裡摸索、開闢出一個中文地盤的也是他們。網路文學月刊《新語絲》主編方舟子認為：像一切的自由論壇，充斥其中的是「灌水」（指沒有任何實質內容的張貼）、吵架、罵街。但是，大浪淘沙之下，總可見到金子的閃亮。在鋪天蓋地的垃圾中，遮掩不去的是中文網路文學的雛形。在你方唱罷我登場的匆匆網客中，也出現了以網路為陣地、較為認真地進行創作的所謂「網文大家」。

目前在北美發表網路小說的著名網刊，如1994年創刊的《新語絲》、1995年創刊的《橄欖樹》、1996年創刊的《花招》、1996年創刊的《澀橘子的世界》、1997年創刊的《楓雪天地》、1998年創刊的《曉風》、1999年創刊的《國風》、1998年創刊的《銀河》等，大都由留學生組成。時至今日，其成員、作者和讀者，仍以留學人員為主體。那麼，其所刊載的小說作品，不可避免地帶有海外中文文學的色彩。對於這種特有的色彩，有人稱之為「流放文學」。這裡的所謂「流放」，並不是指那些由於政治原因而被迫的流放，而是指由於生活、教育、學術等原因而在海外自我流放。有專家把流放文學的內涵，分成兩類：懷舊和描寫文化衝擊。

如果說在中文網路的早期，交流的目的遠甚於創作，以男性為主的作者大抵抱著「玩一把」的發洩心態，風行的是詼諧、幽默，一句妙語往往比一篇佳作更受矚目。這個時期的中文網路小說的代表人物之一圖雅就以其俏皮的京味，而被稱為「網上王朔」。但是，正如王朔在玩弄日常語言之餘，也能創作出像《我是你爸爸》這樣較為正統的作品，圖雅也以《尋龍記》這樣的嚴肅佳作，表明他同樣有著一定的文學功底，而不只是會耍耍嘴皮。早期網人並不刻意隱瞞自己的真實身份，不過圖雅（有時也寫做作塗鴉）是個例外。他的真實身份，到現在還是個謎。

圖雅的小說用語極富個人特色，光讀文章不看署名也可猜出是他的手筆，別人也無法假冒。圖雅長於敘事、抒情而拙於說理，所以他的文學作品的品質遠勝於議論文章。但即使是那些感性蓋過了理性的議論文章，雖難以說動讀者，卻也因為詼諧風趣而富有可讀性。他的詼諧往往富有韻味，類似於西方的幽默，在品味上，比王

朔高出了不止一籌。他的短篇小說強於中篇小說，他創作的兩篇中篇小說，結構都很凌亂，這是網上隨寫隨貼的毛病，倒未必是天賦不足。如果他能夠潛心創作，仔細推敲，中文文壇，或許能出現一位小說大家。但願他現在就正躲在地球的哪個角落，閉門謝客創作巨著。

另一位引起網壇注意的作家是少君，他的《人生自白》系列，通過對海內外三教九流人物調侃化的描述，力圖以自述的方式描繪出一幅幅眾生相。特別是那些有關海外人士的篇章（〈大廚〉、〈半仙兒〉、〈杜蘭朵〉、〈洋插隊〉、〈ABC〉等），〈半仙兒〉裡所表現出的揮灑幽默和現代調侃，〈ABC〉裡流露出的公子哥式的憐香惜玉，有著只有生活在這個環境中的作者才可能捕捉到的真切。

《人生自白》的魅力，還在於少君所特有的口語化的個性語言風格，這不僅拉近了文學與讀者的距離，而且使人物的風貌立刻鮮活地突現出來。使其筆下，有的人物可愛，有的人物可憐，有的人物可憎，有的人物可敬。少君用他那理性而明快率真的文字，將人生舞臺上的複雜故事，縮寫在一幕幕的方尺之中，絕不絮叨，絕無拖泥，該停的時候嘎然而止，每篇的尾斷都帶給讀者一片無盡的想像的天空……。

少君的另一個獨特的貢獻，是他在社會巨變的時代面對人性本質的探討。他從不迴避人性的陰暗，更能直面人性的弱點，他敢於把人性在烈火中的考驗和扭曲表現得淋漓透徹。這歸功於他多年來對社會對人生的準確把握，尤其是他能夠把作者自己超越在作品之外，以俯瞰眾生的客觀理性，使得他筆下的人物獲得了高度的現實主義的真實性。

不過這類作品在中文網路的初期實屬鳳毛麟角。第一個較為認真地從事文學創作的女性網人是百合，她也是第一個在網路上發表長篇小說的人。她的長篇《天堂鳥》，已經由國內出版社出版，另一部未完成的長篇《哭泣的色彩》則在國內被盜版。所以可以說，她是最早從網上走到了網下的人之一，儘管未必都是她自己的意願。她的小說，充溢著在網上很罕見的澎湃激情，儘管她自己說過「從來就知自己不是作家」，但她其實是網上女作者中最具有傳統

氣質的一位。儘管飽經了與其年齡不符的那麼多的滄桑，受過了那麼多的傷害，難得的是始終保有一顆純真的心。《這樣一種關係》是一篇描寫一個女人同時愛著一個男人和另一個女人的小說，如泣如訴的敘述，宛如一首深情洋溢的情詩。但是在純真、熱情之下，我們也隱隱可以發覺一絲揮之不去的痛苦、憂傷：「就像隔著玻璃看一幅風景畫嗎？還是像擱置在一起的兩幅不同格調的風景畫？人生是那麼多的景色堆積而成，不同的經歷和滄桑，怎能留下相同的色彩和風格？只因孤單，只因孤單我們就走向一個陌生的人，交出自己，然後失去自己？沒有辦法再仁慈些的，是不是？誰是誰的岸，誰又是誰的帆？我們真會騙自己，騙得像真的似的，編這樣的童話，就像是喝酒，為的是使自己不要那麼清醒。」

這一點，正是百合作品超出「小女子文學」的高明之處。可惜的是，現在百合已忙於相夫教子，在日常生活中找到了幸福，我們也就難得再讀到這樣的文字了。與百合差不多同時上網、也差不多同時離網的另一位女作者蓮波，則以優雅的文筆見長，少了點熱情，多了點雍容。在百合、蓮波之後，女性上網者日眾，有閑者也不少，自顧自憐的「小女子文學」也就在網上蔚然成風，只不過，熱情往往變異成了撒嬌，雍容也往往變異成了潑辣，數量雖眾，卻乏善可陳。

七二年生於上海就讀北京後到加拿大留學的路離，是近年來活躍在網路小說圈的新秀。對於寄情於網路寫作，路離是這樣描述的：

少年路離對北京從陌生到迷戀用了一年時間。路離天天流竄於北大學生食堂、圖書館和三角地，晚上以學習為名到通宵教室占座，然後潛至草坪傾聽校園及流浪歌手彈琴歌唱，感覺無限美好。

青年路離畢業後的目標是賺錢，路離認準了掙錢換取自由才能實現理想的硬道理。於是，上個世紀的最後一年，路離收拾行囊跟隨潮流奔向異國他鄉加拿大，並且改了行，向高科技領域電腦行業邁進。

近一年之後的春暖花開之際，路離從電腦程式作業中抬起頭來回顧二十多年的生活，開始了一次深刻的反省：我這樣忙東忙西到底要幹什麼？生活不會永遠在別處，生活到底在哪裡？我還有多少

時間？就這樣，西元二零零零年五月份，路離終於痛下決心開始小說創作。路離的小說全部投稿於互聯網。

路離們的小說給北美華文網路小說界帶來一種新的聲音和格調，透著一種青春的氣息和光芒：

上大學時，只看沒有一句話不拗口的哲學書，認為小說淺薄，講些千篇一律的故事，引發些沒有深度的感慨，無論如何也提升不到思想的高度。後來，漸漸拋棄哲學，對小說重新發生興趣。我心目中的小說不是單純的人物或者故事，它通過人物和故事為具有廣度和深度的思考提供基礎，就如同一顆經過精心打磨的鑽石，每一面折射出不同光彩，千變萬化，這種多樣性和無限可能性扣人心弦。當然這種多樣性和無限可能性最終是靠讀者來完成的，我所做的就是把鑽石打磨得更加精細。這就是我在網上寫小說的原因。至於我本人，我只是記錄小說的那一頁空白的紙。——（路離—《有關路離》）

近年來異軍突起的是阿待的小說，她創作的中、短篇小說數量之多、品質之高，在網上都是無人能及的。她的一部分中、短篇小說已在國內結集出版（《處女塔—阿待中短篇小說選》，海峽文藝出版社）。值得一提的，是她的求新求變，儘管她的小說在總體上都有著歐·亨利式的結構特徵，和博爾赫斯式的神秘色彩，但每一篇又都有著不同的特色：《兒子》的深沉，《貓眼石》的怪異，《我的太陽》的感人，《處女塔》的氣勢，《饕鴨》的詼諧，《拉茲之歌》的純真，《金手鐲》的離奇，《路殺》的魔幻，《烏鴉》的陰鬱等等，絕不單調。阿待小說的結構是精緻的，文字是從容的，沒有網上小說所通行的學生腔調。她的小說內容橫跨海內外，縱貫歷史和現實，這樣的手筆，在網上創作中也很罕見。業餘創作者偶有佳作並不稀奇，難得的是在總體上都保持著高水準。在阿待的創作中，我們已絲毫看不到玩耍、發洩、自戀的網路特徵，而只有認真嚴肅的創造。在網上作者中，阿待可以說是最具專業水準的。

網上男作者目前還沒有這種專業的傾向，但是有幾個較有特色的系列值得注意。隨著大多數留學生的畢業定居、結婚生子，海外流放文學的色彩也就越來越淡。使得他們的文學作品也有了與現實

生活息息相關的作品，斯絳的《戲緣》、奕秦的《雨晴》和沈方的《冬天》就都是這方面的力作。同時，既然網路已越來越成為日常生活中不可分割的一部份，那麼，也就無可避免地會越來越多地出現以網路本身為題材的文學作品。也許，以網路本身為題材的網路創作才能算是嚴格意義上的網路文學，只不過這類作品往往具有網路「速食式」的特徵。其中最值得注意的是唐郎的小說《偶遇》，做為一名職業醫生，唐郎的作品反倒有一種看上去與其職業不符的禪味。這篇小說以電子信件的往來演繹了一個網路上的前生今世的故事，就像是一則關於網路的寓言。

北美中文網路小說有著與傳統小說眾多的不同點，首先，網上小說的取讀，完全免費。辦刊者，寫作者，何以謀生？一般西方網刊，靠廣告收入，在中文網刊做廣告者寥寥無幾。網下郵購？又會遇到一個距離問題，郵費一加，幾乎無利可圖。因此至今，辦刊者是業餘愛好為主，寫作者則是有感而發，著述無需再為稻粱之謀，從這種境況上講，網路小說是真正的「純文學」。

北美中文網路小說的第二個特點，是編者、作者、讀者的身份大部分是理工科學生，或科技從業人員。比較而言，傳統意義上的中國文人，以及他們影響下的文學愛好者，以四體不勤為正宗，不太喜歡擺弄機器，在電腦上也比較笨拙。因此，網路文學，大都是由文學圈外人主持的，北美堅持最久的兩份文學網刊《橄欖樹》與《新語絲》，前者的發起者祥子、胡堅、馬蘭，都是理工科的學生，後者是生物學博士方舟子一人打下的天下，至今也是他一人單幹。

由於在北美網路文學中，編者作者讀者成分與傳統的不同，對於網路小說的風格，深具影響：中文文科教育傳統、造就的做作文風、掉書袋的習慣、判斷上的成見，都不再起作用。網路小說的品質，遠遠比一般報刊的文學副刊強，形式實驗，往往肆無忌憚、笑怒嘲諷，則汪洋恣肆。多姿多態、形形色色，那種自由度，是擺脫了「主流文學」種種束縛的飛翔。網路小說的另一個好處，是幾乎沒有篇幅限制，編者想發表多少都可以。當然，這只是理論上的，實際操作，除了讀者機器的下載速度（此問題在新一代晶片電腦上似乎已經解決）之外，還有個閱讀方便的問題。本來網路讀者，就有速食消費的習慣，篇幅太大，在螢幕上讀起來，需要的耐心就多

一點。

《橄欖樹》的做法，是每期分成ABCD四冊，讀者各有所好，自行撿取。每期「首頁」，重點推出一位作者，看來是有造就一個「橄欖樹」文學派別的雄心。

與新聞網刊不同，好的小說作品，越陳越香，賽如酒窖。但是累積起來，查索就是難事。傳統小說的做法，是作者另行自己出書，各自歸類。但網路小說則避免了這條老路，一般都是利用電腦網路的優越性，分文別類，或單獨或合集的方式，存取自如，查閱方便。

網路文學，在網上文化中，本來應當是最困難的，由於一些自願者無私的努力，堅持不懈，而且不斷創造新的「出版」方式，成為網上文化特別精采的部分。它與「主流文學」的間隔，也在不斷縮小。眾多的網路作家紛紛下網出書，而更多的傳統作家爭先上網，就是一個最好的證明。

北美網路小說的蓬勃發展，使得傳統海外華文文學的主流，產生一個漸失讀者的危機。到這種危機不得不發生時，整個華文文學界都必須明白，新的技術帶給我們新的傳播仲介，我們必須在心理上準備迎接一種新的文學。當然，網路是手段，而不是目的。技術的革新並不能帶來人性的躍變，也就不可能對做為人學的文學內涵有根本的改變。但是網路卻是一種空前的、革命性的交流和發表、回饋的手段，如果沒有這一個交流方便、發表自由、回饋迅速的網路的存在，相信我們中的許多人都不可能被激發出創作欲望，長期保有創作熱情，我們也就不可能見到如此眾多的具有鮮明個性的作品。

現代文學的創作需要有文學氛圍的刺激，所以一部現代文史差不多也就是一部文學社團史，只不過從前限於通訊條件的落後，文學社團往往帶著鮮明的區域色彩。只有到了網路時代，才徹底打破了地域乃至國界的限制。

技術可以是人情隔絕的圍牆，也可以是心靈交流的通衢。同聲相求，以文會友，當我們在網路上自我流放的時候，總能以自己的獨特聲音找到朋友，不管是在網上還是網下。

　　大浪淘沙，沙裡淘金，北美華文網路小說，到底最後能在海外華文文學史上留下什麼樣的痕跡，無人知道。

D、潮起潮落——北美華文網路文學中的散文

　　自九十年代中期開始，北美華文網路上的散文實在是多姿多彩，內容豐富，令人流連忘返。「當網路時代通過各種媒體鋪天蓋地向我們走來的時候，網路成了一種時尚，成了我們工作、生活和學習中的親密夥伴。網路把我們帶入了一個新的世界，改變著我們的生活方式，改變著我們的思想。網路是個用電子將整個世界串聯起來放置在一個十幾英寸寬的螢幕上的神奇魔方！」（網貓語）

　　隨著網路的普及，北美中文網站上誕生了一批網路散文寫手，他們以極高的寫作熱情寫性情文字，相對於傳統文學媒體來說，他們的寫作也許沒有那麼規範，也不像訓練有素的職業作家那麼斟字酌句，但是他們那些從心底裡流露出的文字，卻能在華文網路上大行其道，贏得了各自的讀者群。在文學被冷落的今天，這個現象的出現很有意思，精雕細刻得那麼優美的文字不被人看好，反倒是一些平時根本不大寫文章的網路寫手，卻贏得了讀者，看來文學不單純是個技巧問題，至少這一點是可以肯定的。

　　居住在美國西雅圖的經濟學博士王伯慶，是目前北美最受歡迎的網上散文作家之一，他曾這樣解釋自己的寫作心態：

　　在海外念洋書，有空時也想讀些中文，享受一下。由海外中國留學生辦的網上雜誌，豐富幾十萬海外中國學人中文閱讀。大家的事情大家做，於是，九七年五月，我就寫了第一篇隨筆，發表後收到的鼓勵郵件使我骨頭一輕，寫了下去。還有一個寫作動機，我想與國人分享自己的生活感受，一個生活在唐人街以外，在美國主流社會不冒尖也不落後的中國學人的普通生活，一種大多數留美學人的平凡經歷，讀書、找工作、辦綠卡、買房子、養汽車、夫妻關係、教育小孩、進入美國社會、從海外看中國的過去和現在。

　　我堅持的寫作風格？堅持小資產階級情調。帶點幽默感和故事性，語言生動一些，抓著機會就兜售一點國學餿貨和文革語言，不失滄桑感。（王伯慶——《伯慶自述》）

王伯慶的散文屬於寫實性的，像〈相識何必曾相逢〉、〈英雄無奈是多情〉、〈留待人間說丈夫〉、〈我家有個小鬼子〉等，抒發的都是八十年代中九十年代初到美國的，那些中國留學生的喜怒哀樂。

「小時候讀孟郊的『誰言寸草心，報得三春暉』，實在是故做搖頭晃腦，哪知個中三味。之後求學它鄉，功名累人，難與母親相聚。娶妻生子，雖不是『有了媳婦忘了娘』，但自家兒女要人疼，昔日母子親情似如天高雲淡。出國多年，每逢仲夏母親節，看著洋哥鬼妹一個個給老媽送禮物，也勾起自己對母親的一片思念之情。」（王伯慶─《還是媽媽忘不了》）

他的文章讓人感到一個新移民，面對著過度喧器和繁華的世界，躲進互聯網這層面具的後面，傾聽那時空中飄零的人發出的歡息聲，悄悄地與人交換著心靈的隱話，品味著愛情的不同滋味，在這種無需裝飾的言語中，表達出一些對現代社會的真感覺，湧動著一種靈動的氣息。

這一批較早來到美國的留學生，久在異國他鄉，遙望神州，難免要常常想起在國內時或苦或甜的生活。尤其是那些經歷過文革、插隊生活的年紀比較大的留學人員，他們對那段獨特歷史的回顧，也可以說是文革後國內風行一時的知青文學，在海外的一個餘波。只不過，這樣的散文寫作，往往由於遠距離而產生超出現實的美感，較少了國內作家的怒氣、怨氣，而多了點歷盡劫波後的寬宏大量乃至大徹大悟了。正如黃歧在〈家鄉的小木橋〉一文中所說：「在回首自己在無知中鑄成的眾多終生遺憾之後，我早就清醒地知道自己已失去了裁判別人的資格。」這樣的寧靜，大概只有在永別了那個生活環境以後，才可能產生的。

與那些在國內閱歷豐富的留學人員更喜歡回首往事相反，那些在國內並無多少社會閱歷，甚至一出校門就出國門的更年輕的一代，則是全身心地擁抱著新的生活。只不過在這樣的擁抱中，由於中西文化的衝突，而難免產生外來的或新鮮或苦澀的滋味。在這方面，兩性的應對幾乎是涇渭分明的。女性以其特有的敏感，捕捉著生活中的每一個小小的感觸，細細體味其中的喜樂哀愁。司靜一系列天然、沉靜的散文，可以做為這方面的代表。我們聽她在〈星

期五，進城的列車〉一文中說：

「當我盡情去體味一個又一個小小的偶遇時，生活的無數精微美好的謎底便一個個揭開。感謝上蒼，我在心裡說，讓我真正生活過了這個下午。我知道了午後三點鐘的暖日照在身上的感覺，我知道了湖上來風拂動無葉的枝幹的意境，我盡情體味著都市、河流與大湖彌漫到我身體每一個細胞裡的那種勃勃生機。我發自內心地給陌生人微笑，接受他們同樣發自心底的喜悅。我知道了為什麼我選擇、被選擇，來到了這個有著厚重歷史卻又充滿活力的地方。」

令人感動的不僅僅是熱愛生活的博大愛心，更是那股深信自己終將融入新的生活的青春活力。根據留學生中的實際觀察，女性對新生活的適應性，的確往往要比男性強。男性面對不同文化的衝擊，喜歡以自嘲、調侃做為釋放內心緊張的自衛武器，而表現出「農民進城」式的黑色幽默。閱讀胡彪的〈王五留學軼事〉、亦歌的〈狗娃西行漫記〉，常常令人忍俊不禁。雖然那樣荒唐的場景其實非常罕見，或者根本就是虛構的，但是我們作為過來人，卻也能從中看到一點自己的影子。有意思的是，這類描述常常在「吃」上面做文章，大老爺們最敏感的似乎只是舌頭的味蕾，就連女性的作者，有時也忍不住要在這個問題上幽上一默（阿待《饕鴨》）。但這樣的衝擊其實是相當表面的，要能表現更深刻的衝擊，還有待於對居住國的文化有了更真切的感受之後。

「總認為自己寫作是不務正業。沒辦法，老是不務正業……喜歡看純粹的、漂亮的文字。像冰塊，在玻璃杯中清澈地撞響。也許喜歡的是聲光結合的電子文字而已，總是沒有動力和興趣讀名著或者任何理論。在聲音和顏色之中，文字懶洋洋地，滿不在乎地自顧盛開得一蹋糊塗，也仍舊願意因風起火。喜歡靜態的文字，富於風態地，錯落有致地鋪排開去，仿佛出於直覺。在狂風之中，我仍然結繩記事……」—（枚枚語）

枚枚是在《遊子天涯》和《國風》網刊上的一個引人注目的散文寫手，其行文語態跳越新穎，為年輕的網上讀者所喜愛：「長大之後，我們學會茫然地快樂著。好似沒有心的竹子，春天裡也可以一樣茫然地瘋長。世界雖然空闊，其實它的空氣裡充滿了九轉十八折的隧道，使我們抬頭一望之時，不由自主地迷失了最後的方向。

其實沒有心的人，是最堅強的人了。這世界，心是什麼質地的，沒有人會關心你。在物質與欲望的洪流之中，很少人最終認識你。我們這一代，為逃避而離開母土，卻永遠也未曾到達。我們不停地流浪，有時候發生在自己的小屋裡。我們沒有精神的家園，卻從來懶於承認。」—（枚枚—《無心妄語》）。

在北美越來越龐大的華文網路寫手隊伍中，有很多的像枚枚這樣的年輕的一代加盟。眾所周知，美眉(妹妹)在聊天室裡是很受歡迎的，只要有美眉出現，那間聊天室保證會熱情四射，這叫蓬蓽生輝。聊天室泡過一陣後，美眉們開始寫文章，有的談聊天室的感受，有的談網路上的各種巧合豔遇，由於美眉們感情真摯細膩，她們的文章中有一種特有的淒婉和美麗，一下子就抓住了讀者的心。在網路上，這樣的散文作者數量不少。

號稱聚集了最多的網路作家的銀河網，曾要求每位作者為自己寫一句話，美眉散文作家們是這樣描述自己的：

紅牆：寫字成了一種奇怪的愛好

踏雪：寂寞華年塵網中，且踏雪，尋梅去

玫瑰：我是冬眠在……裡的一隻懶貓

麗麗：用溫柔的目光去欣賞著過去

伊可：全職所謂女強人，業餘時間寫點字自娛

施雨：無窮無盡是離愁，天涯地角尋思遍

蘭沙：喜歡在論壇上和人有一搭無一搭地聊天兒……

夢夢：因為夢，我能遠遠的飛翔

利枝：唯有夢與幻想，可以超越心靈的孤寂

精靈：熱愛文字，如同一個女孩喜歡玲瓏剔透的首飾

素心：我是冰冷溫柔的霜花，我是微風隱約的歎息

汪汪：在塵世幸福地活著……

梔子：香清水影寒

月禾：一路跋涉，一路踏歌，嫋嫋炊煙是媽媽放飛的鴿

……

在銀河網收錄的近百篇網路散文作品中，以上的作者中有的是目前網上知名度極高的，如蘭沙、紅牆、伊可等，也有些是名不經傳的，說心情、論愛情、談男女，粒粒珍珠，篇篇精細，讓人不忍釋卷。

「女人不都是天鵝，雖然每一個女人都自以為是。但是，作為女人，我們常常會有這樣的感慨：我們中的出類拔萃者往往被賽前並不看好的黑馬俘獲，而我們眼中的白馬王子娶的要麼是「傻漂亮」，要麼是「乖乖女」，天鵝們則還沒開賽就被淘汰出局。難道那些白馬王子都瞎了眼睛嗎？當正值青春，羽翼豐滿的天鵝高傲地昂起美麗的脖頸，她們發現了一雙雙充滿渴慕的眼睛。然而，等啊等啊，他們始終沒有行動，而只是遲疑著，審視著，試探著，或被她們表面上的拒絕嚇退。失望之餘，天鵝無奈地低下頭，突然發現了一道目光正盯著她們看。」（天鵝—《癩蛤蟆的眼睛》）。

也許正是這種柔情似水的風格，使得北美華文網路中的散文作家，以女性為主力部隊。

網上以小說見長的男作家目前還沒有形成一支很強的散文力量，但是有幾個較有特色的系列值得注意。賦格的系列遊記（《尋歡》、《庫瑪裡的煙雨樓臺》、《香格里拉的地平線》、《偷渡伊比利亞》、《夜航車》等）在電影蒙太奇式的鏡頭變換中，卻也往往能觸及光怪陸離的異國風情之下的文化底蘊，而不僅僅是觀光客的走馬觀花的感慨。

少君的散文像〈走近澳門〉、〈維也納交響曲〉、〈臺北記事〉、〈上海印象〉等，融歷史、文化、思想於一爐，紀事、抒情、寫景於一體。這些散文的文字，一改〈人生自白〉中那種有人認為「糙」的語言風格，語言精緻、優美。尤其是在〈鳳凰城閒話〉裡，詩情、畫境與雅致的文字交相輝映，頗得中國古典及近現代山水、遊記散文精品之神髓：「雀噪沉落，蟬鳴升起。陽光自身後照來，山崖的岩石映成淡金色……」，「晴窗隨筆，滿架清風滿架花。坐在二樓的書房裡，聽細風微雨在頭頂褐紅的石瓦上躓足，貓一樣腳步輕巧……」。如此這般的詩一樣的語言，在這篇散文中俯拾皆是。很難想像這些文采飛揚，才情斐然的句子，出自一個理

科出身，曾在商場上叱吒風雲的，文學「玩票」（少君自稱）者之手。

生物學博士方舟子的明代人物系列（《功到雄奇即罪名》、《博物館中的古墓》、《張居正二三事》、《人生舞臺上的海瑞》、《嚴嵩的末日》、《黃道周之死》等）則試圖把詩歌的熱情、科學的嚴謹融入歷史的冷靜，為歷史的敘述尋找一個既鮮活又客觀的新角度。

北美華文網路散文大體共分二個部分，一是旅遊風景：可覽閱旅途的風光變幻，繪情景交融的大千世界。二是人生感悟：寫忙亂人生、忙賺錢、忙買房、忙孩子、忙貸款、忙顛覆這個紛繁的世界。寫閒情逸志，風花雪月、雨巷丁香、初戀斜陽等，都是這類文章中最多的內容。

現在對北美的網路散文，下一個準確的定義還很難。有人說是上傳到網上的原創散文，有人說是寫網路生活的散文作品，有人說以網路為載體的散文，還有人認為由上網的人寫的，給上網人看的，有網路特色的文字就是網路散文，還有人認為是文學的卡拉OK，是文學青年的練習簿。

當然，就目前來講，大多數北美的華文網路散文作品，大都投入在個人感情上做文章，從而忽視了對大題材的關注。而個人情感方面的文學絕大部分是愛情，看似是少男少女們日記中摘錄出來的句子，實則是年過半百寫就的「朝花夕拾」，小孩的身體大人的口氣。然而由於網刊的寬容，使得這些網路散文的寫手們不知自己的位置和作品的好壞優劣。他們總是自我感覺良好地抒發自己的心思，想寫什麼就寫什麼，他們在BBS版面種下一片又一片收成不可能很好的莊稼。這些所謂的網路散文，大多沒有改變個人日記裡，那份低吟淺唱的閨秀模樣。

但縱觀當今整個的華語世界，散文好看的值得反覆閱讀的真不多，多數散文無病呻吟，少了散文特有的美感，各種跳出傳統散文框框的「文化散文」、「學者散文」、「心靈散文」、「音樂散文」等應運而生。但散文的表面紅火現象掩蓋了本質上的虛弱，整體缺少那種令人思想昇華和認識超越的力度，更缺乏對社會、人生的深層關注和思考。

　　然而，我們必需承認，網路散文的產生已介入了文學生產的全過程。這徹底改變了已有的文學社會，傳統散文的文學權威殞落了。其次，網路散文語言的「速食化」傾向，將對散文語言產生深刻影響。此外，網路技術形成的超文字，對於傳統的線性文本結構，具有巨大的衝擊力量。

　　正如文學評論家南帆所言：無論人們對於「網路文學」還會產生多少爭議，「網路文學」這個概念終於站穩了腳跟。儘管「網路文學」的完善定義有待於理論的進一步修補，但是，文學進駐網路空間並且成為一個活躍的臣民，這已經是不爭的事實。現今已經沒有多少人否認網路文學的存在，許多人的目光開始越過這個事實向後延伸：網路為文學製造了哪些強有力的衝擊？換言之，因為網路文學的出現，傳統文學正在或者即將發生哪些深刻的變化？

　　北美華文網路散文亦如太平洋的海水一樣，隨著時光而潮起潮落……

E、如歌的行板──北美華文網路文學中的詩歌

窗外嵌著一個今天
屋裡蕩漾著那首輕柔的歌
相識的童年像一本厚厚的相集
珍藏著那天的月光
有如今天

記得有一天下滿了雪在山上
雪地上的名字在慢慢地消失
歌聲驀然走近了思緒
相知的淚水便悄悄湧出了眼眶
在那個冰冷的冬天

多麼想

那是一幅永恆的畫卷

凝聚著多少年精神的流浪

多少年的憂傷

那已是血紅的顏色而分辨不出季節

那首歌

又在輕輕地響起

—（泓—〈聽歌〉）

這是在北美華文網站裡最常見的一類詩句，現代、簡潔、嬌情、小資。詩在其情感性質上和抒情方式上，顯得較為纖細和朦朧，因而，比較適合於留學生們閱讀。

詩歌網站和網路詩歌論壇的出現，可能是近年來華文詩壇最引人注目的文化景觀和最引人深思的文化現象之一，純粹的華文詩歌網站和網路詩歌論壇的數目人們沒有做過統計，國內較有影響的詩歌網站和網路詩歌論壇有《界限》、《詩生活》、《詩江湖》、《靈石島》等。詩歌網站和網路詩歌論壇雖然在北美雖是先驅，但存留下來的則是有限的。

在北美界定一個詩歌網站是否受歡迎，人氣旺不旺，論壇的訪客數目是最主要的參考。在這樣的前提下，馬蘭等人主辦的《橄欖樹》和陳克華主辦的《新大陸》無疑最為活躍。集合在這兩個網站周圍的詩人，對好詩的觀念上差別極大，熱愛《橄欖樹》的讀者比較傾向於「知識份子寫作」，《新大陸》則反其道而行之，推崇「後現代的口語化」，頗具江湖氣。

海外最早刊載華文詩詞的網刊，應屬方舟子主編的《新語絲》。《新語絲》最著名的有兩個版塊，一個就是《新語絲》的題頭詩，所發表的都是網路上的原創性詩歌。《新語絲》還建有電子文庫，以收藏古代、近代（一九四九年以前）的經典作品和文史資料為主。曾組織大量人力對唐詩進行輸入、勘誤、校對，是一個為了在網路上傳播華文詩詞的義舉。北美的華文網路詩歌群在《新語絲》之後，又出現了幾個聚集在由網路活躍分子所主辦的網刊周圍

的群體，而這些網刊到現在還在繼續出的，只剩下了兩份：1995年3月創刊的《橄欖樹》和1996年1月創刊的《花招》。這兩份網刊都是月刊，也都是詩歌同仁刊物，也就是說，基本上是自編自寫。而它們能夠維持到現在的原因，在一定程度上都歸功於網路詩人們，數年如一日的寫作熱情和發表欲望：「不知該說些什麼。當初是寫著玩的，慢慢地，有點上癮，就難以打住了。舉著手指算一算，也有幾個年頭了。如今，寫詩成了一種奇怪的愛好，有空兒不太寫，沒空的時候才急著寫。高興的時候不想寫，難過的時候追命一樣的寫。四年前寫的一首〈歲月〉，是在網上寫「濕」的心情：

> 不是曬在陽臺上的黑髮
>
> 漸漸枯黃
>
> 不是映到鏡子裡的笑臉
>
> 慢慢疲憊
>
> 歲月
>
> 是曾經澎湃洶湧的心情
>
> 在年輕的背影裡
>
> 漸漸平靜
>
> 是曾經銘心刻骨的愛憎
>
> 在驀然的回望中
>
> 慢慢走遠
>
> ─（紅牆─〈歲月〉）

《橄欖樹》原來是由活躍在中文網路上的幾名詩歌愛好者所創辦的一份詩刊，在其創刊之後的一段時間內，曾經網羅了中文網路的大部分詩歌愛好者。但詩人的特質之一就是難以協調，辦詩歌網刊必須有人協調。加上那些在動亂年代中，「次文化」下所形成並延續了多年的詩歌風格和思維方式，舊有的詩壇風氣和惡習，沒來得及進行一次革心洗面，找到新的方向，並走出新的道路來。於是棲身在這棵以網路詩著名「橄欖樹」上的詩人們，當然不久就紛爭疊起，漸漸走散了……

「其中最大的一次紛爭，是1995年底發生的抄襲事件：《橄欖樹》的一名骨幹，被發現抄襲新加坡一份中文報紙的文章，而《橄欖樹》剛剛出過這位『天才女詩人』的專輯。這的確是很令人難堪的，這位『天才女詩人』的支持者和反對者在網路BBS上大打出手，其戰果是：反對者知趣地離去，支持者留下來支撐門面。」
──（方舟子──《文學網刊》）

《橄欖樹》詩刊雖然也登一些舊體詩，但基本上是以現代派詩歌為主的，而現代派的詩歌在現在是連詩人自己也未必讀的。幾次紛爭之後，連詩人也流失了不少，每期總是幾個詩人的大作，輪流作樁。也許正是不甘寂寥，1997年起，《橄欖樹》宣佈改變編輯方針，改成詩歌、小說、散文、戲劇、評論、文史等無所不登的文學刊物，網路上第一份單純的中文詩刊，至此壽終正寢。但這期間還是有一些網路詩引起詩壇的注意的，如朵漁的〈烏鴉和雪〉、〈風格簡樸的生活〉、阿斐的〈一個女人的春夏秋冬〉、小引的〈一把椅子在下午〉、趙霞的〈春無羈〉、馬蘭的〈事件〉等。

至於在過去這幾年中的華文網路詩的發展，有一件事是十分肯定的，即並沒有振興或大盛起來，這是無可否認的事實。儘管愛寫的人不斷，一般網路社會則反應冷淡。關鍵之一，與新詩的內容和語文運用，固然關係密切，但和時代與社會背景，關係難以融合。

當說到網路詩歌時，詩歌到了網上，還是改變了它的存在環境。發表的難易、受眾的多寡、傳播速度的快慢等因素，使得網路詩歌必然有了與傳統詩歌的區別。相對於傳統媒體，網路上的資訊之快是不容質疑的，一首詩脫稿後，馬上就可以到論壇上張貼給朋友們閱讀，而且馬上就可收到回饋，如此快捷便利的聯繫方式是從未上過網的詩人所無法想像的。但詩歌與網路結合利弊兼在，作為一種在飛速旋轉著的時代下的產物，網路詩歌也不可避免地具有這個時代共有的弊病──對反映心靈的事物的浮光掠影式的接觸，以浮光掠影的印象發出浮光掠影的感受，並自以為新潮。深入、細緻、盡職的寫作和閱讀越來越罕見。而「發表」的容易將使人憂慮：網路的出現會不會使一些詩歌更快地滑向非詩？但無論如何，「網路詩歌」已經成了一個新詞。

從留學生文學發展的長河與社會變遷的全景遼望，北美華文的

新詩和新詩人們，似乎還遲遲沒有覺醒過來，沒有要自己作自己的主人的決心，沒有更勇敢、更決斷、更賣力地拋去過去的烙印，沒有以完全自由的心靈和視野，去開創嶄新的一片天地的力量。而是選擇了「現代詩派」在內容上的詭異化，和在語文上的符咒化。

一方面是對於一種理想的「命運」的關注，另一方面又是對於寫作中的個性的追求，在虛幻的網路與個人之間，曾經作為仲介的現實生存被取消了。網上寫作活動本身成為連接這二者的橋樑，網路詩人相信只有這樣才是今天的詩歌。藝術的純潔性和「真正持久」的美學價值的保證，是詩歌寫作的新的可能性。因而，熱愛網路，成為這一代詩人的基本姿態和新的藝術信仰。

這樣一種新的藝術原則的指引下，北美的華文詩歌產生了一些重大的改變。首先是詩歌的主題內容的變化，以往的抒情內容被替換為精神文化，這一變化可從一些詩歌（如百合的〈夜的薔薇〉、成楊的〈河〉、丁丁的〈對我自說〉等）。這個時期網路上的留學生代表詩人有弘、方舟子、慧泉、JH、潔冰、傑地、梁天天、魯鳴、夢冉、青鳥、詩陽、王凱甯、王排、西嶺、曉拂、亦布、竹人等。

北美詩人的網路寫作，一開始並沒有擺脫對一種所謂「純詩」的追求。「純詩」的關鍵在於寫作中的「個人化」傾向和個人的「非介入」的立場，在詩學傾向和寫作方式上對「個人化」特徵的強調，被認為是詩歌的美學純粹性的保證。網路詩人們儘量尋找一些純粹的，不帶有任何意識形態色彩的，但卻是在海外能引起共鳴的「象徵物」：自由女神、時光、綠色，以及一種往往是非具體的鳥，和一些抽象玄奧的、帶有本體論色彩的詞彙，如時間、虛無、黑暗絕望、死等等，或一些更為奇特的意象系統和風格，如巴洛克式的繁複的意象系統和裝飾性風格，來作為詩歌的「西化」的標誌。可是，這種詩歌往往因為詩人們所認為的「純粹的」意象過於接近，從而使寫作反而喪失了「個性」，或者，由於對「個人化」的意象的濫用和對「公共性」意象的刻意規避，而使詩歌喪失了許多與大多數網友的交流性。

你在夢著甚麼呢

細小的花朵

在蟲的誘惑之下

已羞怯地開了

（忘了要等你看見）

你昨日裡飛過的屋頂

被樹影戲弄過的

瓦的梯田

今日裡輕輕地滴著陽光了

　　—（鴿—〈飛翔〉）

　　有詩評家在談到網上的所謂「後朦朧詩」寫作中的「個人化」傾向時，指出：寫作的個人化特徵反倒被粗俗地神話化了……在1996年前後，北美網路詩人沉浸於寫作的個性無限制地進入表達的喜悅中，無暇進行任何自省。這時，寫作的可能性實際上被寫作的個性無限地進入表達悄悄替換著，對寫作的可能性的洞察淹沒在寫作的個性的無限發洩之中。

　　與弘比較接近的是傑地。但傑地熱衷於一種對更加複雜、玄奧的精神現象的探密。與之相對應的是他的奇特而又詭點的文體。這一點事實上在他與弘的同名詩裡表現的更為充分：

就這麼一曲北風蕭蕭

我便飄然

凝聚的思緒隨風蕩起

沿清潤的音律滑向遙遠

那遙遠

以前在夢中常常遇見

此刻卻從你歌聲中躍出

且驟然間飛速回轉

溫柔地向我砸來

而我已消散

消散的感覺如同星點

與靜謐的月色坐成一片

這月色，應是你餘音的某種變遷

這一劑清涼的傾聽，或許

可以將流浪的心緒

再遺忘若干年

—（傑地—〈聽歌〉）

在他的這些複雜的語言現象的背後，則有包含著某種流浪色彩
的、並有些頹廢的諷喻。在傑地和他的朋友們的詩中，言辭的意義
不只是處於一種對立和悖謬的狀態，它們往往表現為一種極不穩定
的特徵：含混、滑動、飄移和變幻不定，因而，有一種像飄浮的雲
一樣的令人感到有些暈眩。

以語言形式的複雜性和內在的緊張性，來抵禦現實生活的孤獨
和外部世界的壓力，這顯然是九十年代北美網路詩人寫作的一種十
分重要的方式。許多活躍在網上的的詩人，如盧候鳴、綠田、青
鳥、王排、西嶺、曉鳴、亦布等，都在不同程度上體現了這一特
點。毫無疑問，外部的現實首先是一種「英語的現實」。改造一種
話語方式和思維的習慣，也就意味著改造了一種生存方式。同樣，
賦予語言一種可能性，也就意味著獲得了一種生存的可能性。但生
活中使用的語言對於存在內心深處的母語，有著如此大的矛盾，稍
不留神，就有可能消耗了寫詩的全部的感覺和情緒。

相比之下，圖雅的詩很有意象的表徵卻又平鋪易懂：

採訪了新鮮的草地，想做一隻雞

卻沒有尖銳的指甲，沒有羽翼

想做蚯蚓，遺失了泥土

想做帝王，脫不下破上衣

想呼喊而迷路在沒有回音的峽谷

想上吊時，打不開的繩結都在心裡

我有心踏上故鄉的石板路

又恐怕柳煙如夢，小巷曲折，春雨淒淒

──（圖雅──〈在春天〉）

在北美華文網路上神出鬼沒的圖雅自謙：「在弱水三千之中，詩大約是最弱的一條，特別容易沉溺。人是這樣的，假如別人說我的詩深沉，我會謙虛說是水弱。可假如別人說我淺露，我可是要爭辯那只是冰山上露出的那部分。最好的辦法是藏拙。」

本名馬為義的核工博士非馬，是一個從紙上走到網路裡來的詩人，他原來是臺灣笠詩社的同仁，著有詩集十四種。退休後吟詩網上，並建有《非馬網頁》：

進入中年的妻

這些日子

總愛站在窗前梳妝

有如它是一面鏡子

洗盡鉛華的臉

淡雲薄施

卻雍容大方

如鏡中

成熟的風景

──（非馬──〈秋窗〉）

非馬的詩很自由，像一面開向美麗與流暢的窗。從奇思妙想到水墨意境，都如〈秋窗〉般可愛。外表單純而不裝腔作勢，它們使人聯想到既光明又黑暗的敏銳感覺。流暢中含有理工教育的嚴謹和博士訓練的規則在操作運行。非馬的詩，以對社會人生的熱切關懷

和冷靜的哲理思考見長，是反映現實和超越現實的統一……非馬是一位將鄉土詩歌的精神本質與現代詩歌的表現手法結合起來的詩人。─（李元洛─《此馬非凡馬》）

非馬的網路詩用字十分簡煉，沒有難懂的語言。詩歌意象營造的特點單純與多義，從意象的單純與透明中照射出無垠與永恆，他的強烈的現代意識以及多樣化的現代手法，使他的詩為北美的華文網路詩壇帶來了一些新的美學元素，開拓了詩壇的又一景觀。正如評論家朱雙一所言：一讀就難以忘懷。平白簡短的幾行，卻似蘊藏無窮的韻味，耐人咀嚼，給人美的享受。

在傳統的一般的抒情詩中，是依靠主體之情緒的強制性的誘導，來推動詩歌話語的運行。而北美的華文網路詩中，詩依靠所描述的事件的發展和場景的變換來推動，主體的情緒的邏輯受制於事件和場景，特別容易隨著後者的變化而變化。這樣，網路詩歌在內容的發展上，就充滿了一種不確定性和變化的可能性。詩歌在介入和表現現實事件的過程中，既避免了一種冷漠的、缺乏激情的旁觀和理性思考的姿態，又不至於在介入過程中喪失了主體的個人化的情感和立場。因為詩人的生存壓力要比在國內大的多，對激情的克制，是北美華文網路詩歌的一個重要特徵。

《橄欖樹》的風格，標以「探索和先鋒性」，雖然他們寫的「先鋒」詩在國內的詩人早在十年前就已玩過。但在以網路閱讀為主的留學生中，幾位過去的「朦朧」詩人作家，流亡海外後，無法在那上面煥發青春和繼續「朦朧」，最後多被年輕的網路詩風給同化了。

雖然近十年來，網路詩人層出不窮，但到各個北美的華文文學網站上找讀新詩，其中清麗可誦的誠然不少，但更多的是怎麼去讀也一樣使人興味索然。因為，很多詩在語文的垃圾化和內容的詭異化上，它們比大陸詩壇的二十年前還有過之而無不及。

一位曾在中國大陸「著名」過，現在旅居於海外的詩人，最近在《橄欖樹》月刊和《現場文化》（設於費城的華文文學網站）上，回應人們對新詩的指責時，誠實地說：「作者太多，讀者太少。」這真說出了海外華文網路詩人內心的悲哀，儘管他的詩寫得還相當不錯。

在海外，只靠著一撥一撥自命為「詩人」者搞些小網站以自娛，而社會大眾依然冷漠之下，免以自慰外，也即雖有若無，雖生猶死。除了這幾份立足北美、放眼全球的網刊發表詩歌外，海外的其他國家、地區也有一些中國留學生主辦的中文電子刊物，亦發表一些詩歌作品，日本有《東北風》，丹麥有《美人魚》，荷蘭有《鬱金香》，瑞典有《北極光》和《維京》。

此外還有一些特定群體的電子刊物，包括同性戀刊物《桃紅滿天下》，基督徒主辦的《海外校園》，佛教刊物《福德海》，燈謎愛好者刊物《謎徑通幽》，氣功愛好者主辦的《楓蓮》，中學生刊物《浪漫年華》等都多多少少地發表一些詩歌作品。

客觀地說，海外網路詩人還是有機會和優勢的，因為他們經歷了中國歷史上一些最重要的變化，加上網路與通訊的高度發展，西方文化也增強了穿透力並有興趣廣泛地理解東方文化的魅力。在這樣的歷史背景下，北美網路詩人具有明顯的優勢，以瞭解上述兩個方面的進展，有資格描繪它們的交輝相映，衝突融合的美妙圖畫。「不識廬山真面目，只緣身在此山中」，北美華文詩人可以在不同文化的介面兩側之間跳躍，在對比中得到更為深刻的認識，獲得更強烈的情緒波動，激發創作的靈感。

雖然海外文學被主流文化看作「邊緣文學」不屑一顧，那是因為還沒有重要作品足以衝擊西方或多數中國人的內心世界。其實真正的詩人不僅僅是會寫出美麗的句子，他必須在哲學、歷史、科學、政治甚至經濟方面有良好修養。他可能並不是一位音樂家或畫家，但是他必須具有很高的鑑賞力。優秀的詩人博采百花以音樂般的語言撥動人們的心弦，永遠保持孩童般的好奇心，比常人更敏感地關心人、社會、自然。對於上述要求，也只有這些求學海外的網路詩人們，有條件獲得如此廣泛的訓練。因為他們有更廣泛與不受官方約束的閱讀空間，他們可以從媒體和網路中自由的收集材料，他們可以在求學治家工作中，獲得海外生活的第一手資料。從文學的角度何評判網路詩歌的優劣？真實、誠懇一直是一種價值。雖然英國作家王爾德曾輕蔑地說過：「所有的壞詩都很誠懇。」但作家王文興卻也提出「修辭立其誠」的說法。問題在於作者所感受的是不是一種真摯的情感，不管它是幸福的、哀傷的、渴望愛情或色欲的，或甚至是反社會的，當他返回本源式的文字索求，尋找適合的

意象來表達，裡頭自然就有詩意的力量，即使它具有強大的破壞性。

一直致力於研究網路詩歌的臺灣詩人向陽也曾指出，網路文學未必就是庸俗或缺乏深度，網路上沒拘束，不必經過像平面副刊一樣的主流價值篩選，或許青年朋友能因此有更寬廣的空間，藉此樹立不同於以往的文學理念，當一個「網路上的李白」。網路詩刊使新的網路詩歌變成一種「通了電的詩」，充分發揮了網路的電子化特色，將詩歌創作轉型成一種「超文字」的型態，也就是超越單一文字、圖像、版面，甚至一度空間的考量，讓創作者跟閱聽者都能自由感受。網路「超文字」詩歌與傳統媒體詩歌創作不同處，是在加進排版功能的同時，還可呈現語音和圖像，並可隨機選取，與讀者互動等功能。它不只是純文字，還加進更多的美學概念，由於Photoshop等軟體使用越來越簡單，「超文字」的網路文學將會吸引越來越多的年輕的讀者。

當傳統思考還在擔心平面出版，是否制約了網路文學原有的特質之時，網路自由、無拘束的特質早已指出它無限形塑可能的力量。正如大師福克納所說：「當喪鐘敲響，並且鐘聲從夕陽染紅的平靜海面上，孤懸著的最後一塊不足道的礁石那兒消失時，即便在那時，也還有一個聲音，即他的不絕如縷的聲音，依然在絮絮細語。」網路詩歌的傳播優於傳統出版的詩歌這是不容置疑的，問題是網路詩歌不能關起門來自我欣賞，更不能高高在網上，眼下文學更需要的是同平民大眾真正意義上的精神交流，讓網路文學在更多的方位與空間與人交流。

在北美的網路文學刊物中，《新語絲》、《橄欖樹》這樣的涉足詩歌的網站，訪客量每天都能高達幾萬人，這個事實提醒我們，人們並沒有對詩歌冷漠。那麼是不是詩歌冷漠了讀者？看上去也不像，國內的傳統詩刊曾做出過許多種媚俗媚雅的姿態，企圖取悅於讀者，但效果不佳。問題究竟出在什麼地方？人們往往說流浪者的詩是無根的，可是這種無根性恰巧是他們的優勢。本土詩人對祖國文化的優劣性未必認識深刻，見慣不見，千絲萬縷的社會關係與文化倫理束縛，使他們的創作力受到約束，更不必談政治緊箍咒的鉗制了。事物總是在變動中展示自己，一潭死水則深不可測。要想瞭解什麼是中國文化，必須瞭解什麼是「夷」文化。而在把握中國文

化中，就有可能比西方人更深刻的理解西方文化。

正如同自由與民主在中國是個政治概念，但在西方則體現在日常生活中而不以為然。本土詩人雖然有機會接觸一些經過控制選擇的外國作品，但這些畢竟是經過翻譯，誤解則比比皆是，尤其被政治壟斷的新聞報導充滿了扭曲。如果一個有中國文化背景的作家，能緊緊抓住與描寫東西文化的差別，刻劃人從一種文化步入另一種文化時所產生巨大心理壓力，精神上的孤獨、價值觀念上的衝突，適應新生活方面的掙扎與不屈不撓的奮鬥精神，不管結果是成功與失敗那將是一部偉大作品。至於他的詩詞技巧是否高超，遣詞用句是否美妙則是第二位的。

經常在網路中遊弋的詩人都知道，網路中潛藏著數不清的高手，他們像深海中的鯨魚，不太喜歡表面的熱鬧。在網路詩人中，也應該有這種深潛於海底的「鯨魚」，他們是能夠懂得網路寫作的另一種意義的。因為在他們心中，從來沒有把網路文學僅僅只當作傳統文學媒體的一種補充。人們通過眼前連向網路的電腦螢幕，在靜靜地搜尋著、等待著那如歌的行板……

F、網路文學對傳統的衝擊

網路的本來意義，是為了方便技術交流，網路商業化和通俗化以後，更多的所謂技術交流只是電腦技術的掃盲而已。本來，那些基礎性的技術文章和文學是搭不上邊的，但是，因為大家在一起交流時不是一種教與被教的關係，而是一種平等的互相溝通學習，所以，很多技術性文章也用這種聊天式的風格寫成，不但通俗易懂，而且還不時地溶入了作者的一些看法和觀點。使文章成為一種邊緣交錯的東西，這種邊緣交錯有兩種側重，一是在討論技術的同時涉及時事雜感或者人生感悟，一種是用散文的形式來介紹技術。只有在這種平實的聊天風格中，邊緣文體才得以生存和流行。有話要說的衝動，就讓網路文學顯示出那種清淡真摯的內在精神。從這個特點來說，回歸生活、裸裎內心的人性真誠之處，在網路文學上得到最大限度的體現。僅在這一點上，就違背了中國人二千年來的「慎言」的傳統道德。

網路文學的產生和發展，不但給那些以筆吃飯的傳統作家們帶

來了巨大的危機與衝擊，同時也給千百年來所形成的文學創作的遊戲規則，帶來了深深的震撼。在大陸作協一九九八年十月招開的「北美華文作家作品研討會」中，當筆者將海外讀者早已習慣的網路文學，介紹給國內的作家時，他們聽到後的第一個反映就是：稿費該怎樣算？版權該如何保護？—由此可見，網路文學給人們所帶來的衝擊，不僅僅是寫作方法的問題，而是牽聯著著如法律、責任以及觀念等許許多多的問題。嚴格地說，它是涉及了本世紀末一個最大的社會問題。正是因為網路文學所具有的重大的歷史和社會意義，使其在不遠的將來，將超越書本和報紙雜誌的閱讀和普及，它對社會的政治文經濟和文化教育，將顯示出日益深刻的革命性的影響。

在傳統媒體中，經常能看到這樣的編輯部聲明：「本刊由於人力財力有限，三萬字內稿件一律不退稿，超過三萬字的稿件若要退稿，必須寄上退稿郵資⋯⋯」嚴格地說，這樣的聲明是不人道的。然而多年以來，不少作者出於對白紙黑字出版物近乎迷信的崇拜，出於對編輯們的盲目信賴，居然把這種不平等條約當作正常的事情接受下來。換個角度想，編輯部的聲明並非毫無道理，人力財力有限，確有其事，可憐那些醉心於做文學夢的朋友，熬更守夜寫下幾十萬字甚至上百萬字，卻連一封編輯的退稿也難見到，即使偶爾有一封退稿信，對他們而言也如同上帝的恩賜一般，這當然是不公平的。

而網路作家則逆傳統而行，他們在鍵盤上敲打出小說、散文、隨筆、詩歌等文字，在BBS中貼出，很快不脛而走，網路無限遼闊的空間使他們創作的文字被更多人接受，並且很快找到了自己的讀者群。網路寫作使他們找到了自我，同時在寫作中精神得到了昇華。從目前網路文學的原創部分來看，那種富有創造意識的勃勃生機已初露倪端，在網蟲們每天大量製造網路文學作品中，不時能看到頗具潛質的優秀寫作者的身影—儘管往往是一晃而過。

網路文學對傳統最大的挑戰，恐怕就是現在談的最多的盜版傳播問題。最近，大陸王蒙等六位著名作家狀告「北京線上」網站侵權案，成為人們關注的熱點問題。這些案件給法律帶來的一些新問題，更引起法律界的關注。王蒙、張承志、劉震雲、張潔、張抗抗、畢淑敏等6位作家狀告「北京線上」侵犯其著作權，從而使一

些網站未經作家授權，便在網上公開發表其作品的事情，得到作家們的第一次「狙擊」，也使本案成了作家狀告網站第一案。

經常上網的人都知道，在網上閱讀文學作品是一件非常方便的事情：從古典名著到金庸、古龍等人的小說全集，再到當今流行作家的文學作品集，真是應有盡有。這些作品上網主要來自兩個方面，一是某些作品的愛好者，出於對作家或作品的喜愛而把作品錄入後貼到網上；二是某些網站為了吸引線民，而在自己的網站上放置某些作家的作品供線民閱讀下載。這種現象不僅內地網站有，在香港、臺灣等地的網站也非常普遍。

在本案的訴訟中，對網上公開某作家作品是否侵權是人們關注的焦點，因為目前在各國現有的相關法律中，都沒有明確的關於未經作者授權可以在網上發佈其作品的條款。網上通行的遊戲規則是，只要網站在作品上署明作者，就不應該追究其侵犯著作權。因為網站上發表作品，是網站發展初期的一個特殊現象，網站的這種行為被看作是一種侵權行為，應該沒有問題，問題是將依據什麼對其進行公正的處罰，是一個非常棘手的技術問題。與此案類似的還有一些網站未經許可，大量轉載新聞媒體作品的現象，這個問題更為突出。有相當一部分網站為了體現自己的「水準」，大量轉載別的媒體上的文章並且不標出處、不標作者姓名。當然，網路給法律提出的問題與挑戰還遠遠不止這些：網上功能變數名稱搶注、網上誹謗的量刑、網上兒童色情、電腦病毒的製造與傳播、網上言論自由……等等，都給法律工作者提出新的課題。

而且目前判定優秀的網路文學作品有一個公眾的做法，就是被到處張貼和轉摘。由此也可以看出網路文學基於技術和媒體的特點，所表現出來的價值觀念與傳統文學的傳播價值觀念，有著根本不同的價值取向。在網路上，一個熟悉網路的作者是不怕作品被到處張貼和轉摘的，因為這是他們創作價值的體現。不過，作者雖然不計較版權，還是希望可以知道自己的作品，到了什麼地方和是不是能夠保留唯一的權利──署名權，這是網路文學目前唯一擁有的著作權了。這個情況是由於網路本身的特性所決定的，因為，國際互聯網路的最大意義就是資源分享和言論自由。這決定了著作權的萎縮，這種傳統權利的萎縮所換來的，是得到更多的讀者。一個作者真正用心的藝術創作，所希望的應該是更多的欣賞而不是更多的

稿費。所以，對於用著作權的萎縮去換取更多的共鳴，這筆帳算起來應該還是合算的。自由、寬容、理解這是網路文學得以存在的土壤，而且，相對於傳統媒體空間而言，這也是網路文學可以得到更大發展空間的潛力所在。但這種觀念要取得傳統社會的共識，恐怕還有很長的路要走……

G、網路文學的問題與前景

那麼再來看看眼下的網路文學，儘管還處在「初級階段」，卻能看出其發展趨勢同傳統媒體中的文學有許多區別。最明顯的一個區別是，網路文學不願意進入傳統文學媒體的小圈子。熟悉傳統媒體文學的人都知道，中文的網路原創文學到現在還不是很吃香，因為作品品質缺乏必要的專業編輯把關，顯得良莠不齊。但當網路越來越成為社會群體生活的一部分時，網路文化支配和影響了這些人的價值觀。而網路文學，絕對是網路文化的重要組成部分。網路文學對於網路文化的影響，與現實社會文學對社會文化的影響是一樣的。觀察網路文學，可以看到網路意識的審美傾向、價值認同和倫理的約束。網路文學同樣是一種遊歷於網路之間的個體生命對於理想網路的渴望，這種追求不是技術性的未來展望，而更多是感性而又更具有人道主義的精神需求。從網路文化的角度，以人本體為出發點去考慮網路未來，也許不能如數學推論般精確，可是往往卻更能接近事實。

說起海外華文網路文學的現狀，以網為家的那些漂泊者們，晃動著的身影不僅是網路寫作的先驅，而且是到目前為止網路文學中最優秀的一部分。遺憾的是，他們處於漂泊途中，像飄浮不定的水上浮萍，給人一種失去了根的感覺；另外，由於他們身份和教養的原因，寫作中便始終保持一種高雅的寫作姿勢，這又使他們的作品，往往難於被國內還不太成熟的網路文學閱讀者們接受和理解。還有一個應該正視的問題，不知是由於海外生活競爭壓力太大，還是別的什麼原因，以網為家的流放者中，除有一部分人仍在堅守外，也有不少人漸漸退出了網路文學的陣地，他們的身影成了讀者們的一種回憶。

以痞子蔡為代表的臺灣網路文學，既沒有輿論中所傳聞的那麼好，也沒有某些過激的言論中所指責的那麼糟。同傳統文學媒體的

表現一樣，臺灣的網路文學向讀者展示出的是瓊瑤類的暢銷品，它應該也能夠在網路文學中佔有一席之地，目前還難成為網路文學的主流。遺憾的是，自從網路中風行痞子蔡之後，大量仿痞子蔡的作品每天都不斷湧現。不僅臺灣，連大陸的網路中也到處都能看見痞子蔡的影子。臺灣網路文學的另一個特色，是各種活剝古典文學的作品有一定的市場，臺灣的基礎教育在對於「國學淵源」方面的功夫下得實在比大陸好，大概是因為這個原因吧。

在活剝古典名著方面，臺灣網的作品總是比較出色。各種活剝古典的作品，大多可以在眾多BBS上面得到足夠的流傳。雖然，就整體意義來說，那些作品的文學價值很少，但是其擔任的網路文學的功效，卻也有一定的存在價值。任何新生的事物，總與它的母體有著千絲萬縷的聯繫，臺灣的網路文學也不例外。在文學早已被商品化的臺灣傳統文學媒體中，白先勇一類文學先鋒的身影十分模糊，人們更多知道的是古龍、瓊瑤、林清玄、龍應台一類的武俠、言情、隨筆、雜文，那麼在新興起的臺灣網路文學中，傳統文學媒體便順理成章地找到了它們的替代物，痞子蔡只不過是應時而生的一個例子。

中國大陸網路開通的時間不長，隨之而興起的網路文學時間則更短，加上網路的快節奏必然給網路文學帶來另一種影響，使之很有可能成為速食性的速食文化。以上兩個方面的原因，使我們不得不面對一個真實的現實：中國大陸的網路文學目前還停留在一個較低的水準上，儘管如此，中國大陸的網路文學仍在頑強地掘進，很有可能在不遠的將來，會替代海外華文網路文學這個先驅者，而成為華文網路文學的主力軍。

綜上所述，我們不難看出，華文網路文學的客觀存在，已是一個不爭的事實，雖然它還很幼稚、弱小。由於網路寫作所具有的開放性和自由度，這個空間的開拓在給傳統文學媒體帶來衝擊的同時，也給自己留下了廣闊的寫作空間。假以時日，一定會有越來越多的新興寫作力量出現，也會有越來越多的傳統文學媒體的作家們躋身其間，匯成繁榮興旺的泱泱大觀。

網路文化的形成依賴於網路社區意識的凝聚，文學本來就是在人際交流中提煉而成。華麗無物的多餘修飾無益於交流，平白如話

的真情流露，是網路文學有別於現實社會的最大功效。因為，網路的相對匿名交流形式，讓人們在心理上更容易願意吐露心聲，來去自如的身影出沒，更讓人可以瀟灑地有話直說。可以說，社會面具到了網路成為一種累贅，世故的虛偽在網路上成為一種笑話。正是因為在現實中人們活得太累，所以才更願意在網路上讓自己的才情盡情地放縱。在網上，矯情的修飾讓人不屑一顧，直接的表達卻可以獲取大量的回應，文競人擇，談天說地式的文章風格於是成為主流。但是，在這些不為文而文的赤子作品之後，網路慢慢在教育、科研等領域得到普及。

寫慣了命題作文的年輕人們大量走向網路，於是出現了很多專門為文而文的東西。好像是久被禁錮的情欲突然找到一個缺口似的，淺薄的愛情作品大量出現，大家津津樂道著各自年輕的失戀經驗，風花雪月中，花花綠綠的無感覺抒情成為流行，這是網路社會化之後普遍素質下降的一個正常體現。網路人越來越年輕化，越來越缺乏必要的社會責任感和獨立思考能力。但是，這批人，卻正好是網路文學最大的讀者群，這個，還不能說是網路文學發展中的一個幸運？還是無奈？

現在海內海外的華文網路文學空前地繁榮。但是，海外的華文網路文學，整體上還是走不出「懷舊」和「描寫文化衝突」兩大流放文學的特點。這是不是永遠無法抹去的烙印？值得探討。在目前的華文網路上，我們還未能看到真正有重大影響的原創文學網點，但是，許許多多的個人主頁，已經表達了這樣的創作意圖和各自的努力。如風初起，清新而又弱小，緩慢卻又絕不停止。如果說在內容上有什麼突破的話，那就是開始出現了一些反映網路生活的作品。

在形式上的突破，則是小說的盛行，中篇小說乃至長篇小說都已在網上大量誕生。雖然其品質，仍未達到專業水準，但是一些網人創作的散文、隨筆、詩歌的品質，確乎已與常規文學相差無幾。某些網路作家實際上是網上和網下兩棲，他們的作品往往分投網路刊物和常規刊物，只不過在網路刊物上更早跟讀者見面而已。

當然，網路文學的現狀中，也有不少令人擔憂的問題。比如作品品質偏於流俗的問題，文學網站網頁和文學電子刊物品質參差不

齊的問題，網路讀者文學品味的引導問題，網上原創作品太少而且呈一盤散沙狀的混亂問題，網路文學向社會推介的問題，以及網路文學的版權問題等等……諸如此類，那不是筆者這一篇拙文所能說完的。但是網路文學要和常規文學最終合軌，則還有待於專業的作家、詩人們紛紛上網。

今天的網路文學，已成為海外華文文學的一大特色。乍一看，網上文學是不得已而為之，海外的華文作者過於分散，讀者更分散，辦任何刊物或報紙，發行成了最困難的一環。在華人聚居的幾個地方，例如紐約、溫哥華、悉尼、三藩市、倫敦，不斷有「前文化人」出來辦刊辦報，但都是本地發行，讀者有限，虧本倒貼，以至於有「要想害人，勸他辦報」的俗話。網路的出現，似乎解決了這個問題。據《新語絲》統計，現有中文文學網刊達百種，今後的發展難以估量。目前最著名的是1993年創刊的《楓華園》，1994年創刊的《新語絲》，1995年創刊的《橄欖樹》，1996年創刊的《花招》等，網上文學解決了讀者分散這個海外文學發展的大困難。

但是中文網刊的前途並非一片光明，毫無困難。首先，網刊的編者作者大部分是理工科學生，或理工從業人員。而傳統的純文學編者作者讀者，則是以大學文科學生教師為基礎，這些人往往是不喜歡技術，也不太接觸電腦的人。第二，網刊免費閱讀，也就沒有稿費，而文學作家，既然專業，就不得不以此謀生。所以網上文學，很難產生大作家，由此形成的局面，使網路文學，與主流文學難以交融。

當然，誘人的網路環境，必將使文學的載體得到改革，可以在資訊傳達方面助內容一臂之力。文學的形式和內容之間的矛盾，一直是寫作的人都會面對的，而由於網路本身的特質，而將在未來的網路文學形式上所起的作用，可以從以下幾點看到未來：

第一、立體表達

網路技術的發展當然使連線速度越來越快，那麼，現在因為速度問題而不是很實用的多媒體技術，在不久的將來一定可以在網路中得到普遍的應用。當一個人物在小說裡出現時，你可以選擇要不要看看人物肖像；當文章中需要回憶鏡頭時，一段蒙太奇手法的影片在螢幕上變幻而出；當文章中提及某段音樂或者描寫一個場面

時，可以有音樂和現場音效讓你的耳朵得到滿足；甚至，將來的電腦可以產生三維的立體畫面，讓你親臨冒險現場；甚至，只要你願意，你可以聞到應該有的味道、感覺到應該有的季節和氣候……

這些文學作品立體表達的幻想不是奇怪的，它已經可以成為事實，技術已經存在，只是其商業化過程因為造價成本的問題還沒有進行而已。但是觀察電腦技術的發展歷史使我們相信，不久，就可以廉價地利用到這樣的手段來進行網路創作了。雖然到時候有人會說，這種形式已經脫離了文學本身。可是我還是願意稱他們為文學，因為其可選擇性，是可以讓你只選擇用傳統的閱讀方法還是用現代化的立體閱讀方式來欣賞文學作品。

第二、互動創作

這種情況下，文學創作將成為一種電腦指令碼語言的編寫，類似於現在的MUD遊戲，但是，不同於MUD之處在於它有既定的情節發展和自動的人員加入。比如這個小說裡面有四個人，那麼你可以選擇扮演其中一個來體驗他在小說裡的命運，自己開始實踐屬於你把握的角色，而在故事發展中，任何時刻都可以自由地走出來觀看。當然，現在的白紙黑字閱讀習慣最多只是電子化而已，不可能會完全消失。就像隔了這麼長的歷史，至今還有人在寫七律五絕一樣。但新的文學表達方法有其新的魅力。

翻開《辭海》，我們可以看到文學的定義：「社會意識形態之一。中外古代都曾把一切用文字書寫的書籍文獻統稱為文學。現代專指用語言塑造形象以反映社會生活，表達作者思想感情的藝術，故又稱語言藝術。」

文學的社會意義毫無疑問也是網路文學的社會意義。探討網路文學的起源、特點、問題和發展，最主要的目的就是要證實在網路上，其文化交流過程形成的文學，已經隱然成為一種和「口頭文學」、「書面文學」相呼應的網路文學體系。它有自己的特點，也有自己未來的發展方向，雖然，目前它只是存在於萌芽狀況。

網路是否可以作為獨立的虛擬世界，未可斷言，但是越來越多的人在嘗試著進入網路，卻是不爭的事實。人群的網路聚集已經構成社會性活動，而網路一旦作為人類社會性的一種活動場所，就必

不可少地相應產生了依附於網路之上的技術、藝術和哲學。技術構成了網路的運作，藝術反映了人類網路生活的精神層面，而哲學是網路存在意義形而上的表達。文學作為最平民化的藝術形式，將是網路社會活動中規模最大、影響最深的一種存在。正如人類文學的形成歷史一樣，網路文學的形成也是在人們相互溝通中產生的。

在中國歷史上，從來沒有發生過近20年來的現象：大批受過良好教育的年輕人移民海外。在他們之中產生文學家、哲學家、藝術家、音樂家，而不僅僅是烹調高手將是毫不奇怪的。網路文學可以最好地表現這一代人的喜樂痛苦，在文化衝突中情感理智振盪，以通俗方式詮釋西方社會，展現民主與自由的真諦。它還可以幫助這些漂泊者在適應中成長，甚至總結失敗的教訓，不迴避我們固有文化價值與局限性，給故土的人們以真實的報導。它將給海外移民的第二，第三代們留下先輩奮鬥的記錄，也使他們從中瞭解自己的根。它也將激勵在故土上不安定的心，離開家鄉，迎接海外生活的挑戰。

華文文學正在經歷著歷史上最重要變化。雖然因各種原因，它還沒有全面的敞開自己的胸懷，爽快地接受瞭解世界文化以重塑自己的形象，但是這個趨勢是不可避免的。由於網路與通訊的高度發展，西方文化也增強了穿透力並有興趣廣泛地理解東方文化的魅力，原始的商業利益更推動了這一過程。在這樣的歷史背景下，海外文學愛好者具有明顯的優勢以瞭解上述兩個方面的進展，有資格描繪它們的交輝相映，衝突融合的美妙圖畫。海外華文作家可以在不同文化的介面兩側之間跳躍，在對比中得到更為深刻的認識，獲得更強烈的情緒波動，激發創作的靈感。作為文學的一支新軍，網路文學已成為一塊新開墾的處女地，充滿生機與活力。相對於傳統文學媒體而言，網路文學有更大的自由度，這是不言而喻的。

九十年代以後，全世界使用互聯網路的人數，每年都以幾何級數成長，其中的全球資訊互聯網更因為結合了文字、影像、聲音的多媒體功能，現以每月增加幾百萬個使用者的速度快速成長。多采多姿的中文電子文學刊物，正是拜現代資訊科技之賜，成為來自中國大陸和港臺的留學生跨越重洋，和故國故鄉文化保持溝通的主要工具。隨著網路科技的深入發展，網路的讀者不但可以讀文學作品，亦可以聽或看大多數文章。立體的網路文學作品將成為未來的

主流載體，對於中文電子文學刊物的日益發展繁榮，正在逐漸改變海外華人以至全體中國人的思維和生活方式，對中華社會文化結構的影響也將遠遠超過人們的預想。

　　……

*1999年11月初稿，2005年2月完稿於美國波士頓哈佛大學圖書館。

附錄

北美主要報紙副刊—

《世界日報》www.worldjournal.com：

《世界日報》是北美地區發行量最大的中文報紙，日發行幾十萬份，在全美報業排名前五十位以內。副刊每天有兩個固定版面，還有一到兩版的史實逸事版，是目前作者群最大的華文報紙。其網站亦是北美點擊率最高的中文網站，網頁內容充實，更新迅速，同時還提供有很多實用和有趣的資訊，如美加及全球的政經娛樂、生活運動及社會新聞等。

《星島日報》www.singtaousa.com：

該報主要讀者主要分佈在北美的東西兩岸，發行量低於《世界日報》，副刊版面以短小精悍著稱，承襲了香港百字專欄的傳統，但在老華僑中頗有市場。

《僑報》www.chinapressusa.com：

這是一份以大陸新移民為主要讀者的報紙，語言風格和報式近似大陸媒體，副刊作者均為近年來旅美的大陸新移民。

除上述三家較大的全美性報紙外，美加地區還有近百家地區性報紙附有副刊，在當地具有一定的影響，如《美中導報》、《美南新聞》、《達拉斯新聞》、《亞省時報》、《亞美時報》、《芝加哥新聞》、《聖路易時報》、《多維時報》等等。

文學雜誌—

《北美行》：是一份發行最早的留學生月刊，1987年11月出版創刊號。其發刊詞曰：不廢江河滔滔而來，又滾滾而往，歷史巨浪曾淘盡多少人類文明？百十年歐風美雨，將五千年中華文化盡情吹打；風雨過處，九州大地山河盡染，姿容異昔。憂患中，十數萬炎黃後人矢志進取，負笈求學於異土，以覓匡世救國之道。新大陸畢

竟光怪陸離，風光不與別處同，窺強探寶者，飄洋過海，雲集於斯，自不足為奇。此地即人眾地博，書文切磋乃至吟誦唱和便不可為少，是為新大陸又一學生刊物《北美行》發刊之由。主要負責人為老路、陳瑞琳等。

《中外論壇》：1991年1月在紐約創刊，內容涉及新聞、社會和文化，有固定的文學版面，主要發表小說和散文。由於有向大陸發行的許可，所以在中國的知識界頗有影響。總編輯為詩人王性初。

《美華文學》：1999年在三藩市創刊，是一本堅守純文學陣地的文學季刊，闢有小說、散文、隨筆、詩歌、評論等專欄，讓人不禁想起早年大陸的《人民文學》。發行人是黃運基，主要編輯人員有劉子毅、程寶林等。

《華人世界》：2001年12月創刊於休斯頓，設有「異域風情」、「人物專訪」、「移民小說」、「文壇動態」等欄目。其發刊詞是：文化的渴望是生命中最深層的渴望，我們需要母語的滋潤，那是我們與生俱來的精神家園。我們未曾忘記生命深處的那份真摯，我們深切感知海外華人的精神需求。於是，我們用自己的不眠之夜，誕生了這本《華人世界》。主編陳瑞琳。

《彼岸》：2002年2月創刊。刊物命名彼岸，因為彼岸是說不盡的，是謎是夢，是嚮往是挑戰，是彷徨是遺憾，是眼中的淚是唇角的笑，是風雲彌漫是春光明媚……彼岸是說不盡的，地理的彼岸，歷史的彼岸，種族的彼岸，文化的彼岸……《彼岸》是一本面向北美華人的綜合性華文刊物，希望能為海外華人耕耘精神家園，架設跨越彼岸此岸的文化橋樑，傳達心聲，提供資訊。總編輯宣樹錚。

《新大陸詩刊》：由一群海外華文詩人自費出版的詩刊，1990年創辦，由越南華僑詩人陳銘華任主編。出版有各種詩集、散文等一系列大陸叢書，是美國華文詩人的重要發聲地。

文學網站——

《華夏文摘》www.cnd.org：1991年4月創辦這個綜合性網刊，

是中文網路歷史上最早的一份網路雜誌，它對後來的中文網路媒體和網路文學的產生，具有重要的歷史意義。

《楓華園》www.fhy.net：是由留學生1993年創辦，所載文章，均由自由撰稿人所作。主要作者為北林子、魯鳴、墨雨、夏維東等。其運作生存靠的是成員的志願精神，沒有任何團體或廣告的補助，所有成員沒有分文報酬。

《橄欖樹》www.wenxue.com：1995年創刊，是以文學創作、批評及翻譯作品為主的純文學網刊。其刊「尋求所有反映個人經歷、獨立思維的作品，而非某時段市場需求或某周流行意識形態的產品。我們努力避免自身因個人獨特的知識經驗而形成的有關作品好壞的偏見。」主要作者為祥子、三焦、馬蘭、京不特等。

《新語絲》www.xys.org：1994年創刊，1997年2月正式登記成立，定期出版《新語絲》月刊，並不定期出版專題增刊。還提供中國古典文學電子文庫、電子圖庫、中華大百科、魯迅家頁、中華性學、歷史人物、歷史文物圖片等內容。主要作者為方舟子、阿黛、少君等。

《國風》www.civilwind.com：1997年3月創刊的中文網刊，提供文學愛好者在網路上談論文化和海外生活的園地。國風這個名字取自《詩經》中的《國風》，既是人類文化的瑰寶，又是中國歷史上最早的普通人的生活記錄。主要作者為散宜生、舊雨、竹人等。

《文學城》www.wenxuecity.com：1996年創刊，是北美點擊率最高的中文網站之一，闢有作家專欄和分類專欄，主要作者常常變換，以保持讀者的新鮮感。

《萬維讀者》www.creaders.net：1996年在加拿大註冊，設有「讀者週刊」和「作者專欄」，是搜集北美網路作家較全的一家網站。亦是點擊率最高的網站之一。

《我們》www.zanmen.com：2001年三月創刊，是一群文學愛好者的同仁網刊。刊頭語：在生活的奔波裡，我們依然持守夢想的詩意。在現實的夾縫裡，我們依然仰望文明的光輝。在無奈的失落裡，我們依然相信童話的真誠。在浮躁的時代裡，我們依然聆聽歷

史的足音。在陌生的異鄉裡，我們依然眷戀故土的炊煙。「我們」希望這個小小的角落能成為你我相遇的驛站，留下一抹淡淡的心跡，留下一脈幽然的馨香，哪怕僅僅留下一句簡單的問候。

《文心社》www. wenxinshe. org：成立於2000年11月，在新澤西州註冊，2002年開始建網。其社員大部份是旅居北美的文學愛好者，但也有一些中國大陸地區的愛好者加入。社員的作品亦散見《僑報》副刊、《世界日報》副刊、《新象》週刊和《亞美時報》等。主要作者有施雨、瞎子、岑嵐、曾寧等。

《火鳳凰》www. ccaassociates. org：2004年成立，在新澤西州註冊。其社員多為居住在紐約和新澤西州的文學愛好者。社員的作品亦散見《僑報》副刊、《世界日報》副刊、《新象》週刊和《彼岸》等。主要作者有茹月、江嵐、老搖、陳九等。

另外還有許多文學網刊曾在北美產生過影響，現在它們大多都已走入歷史，但我們不應該忘記它們：

《太陽升》─1990年10月創刊

《海外校園》─1993年2月創刊

《窗口》─1993年4月創刊

《威大通訊》─1993年7月創刊

《里茲通訊》─1993年2月創刊

《未名》─1994年1月創刊

《布法羅人》─1994年2月創刊

《紅河谷》─1994年2月創刊

《聊園》─1994年9月創刊

《浪漫年華》─1995年10月創刊

《普渡風華》─1995年10月創刊

《築波園》─1995年11月創刊

《花招》─1996年1月創刊

《麥皮匠》─1996年5月創刊

《楓雪天地》—1997年2月創刊

《銀河網》—1998年5月創刊

……

四、海外民運

　　2005年5月16日，美國「國家民主基金會」（National Endowment for Democracy）在其〈2004年支持全球民主的資助報告〉中說，該基金會去年為中國異議組織提供了439萬美元的資助，比前年大約增加了29萬美元。成立於1983年的「國家民主基金會」每年有4000萬美元的政府撥款，它以「推動中國民主、人權、新聞自由和勞工權利」為口號，通過資助流亡在美國的民運組織和在大陸或香港的異議團體，來達到干涉中國內政的目的。比如，為「促進中國鄉村選舉」三十五萬美元的資助是通過在美民運組織「共和國際研究所」來實現的，用於「推動香港政治改革和政黨建設」二十四萬美元的資助是通過在美民運組織「國際事務國家民主研究所」來執行的，為香港的「人權監察」提供了十七萬美元的資助，為針對中國的「國際勞工團結中心」提供了四十六萬美元的經費，為「中國私有化企業中心」提供四十萬美元的資助……同時還向流亡美國的民運組織「當代中國中心」、「中國資訊中心」、「中國21世紀基金會」、「中國人權」、「勞改研究基金會」、《北京之春》、《民主中國》、「中國獨立作家協會」和《新聞自由導報》等提供近百萬美元的資助……

　　「國家民主基金會」資助海外民運組織有很長的歷史，但在海外民運團體逐漸失去人心、失去臺灣政府的金援之後，美國政府開始加強支持和掌控流亡美國的民運組織。同時這也說明，海外民運已逐漸失去臺灣政府的強力支持和運作，淪落為單純靠美國政府救濟的悲慘地步。以《中國之春》為例：當年臺灣政府的金援每年都在數十萬美元甚至上百萬美元，而今天（現叫《北京之春》）每年從美國「國家民主基金會」討到的錢，不到十萬美元……

1、《中國之春》與中國民主團結聯盟

　　說起《中國之春》，不能不談到中國人赴海外留學的歷史。我們若將留學生的歷史分為四個階段，那麼第一個階段是清朝末年：當時的鴉片戰爭構成了中國古代史與近代史的分水嶺，由於西方資本主義列強的入侵，引起了中國社會前所未有的深刻變化。一方面，列強通過侵略和一系列不平等條約的簽訂，大肆掠奪中國主權及國家權益，使中國由泱泱「天朝大國」逐步淪為半獨立半殖民地的政經弱國。另一方面，西方資本主義的經濟、政治、文化伴隨列強的入侵，大舉向中國滲透，對中國傳統的經濟、政治、文化構成巨大的衝擊，使中國由封建社會逐步向半封建半資本主義社會轉化。這種劇變對社會各個層面的影響都是巨大的，中國近代化的進程就此開始，教育也不例外，而且是首當其衝。

　　與列強抗爭的每一次失敗都會促使國人反思對方的長處和自己落後，而救國圖強歸根結底要靠人才的培養和國民素質的提高，舊的封建傳統教育已完全不能適應這種要求，不可避免地要發生根本變革。但中國教育的近代化也像其它領域一樣，步履沉重、緩慢曲折，直到20世紀初，才大體上構建起近代學制。這期間生硬引入西洋和東洋教育模式的痕跡處處可見，同時封建傳統教育仍在許多方面保留著它的領地和影響。儘管如此，這期間的教育畢竟實現了從綿延兩千餘年的封建教育體制向近代教育體制的轉軌，在中國教育史上佔有劃時代的一頁。

　　正是由於落後，清政府最早派出了十幾名小孩前往美國學習西方的政治、經濟、文化等等。這後來才有我們熟悉的詹天佑等一批具有開放思想的先人，來領導了中國近代的工業，乃至文化等領域。這一批留學生無疑是中國人虛心向西方列強學習的典型，但說它到底是失敗還是成功，我想沒人能說的清，因為中國從古至今的文化多是儒家、道家的哲學，西方開放式的熱情思想深深的吸引並開始改變國人。雖然中國有四大發明，可是國人並沒有繼續努力進取，以至於中國當時落後西方整整200年，等八國聯軍打到北京城的時候，中國才知道，我們落後了，可是沒有人可以改變當時的局面，因為現實已經把中國人無情的拋棄了。國仇家恨，當亡國奴的滋味不好受，我們的祖先可以說什麼呢，只能默默的接受現實。等到想大刀闊斧的改革的時候，國人已經被踩在侵略者的腳下了。如

果沒有當時的那十幾個小孩回到中國，後來的中國會怎樣，誰也不知道，但是一點肯定的是，中國近代史肯定不是現在我們看到的這個樣子了。

第二個階段應該是民國初年：上個世紀三四十年代，是中國多種思想百花其放的時代，一批批有識之士紛紛尋找救國之路，大批的學子第一次踏出了國門，去外面看世界，以希望自己學到的一點知識可以為國家出一份微薄之力。「落後就要挨打」，成為當時的一句新名詞。這個階段大批留美、留歐、留日的留學生回歸故土，無疑使中國的政治經濟向前邁進了一大步，並且奠定了未來中國共和的雛形。其中留俄的海歸們成為當時中國最活躍、最具思想力的一批社會精英，他們不但給中國帶來了馬列主義，同時也成就了中國共產黨。這些海歸們帶來了資本主義的新思維，思想救國和實業救國成為一時間無數追求繁榮、開放的有識之士共同追求的目標。辦學堂、開洋行，整個國家都在動盪中艱難的轉型，但是老百姓的思維是很難改變了，於是一批保護祖先文化的同胞開始對資本主義全盤否定，但是改革的呼聲，要比今天我們看到國家改革的呼聲還要大的多。因為每個人都意識到，只有從根本解決問題，中華民族才能繼續存在下去。

可惜好景不長，由於外族侵犯和軍閥混戰，混亂的社會矛盾加上內憂外患，整個民族彷彿在一夜之間從美麗幻影的夢中驚醒。中國在這個階段，因為連年的戰亂，導致民不聊生，經濟完全崩潰，更談不上什麼科技了。抗日戰爭結束後，人們再一次意識到接受西方先進思想的重要性和必要性。因為美國在二戰起到了決定性的作用，於是人們開始把美國做為留學的第一目標，這個時候成長起來的年輕人，多半都是受五四運動影響的年輕人，他們離開了中國，開始了漫長的為國家繁榮努力做貢獻的留學。這也可以說是為祖國強大而留學，每個人的目標，就是看到一個強大的中國。他們成為後來第三階段的主要代表，如錢學森等。

第三階段是中華人民共和國初年：1949中華人民共和國的成立，標誌著中國結束了近百年來的內戰與外患。新中國的成立，讓無數希望和平繁榮的海歸重新看到了希望，而國家也非常需要他們回來。隨著留美派的回流，中國經濟、政治、軍事發生了質的變化。這中間有很多的名字，是我們今天熟悉的，也有很多是我們不

熟悉的，但是他們都在做著同樣的一件事，那就是將中國建設成為強大的國家。

由於中國共產主義的勝利，在亞洲的周邊國家也迅速都相繼效仿，留美派這時成為新中國的主要力量。可能是落後太久的原因，國家很多工業要從頭開始發展，這時候出現了激進派，宣揚著趕英超美的思想又一次蒙蔽了很多人的眼睛。英國做為最老牌的資本主義，它代表著蒸汽、工業革命，美國做為一個只有200年歷史的國家迅速成為全球注目的焦點，它的發展是快速的。朝鮮戰爭爆發和大躍進，無疑對努力發展的中國帶來了極大的傷害。雖然留美派幫助中國邁出了軍事國家的第一步，核子爆炸，衛星上天。但留學蘇聯卻成為這個時代的主流。這批留蘇海歸後來雖然因中蘇關係的惡化，被壓抑了整整二十年，但改革開放後，他們幾乎佔據了中國各個行業的領軍地位，成為中國改革開放的火箭助推器，直到今天，也還有很多人仍繼續著他們建立富強中國的夢想。

第四階段則是二十世紀末年：二十世紀最後的二十年，是中國大陸最輝煌的年代。中國大陸在經歷了改革開放後，很多人的思維方式發生了根本變化。國外新的觀念和技術給中國帶了變化，亦帶進了西方現實主義的思想。現代中國在文化上可以說「豐富多采」，信奉個人主義的人越來越多，共產主義思想已經在中國走入了末端。出國對於許多人來說，是改變生存環境和社會地位的最好的途境之一，是利大於弊。這時的出國已經不再是為救國而出國了，更多的是個人原因。當然，政府在開始的時候是起了主導的地位，因此才有了「公派」留學這個概念，公派留學是政府為自己培養國家人才的一種手段，1979年是建國以來，第一次向美國公派留學生，他們是帶著文化大革命的浩劫所造成的深刻創痛和傷痕，步履蹣跚地踏上了美國這個資本主義土地上的。在這批公費留學生中，有一個名叫王炳章的學生，在加拿大麥吉爾大學和蒙特利爾臨床醫學研究所學習，他就是《中國之春》和「中國民聯」最初的發起人之一。（王炳章簡歷：1948年出生於遼寧省瀋陽市。幼年移居北京，在北京完成小學與中學教育，1965年畢業於北京市第19中學，同年考入北京醫學院。1971年畢業於北京醫學院，1971-1979年外科醫生及基礎研究，1979-1082年留學加拿大麥吉爾大學醫學院獲博士學位。1982年創辦《中國之春》和「中國民主團結聯

盟」，擔任第一、二屆主席，1989年參與創建中國自由民主黨，擔任第二屆主席。1998年初潛入中國大陸籌組反對黨，二周後被捕，現在獄中。）

對於王炳章作為留學生參加民運的思想動機，王炳章在他的題名為「為了祖國的春天—棄醫從運宣言」中，有清楚的闡述：「我是一名中國醫生，畢業於北京醫學院，在校時參加文革，當過紅衛兵頭頭，發覺上當而隱退。畢業後，以『臭老九』身份放逐於青藏高原。在通天河畔，唐僧當年西天取經的曬經石旁，慕玄奘出國學經之膽略，抒屈原〈離騷〉之情懷……1978年，我考取第一批公費留學，1979年上半年，出國集訓期間，西單民主牆運動蓬勃興起，給祖國帶來了初春的氣息……然而，魏京生的突然被捕，震撼了我的心靈，使我陷於深沉的思考之中。今天，你飛出了牢籠……」（見《中國之春》創刊號王炳章：「為了祖國的春天—棄醫從運宣言」。）王炳章的這段自述，說出他和民運的關係。

王柄章是在臺灣情治機關海工會的策反下，和另一個留學生李林（盤瑞文），1982年10月，攜帶著成立《中國之春》民運組織的計畫來到了紐約，同另外兩名中國大陸留學生宦國蒼和梁恆見了面。宦國蒼回憶道：「我與王炳章長談了幾個小時，內容是對中國局勢的看法，王表示希望一起合作，在海外成立一個反對派組織，將國內被鎮壓的民運活動進行下去。我當時也覺得有在海外發展民運的必要……」（見《中國之春》第116期，宦國蒼《我與中國之春》）

1982年11月17日，王炳章等在紐約一間旅館召開新聞發佈會和記者招待會，宣佈棄醫從運，專職從事海外的中國民主運動，並出版《中國之春》雜誌。由於當時的歷史情況，美國的《時代週刊》、《紐約時報》、《洛杉磯時報》、《華爾街日報》、《巴爾的摩太陽報》、《匹茲堡消息報》、《華盛頓時報》，加拿大的《環球報》、《蒙特利爾消息報》、日本的《朝日新聞》、《讀賣新聞》、《產經新聞》、《世界報》、《自由》雜誌、法國的《解放日報》以及臺灣、香港等地的媒體，均對此事作了不同程度的報導，引起了國際上的注意。

1982年12月《中國之春》出刊，該期的主編為李林（盤瑞文），執行主編為黃立（宦國蒼），發行薛偉，打字徐曉雲。發表的主要文

章是：〈發刊詞〉、〈告海內外同胞書〉、〈《中國之春》編輯部第一號決議〉、〈中國當代民主運動的回顧和反省〉以及王炳章的〈為了祖國的春天—棄醫從運宣言〉。在臺灣政府的運作下，旅美華人姜敬寬、陸鏗、李勇、梁聲泰、梅伯群、陳炳基、陳香梅、許倬雲、余英時、鄭竹園、夏志清、唐德剛、段克文、司馬璐、叢蘇、邱宏達、謝扶雅、孫啟堂、鄭心元、徐松林、阿修伯、李東勃、楊文瑜等，都公開表示支持。

自《中國之春》第二期起，《中國之春》正式用「中國之春民主運動總部」的名義，發表了第一號和第二號公告。第一號公告公佈了《中國之春》聯絡站的活動宗旨，即：一、宣佈《中國之春》的觀點與立場，聯絡、匯集志同道合的朋友，不斷壯大組織力量。二、協助《中國之春》雜誌，並為《中國之春》雜誌寫稿、組稿。三、根據各地實際情況，組織國事討論及演講會。利用一切形式、包括文藝活動、聯誼活動等，擴大宣傳。四、服務海外華人，如幫大陸留學生、新移民解決入學、就業、居住等問題。五、運用各種管道做到外情內達，內情外達，將《中國之春》雜誌及資訊傳入中國大陸，並協助將國內消息及稿件帶到國外。六、為《中國之春》籌款。七、定期向《中國之春》總部彙報並向其他兄弟聯絡站交流活動情況。

1983年5月，《中國之春》第三期在其社論中，提出「徹底變革中國社會制度，實現民主、法治、自由、人權，並提出政治上的五項主張，即：一、廢除一黨專政；二、黨、政、軍、法分離；三、立法、司法、行政三權分立；四、各級民意代表及各級行政首腦應由人民直接選舉產生；五、實行聯邦制，制定新憲法。」

由於參加的人各懷鬼胎，各自有各自目的和野心，《中國之春》從一開始，就充滿了複雜的此起彼伏的糾葛爭吵，乃至激烈鬥爭的狀態，僅從1982年11月《中國之春》出版，到1983年「中國民聯」第一次代表大會召開的一年多的時間裡，這夥人就出現了二次大的爭鬥。第一次是《中國之春》創刊號發行不久，李林、梁恆、宦國蒼先後宣佈退出《中國之春》，第二次是民聯總部的張偉、楊懷安、馬汀不歡而去。就如王炳章在「中國民聯」第一次代表大會上報告所言：「我們還應該深刻地檢討一下，中國之春運動總部的工作機構曾出現過的兩次分裂……總部負責人應承擔的責任是：運

用幹部不慎、民主修養不夠、未能及時健全各項制度以及對個別人員的工作安排不妥。」

1983年12月27日至30日，王炳章等在臺灣政府資助下，在美國紐約召開了海外民運第一屆代表大會，出席代表共五十三人，他們來自美洲、歐洲、澳洲、日本、香港、臺灣、及中國大陸等世界各地。大會由汪岷致開幕詞，王炳章做工作報告。會議通過「中國民主團結聯盟章程」，正式將「中國之春民主運動」更名為「中國民主團結聯盟」簡稱「中國民聯」。該章程聲稱：「本聯盟以獨立自主為準則，聯合一切民主力量(包括國共兩黨和其他政黨在內的民主力量)，從根本上變革中國現行的專制制度，實現民主、法治、自由、人權。」「本聯盟現階段主要政治和經濟主張為：廢除一黨專政，實現民主法治，保障私有產權，提倡多元經濟。」「本聯盟現階段之工作重點是推展中國大陸的民主運動，近期奮鬥目標為：取消中華人民共和國憲法中的『四個堅持』，釋放一切被捕的持不同政見者，爭取持不同政見的民辦報刊在中國大陸出版發行，提倡自由選舉各級人民代表。」「本聯盟為和平統一中國而努力，中國的統一須有國、共兩黨以外的政治力量及人民層面的廣泛參與，不容任何政黨包辦。」並規定組織架構為：總部、分部、支部、小組四級。「本聯盟最高協調機構為總部委員會，由主席、副主席和委員若干人組成。總部委員任期暫定二年，連選連任，但主席一職，連任不超過兩屆。」(見《中國之春》第十期〈中國民主團結聯盟章程〉)

會中選出「中國民聯」的主席：王炳章，副主席：汪岷，常務委員：王炳章、汪岷、吳儉祥、林樵清、姚月謙、南明、馮斌、蔡小健、劉萬禎。委員：少軍、王炳章、尹重光、希民、沙林、汪岷、李國鵬、吳煥章、吳儉祥、林木森、林樵清、馬汀、金陵、怡文、武偉、南明、姚月謙、郭曉佐、陳光、高春泥、薛偉、楊雲、楊士心、梁偉寶、馮斌、張翔、蔡小健、劉梓桑。監察委員：汪洋、李然、李一諤。

「中國民聯」成立後，首先對當時的中國總理趙紫陽訪美活動進行了干擾，發表了「中國民主團結聯盟給趙紫陽總理的公開信」(見《中國之春》第10期)。1984年1月9日趙紫陽抵達華盛頓的當天，在趙紫陽下榻的旅館前遊行。還在洛杉磯舉行的第23屆世界奧

運會上，騷擾中國代表隊。在臺灣政府的支援下，民聯後來組織了一系列的活動，干擾中國政府的外事活動：如1984年11月11日，在普林斯頓大學的中國統一問題探討會；1985年4月21日，中國大陸人大常委會委員長彭真訪問日本；1985年7月22日，中國國家主席李先念訪問美國；1986年4月28日，班禪、彭沖率領的人大代表團訪澳洲；1986年6月，胡耀邦訪英、法、德等歐洲國家；1987年5月21日，國家教委何東昌率領的教育代表團訪美；1987年9月9日，王任重率領人大代表團訪加拿大等，「中國民聯」均動員或派遣一些留學生及盟員去現場示威或散發雜誌及宣傳品。

「中國民聯」第二次代表大會是1985年12月27日至30日在華盛頓召開，三十八名代表參加了會議。美國總統學者委員會委員陳香梅及美國民主黨政策委員會代表班頓在會上發表了演講。會上討論了「中國民聯二大秘書處公告」、「中國民聯總部第二號文件」、「中國民聯世界二大對中國大陸局勢的看法」、「中國民聯世界二大對臺灣當前局勢的看法」、「中國民聯世界二大對香港當前局勢的看法」、「中國民聯世界二大就要求釋放魏京生等獄中民運人士致北京政府的公開信」、「中國民聯世界二大要求中國之春雜誌在國內發行致北京政府的公開信」、「中國民主團結聯盟總章程」、「中國民聯章程關於組織法的補充條例」、「中國民聯章程關於負責機構、負責人及盟員權責界定的補充條例」、「廢除、修改、補充中國民聯章程的提案法」等文件，並將這些文件發表在《中國之春》的第33期上。

中國民聯二大選舉結果：主席：王炳章，副主席：柯力思，常委：姚月謙、林樵清、張俠、沙林、李光、王柄章、柯力思。委員：劉桑梓、耿晨、柯力思、明闊、林燕君、馬汀、李國愚、高今航、姚月謙、黃琉、雷雨、張漢良、武煒、譚純、黃凡、朱林啟、南明、王策、高春泥、楊農、張森、郭曉佐、雪城、怡文、魏西西、黃奔、王炳章、李光、沙林、張俠、林樵清。監委主任：薛偉。委員：郭平、張志明、李然、李兆陽、宗繼詳、洪汝拴。

1986年底，中國民聯利用於國內學潮和王若望、方勵之、劉賓雁被中共開除黨籍，以及中共總書記胡耀邦辭職等事件，在海外的中國留學生裡製造輿論。並於1987年1月14日，在《中國之春》總部，邀請了一些留學生舉行了一次集會，參加會議有于大海、楊小

凱、李少民、余叢（馮勝平）、丁楚（房志遠）、程鐵軍、李三元等，鼓動大家發起一場全美中國大陸留學生簽名公開信活動，共徵得二百八十二名人簽名。公開信發表於1987年1月23日：「近一個月來，中國國內事態的發展，引起海外同胞極大的焦慮和外國朋友的嚴重關注。我們心憂如焚，不能不出來大聲疾呼……」

1987年1月10日，中國民聯的成員楊巍在上海被捕。他們認為利用楊巍案，正好可以遊說美國政府，打壓中國的國際形象。2月4日，在王炳章和黃奔、宗繼祥等人的四處活動下，楊巍案引起美國政界的關注，美國眾議院外交事務委員會的兩位參議員赫爾姆斯和狄孔西尼，向參議院提出了一個議案，要求美國國務院力促中國釋放楊巍，並給中國大陸留學生延長居留權。10月8日，提案通過，這是美國政府針對中國留學生的第一個提案。

1987年12月31日至1988年1月3日，中國民聯「三大」在三藩市召開，出席代表六十三人，其中正式代表五十三人，列席代表十人。最後選舉出胡平、柯力思為民聯主席、副主席。常委胡平、柯力思、呼延民、余叢、林樵清、王炳章、姚月謙、沙林、張俠。委員姚月謙、高今航、趙桑、王維真、陳紓塵、早尚、李台彥、劉梓桑、李國愚、余直、丁楚、宗繼祥、楊農、賴石、張卓之、王炳章、林樵清、沙林、張俠、呼延民、張志明、高格文、王策、郭城、余叢、林偉、車少莉、南明、林心聲、莫逢傑、胡平、柯力思、謝正一，監委主任委員薛偉，委員孟振華、黃奔、錢達、楊先智、童菁、何明。大會通過了四個表決案，即：一、「創造溝通對話的機會，爭取參與改革的權利—我們對中國大陸改革形勢的看法以及對民運路線的建議」；二、「全面更新國會，抑制兩極發展，政治衝擊大陸—我們對臺灣朝野的呼籲」；三、「積極參政，建設民主香港—我們對香港人民的呼籲」；四、「積極創造條件、籌建民主政黨」。（胡平簡歷：1947年生於北京，生父係國民黨軍官，肅反時被鎮壓。1978年考入北京大學哲學系研究生班，積極參與民主牆，任《沃土》編輯。1980年參與高校競選活動，被選為海淀區人民代表。1983年在北京出版社任編輯，1987年赴美留學，並在此間加入民聯。現為《北京之春》主編。）

民聯「三大」後，「中國民聯」與《中國之春》發生財務危機，臺灣方面因為不滿民聯的內鬥而暫停了資助，這樣的狀況一直

到後來由臺灣主管人員約談了胡平後，才漸恢復正常。但1989年初的「罷王風波」，又一次使中國民聯和《中國之春》陷入困境。長久以來，民聯內部對王炳章的領導作風和財務制度的「黑箱作業」深為不滿，而從臺灣兩個不同情治機構管道拿錢的薛偉和王炳章又互鬥不斷，加上王炳章挪用民聯的錢開了一家保險公司和專辦政治庇護的公司，引起了盟內的不滿。這樣，一個反對王炳章的力量就組合形成了。1989年1月29日，民聯常委會、監委會罷免王炳章公告公佈後，引民聯內鬥升級，副主席柯力思私自提走了《中國之春》的大部分存款七萬五千美元，並關閉了帳戶。雙方最後鬧到法院，法院最後判決王炳章不可以「中國民聯」的名義活動，要求在限定的時間內將錢全部退還。4月31日「擁王」派在紐約召開會議脫離民聯，宣佈「中國民主黨」成立。

就在民聯內鬥鬧得焦頭爛額之時，北京發生了一系列的政治事件：其中之一的就是在1989年2月，由北島、邵燕祥、牛漢、老木、吳祖光、李陀、冰心、宗璞、張潔、吳祖湘、湯一介、樂黛雲、張岱年、黃子平、陳平原、嚴文井、劉東、馮亦代、蕭乾、蘇曉康、金觀濤、劉青峰、李澤厚、龐朴、朱偉、王焱、包遵信、田壯壯、王克、高皋、蘇紹智、王若水、陳軍等33人共同署名的致人大常委會、中共中央的「公開信」。而這一事件的組織者就是中國民聯的秘密成員—陳軍。（陳軍簡歷：1958年生於上海，1979年考入上海復旦大學哲學系，1983年和美國公民結婚，移民美國。1983年以陳洪林筆名任《中國之春》記者，1987年在上海開可可樹酒吧，在北京開捷捷酒吧，1989年在北京成立「八九特赦」辦公室，1989年2月運作三十三人簽名的「公開信」，現不詳。）

4月15日，中共前總書記胡耀邦心臟病猝發逝世，由「中國民聯」成員掌控的留美學生團體「中國旅美政治學國際關係學會」向中國大陸發去質詢唁電，4月18日，于大海、劉曉波、胡平、陳軍、吳牟人、李少民等人就中國大陸局勢發表「改革建言」，要求中共「認真、全面檢討改革十年來政府在政治、經濟、文化方面的決策失誤」，「促請趙紫陽、李鵬、鄧小平、陳雲公開承認自己領導中的失誤」，「修改憲法，取消四個堅持」。與之相呼應，「中國民聯」發表聲明，表示支持大陸學生運動，並由民聯主席胡平、常委丁楚、監委主任薛偉等人親至中共駐紐約領事館遞交聲明。4

月29日由中國民聯主導在三藩市召開「八九年中國問題研討會」，劉賓雁、王若水、吳祖光、劉再複、北島等出席會議。5月25日，中國民聯成立「中國大陸民主運動訊息傳遞中心」，聲明：「目前，中國大陸的形勢十分嚴峻，決定勝負的鬥爭，已經不是以天計算，而是在按小時計算。我們提議採取以下行動：一、寫百萬信；二、打百萬電話；三、運用一切可用的傳遞訊息的工具，包括FAX、電腦等等，把各種最新的資訊傳遞進大陸。」

6月5日至10日，中國民聯相繼發表了三個聲明：

（一）中國民聯緊急呼籲：「中國民聯向全國、全世界發出呼籲，一、一切有良心的中國人，團結起來……全力投入抗擊鄧、楊、李超級法斯政權的大決戰。二、全世界各國政府、各國人民、聯合國和國際組織，堅決譴責鄧、楊、李政權的滔天罪行，對這個極端殘忍、極端兇暴的政權實施一切可能的制裁，同時在道義上、物質上對浴血奮戰的中國人民給予援助。三、臺灣朝野，應以最大的努力支援大陸人民的鬥爭。四、推翻這個罪惡的專制制度，建立一個真正自由民主的新制度，已經是當務之急，海內外一切愛國人士，包括中共黨內的愛國人士應該立即商議籌組一個民主的聯合政府。」

（二）號召7月1日集體退出中國共產黨：「北京城的大屠殺，撕碎了全世界每一個善良人的心！……今年7月1日，是中國共產黨成立六十八周年紀念日。我們呼籲廣大共產黨員，在這一天同時集體宣佈退黨。」

（三）中國民聯擴大招收盟員：「我們準備公開在海外招收盟員，敢於和我們站在一起的中國人，請加入中國民聯。」

1989年，也是美國國會有關中國問題提案最多的一年—

4月17日：Benjamin Gilman提出「限制中共之軍備輸出，以避免中共用之鎮壓西藏人民」案。

5月18日：Jesse Helms提出「支持大陸民主運動，要求中共尊重人權」案。

5月23日：Dick Anmey連續提出三案，「促中共與民運人士協

商、要求中共解嚴，認定中共如果暴力鎮壓民運，將嚴重損害美中關係。」

5月24日：Stephen Solarz提出「要求中共和平對待民運人士、暴力鎮壓將嚴重損害美中關係」案。

6月6日：美國國會提出「對高科技輸出予中共表示關切」等三案。

6月8日：Jesse Helms提出「主張對中共採取全面經濟制裁」案。

6月13日：Benjamin Gilman等四名議員提出「禁止將美制人造衛星交予中共火箭發射」等三案。

6月15日：John Porter提出「增加香港移民配額」案。

6月19日：Pete Wilson提出「國會認定中共自天安門慘案迄今不斷迫害人權」案。

6月20日，Slade Gorton等提出「要求移民局予在本年6月5日以前進入美國之大陸人士永久居留權」案及「要求世銀、亞銀反對貸款中共」案。

6月21日：Nancy Pelosi等三議員提出「准許J簽證之大陸學生，無須返回大陸，得於美國政府改變身份居留」等三案。

6月22日：Richard Gephardt等六議員提出「促中共停止處死民運人士」、「停止中共貿易最惠國待遇」等六案。

6月23日：Paul Simon等三議員提出「停止中共貿易最惠國待遇」等二案。

6月28日：Bruce Morrison提出「將中共大使館門前公園命名為天安門廣場公園」案。

6月29日：Dante Fascell提出「對中共採取多項制裁，包括停止軍售、貿易、經援」案。

7月11日：George Mitchell提出「對中國問題的綜合案」。

7月12日：Slade Gorton提出「修改移民法，便利大陸簽證人士延長居留」等二案。

7月14日：Paul Simon提出「眾院第2655號修正案之參院版

本」案。

7月17日：James Schener提出「便利大陸人士延長居留」案。

7月19日：Jesse Helms等提出「要求中共立即解除西藏戒嚴令，並與達賴喇嘛協商以解決西藏問題」等七案。

7月20日：Slade Gorton提出「將美國之音年度經費由三千六百萬提高為七千一百萬以更新設備加強對大陸廣播」等二案。

7月21日：Joe Barton提出「便利大陸人士變更身份合法居留」案。

7月26日：Bill Emerson提出「發起民間團體籌款在美複製天安門民主女神像」案。

9月20日：Robert Kasten提出「建議將中共使館前公園命名為天安門廣場」案。

9月26日：John Latake提出「反對貸款中共或對其提供技術援助」案。

10月4日：Benjamin Anderson提出「阻止中共加入國際關協，停止貸款中共，停止最惠國待遇之決定延長一年」案。

10月23日：Glenn Anderson提出「凡中國大陸人民返回本國將遭政治迫害，得合法暫留美國工作居留」案。

10月26日：Neal Smith提出「禁止美製造人造衛星交予中共發射」案。

⋯⋯

一年間，美國國會對中國大陸問題提案竟達五十三例之多，這在美國的歷史上是空前的，在任何國家的政治史上也都是史無前例的。

由於八九年六四事件的發生，使得本來因內鬥而渙散不堪的海外民運，有了一個重新聚合的動力，亦給本來已對中國民聯失去信心的臺灣當局打了一針強心劑。1989年6月23日至26日，中國民聯在洛杉磯舉行了第四屆代表大會。參加此會的正式代表有八十五人，列席代表二十人。代表們聽取了總幹事丁楚作的「總部工作報

告」，《中國之春》經理林心聲作的「財務報告」以及監委主任薛偉作的「監委工作報告」。以六十九票對十一票的表決，通過了張卓之、余叢等人的議案，將中國民主黨與民聯從組織上分開。會上還有一名代表邵華強公開了他的國安部的身份，他原是上海師範大學學生，被中國國家安全部指派打入中國民聯，搜集海外民運情報。民聯「四大」選舉結果：民聯主席：胡平，副主席：黃奔，聯盟委員：徐邦泰、汪岷、吳方城、余叢、宗繼祥、李國愚、于大海、高格文、呂凡、伍凡、江文、姚月謙、張偉。候補委員：陳紓塵、馮斌、郭平、林偉、良心。監委：薛偉、劉新華、莫逢傑、張卓之、董真海、任松林、李兆陽。候補委員：楊先智、郁易敏、李然。

　　中國民聯「四大」公告：「進一步打破中共的新聞封鎖，讓更多的大陸人民瞭解到這次民主運動的全部過程和中共當局血腥屠殺手無寸鐵的學生民眾的事實真相。同時，也要進一步加強自由民主法治觀念的傳播和對極權專制制度的批判。通過各種管道，努力做好對大陸民運人士的援助和營救工作。」以此任務為重心，中國民聯進行了一系列的佈置和運作。

　　(一)首先對《中國之春》雜誌進行了迅速的調整，雜誌宣傳以「八九民運」和「六四事件」為重點。

　　(二)出版《八九民運紀實》，由吳牟人等負責編輯。

　　(三)創辦「六四之聲」電臺，由李三元、胡明、王輝雲、杜剛等在芝加哥開播。

　　(四)成立「六四計畫」組織，由盧偉力、李麗嫦、王子鍵等負責。搜集一切有關天安門事件的資料，建立一個檔案庫。

　　(五)成立「中國之音」廣播電臺，由民聯聯委會主任徐邦泰負責在三藩市成立。

　　(六)完成「T計畫」方案。「T計畫」的最早草擬者是陳軍、吳牟人、宦國蒼，後來參加的有胡平、徐邦泰、吾爾開希。該計畫是在臺灣軍情機構的指導下，「針對中國大陸目前可能出現的政治解體、經濟危機和社會動亂所設計的一套具體可行的應變方案」。臺

灣方面認為：「提出一套可操作的應變方案，是現在海外的中國民主力量能否在中國大陸下一次民主運動中發揮重要的思想和策略作用的關鍵。」

「Ｔ計畫」提出的研究大綱是：

一、最可能的模式。中國民主運動未來最可能發生的事變的模型、出現方式、大致進程和特點。面臨的主要事變中是否可能出現全國性或地區性動亂。

二、這種動亂是否會與歷史上已有的政治、民族、宗教、宗法派別鬥爭糾纏在一起。如何應付這類動亂。

三、如何使軍隊在民主運動中保持中立，或者使軍隊採用各種方式支援民主運動，反抗獨裁者。如何最小限度地使用軍隊推翻獨裁體制、如何防止避免軍隊中的派別衝突。在民主運動初步勝利後，如何儘快使軍隊退出國內政治，如何使軍隊擺脫政治影響，讓軍隊國家化。

四、員警及治安。保證員警在社會治安中的主導作用、如何使員警按照法律保護民主運動。解散「群眾專政」體制。及時釋放政治犯，嚴格依照法律懲處刑事犯罪份子。

五、憲法修改。如何適時提出修改憲法任務，採取何種程式修改憲法。擬定「民主中國憲法（草案）」。

六、民主選舉與人民代表大會（議會）。解散原有全國人民代表大會，以及地方全國人民代表大會的時機與程式，何時採用何種方式進行全國議會選舉。在全國大選前是否需要一個過度階段、競選機制的引入。

七、政體結構。除全國議會（人民代表大會），是否還有保留原省、市、縣人民代表大會的必要。中央政府與地方政府結構設計與變動。「三權分立」的可能性、必要性與實施方法。國家元首制度、內閣構成。

八、政黨制度。如何處置原有獨裁政黨及原有八個「民主黨派」。要不要解散共產黨或由共產黨改革派自行改組。制定實施

「政黨組織法」，允許公民自由組黨。多黨制的民主政治、政黨與政府分離。

九、新聞自由。制定實施「新聞法」，保障公民新聞出版言論自由。報紙、電臺、電視臺以及出版社的民營與民辦。是否再設立官方通訊社和政府中的新聞出版管理機構。

十、企業與工會。在政治變動中保護已有生產力和經濟設施，迅速實施市場經濟、保護和發展真正的與官僚集團無聯繫背景的個體經濟或其他民營集體經濟企業。發展原有的國營企業、明確產權，進行有效變革。保障原有企業經濟活動的法令，建立自由工會和工人自治問題。

十一、保障國家財政。原有銀行、金融體制的保留與變革。如何追回官僚貪污集團在海外的資財，取締與官僚集團相勾結的企業（官倒）之經濟特權。

十二、農業與農民。穩定農村社會，發展農村商品經濟。農村物資供應的保障，不誤農時發展農業生產。鄉、鎮長直接選舉的實施。土地所有權的變動，土地改革的實施，農村公有設施的保護及使用。

十三、市場與人民日常生活的保障，主要是糧食及副食品的保障。

此外，還有少數民族問題、香港問題及臺灣問題。海外民運人士的作用及國際關係和外交問題。

這期間，海外民運組織掀起一股抓特務的風潮，民聯總部和《中國之春》編輯部也興起「抓中共特務」的風波。《中國之春》主編丁楚首當其衝，被懷疑是國家安全部的特務。一時間，人人自危。1990年6月28日，胡平向民聯聯盟委員會提出「辭職」，造成胡平的「辭職」原因，主要是因為這段時間戰線過長，造成經費的短絀，任用丁楚濫權造成信任危機。雖然在7月4日召開了聯盟委員會第六次會議，讓胡平收回了辭呈，但給為《中國之春》立下「汗馬功勞」的丁楚從海外民運組織中出局埋下了伏筆。

民聯第五次代表大會於1991年6月1日至3日，在加拿大多倫多

市召開。參加此次會議的共有六十九名正式代表和五十多名列席代表。因為簽證和經濟的原因，有近三分之一的正式代表未能到會。民陣的萬潤南、吾爾開希、工自聯的呂京花等參會，大會通過了「關於和民陣合併的決議」以及「關於中止盟黨分家的決議」。選舉產生第五屆成員—主席：于大海，副主席：伍凡，聯盟委員會主任徐邦泰，副主任汪岷，聯盟委員：汪小風、方能達、吳仁華、姚勇戰、鄭郁、宗繼祥、張偉、楊漫克、高格文、蘇洋、李國愚。候補委員：鐘銳、梁華、馮勝平。監察委員會主任郭平、副主任李兆陽，監委委員：鐘錦江、王堅、馮斌、莫逢傑、李剛，候補委員任松林、金秀紅。（于大海簡歷：1961年生於天津，1978年入北京大學物理系讀書。1982年進美國賓州大學讀物理系博士，1983年轉入普林斯頓大學，改讀經濟系博士。曾任中國留美同學經濟學會首任會長，1989年加入中國民聯，1991年任中國民聯主席，1992年-2002年任《中國之春》社長。現在美國大學教書。）

于大海上任伊始，改進總部及《中國之春》編輯部的工作，採取了以下具體措施：

一、修訂預算。民聯此一階段的每月收入僅二萬三千美元左右，將其中一萬七千元劃給雜誌社，一千元劃給了聯委和監委，三千元劃給了香港辦事處，所剩的劃給了總部。

二、向美國國家民主基金會(NED)申請資助。1992年6月，《中國之春》接到了NED提供的第一筆四萬五千美元的經費。

三、《中國之春》組成新的編委會，于大海任社長，胡平任主筆、薛偉任經理、方舟任執行編輯。

于大海任民聯主席時間，策動了幾起闖關事件：1991年7月，前民聯副主席黃奔，在香港申請簽證被拒。1991年8月，民聯成員楊錚、甯勤、徐如雪和柳期陽，潛入大陸，被遣送出境。1992年5月，民聯成員龔小夏與異議人士戴晴，分別在香港闖關被拒絕入境。1992年4月15日，民聯成員又是自民黨副主席的倪育賢，乘坐中國民航的班機強行闖關。1993年6月，又發生民聯成員兼工自聯常委呂京花闖關被阻事件。

于大海和中國民聯還策劃了1992年1月底，李鵬到美國參加聯

合國安理會高峰會議的抗議遊行；1992年2月9日針對朱熔基副總理到澳大利亞訪問的示威聚會；1992年4月中共總書記江澤民訪問日本的一系列抗議活動。但由於參與的人和經費都越來越少，加上臺灣方面要求合併壓縮組織的指令性壓力，民聯和民陣合併的議題再次被拿到檯面上，民聯獨立存在的可行性日漸式微。

2、民主中國陣線

八九年天安門廣場事件之前，海外民運團體只有中國民聯一家。八九年八月以後，則形成了多元的架構，其中最主要的是另外兩個民運團體「民主中國陣線」(簡稱民陣)和「全美中國學生學者自治聯合會」(簡稱「學自聯」)。

民主中國陣線，是由那些因八九年天安門廣場事件流亡海外的政治人物所成立。1989年9月24日，民主中國陣線在巴黎舉行了第一次代表大會，由嚴家其任理事會主席、吾爾開希任理事會副主席，錢達任監事會主席，萬潤南任秘書長。民陣成立宣言是：「民主中國陣線的綱領是保障基本人權、維護社會公正、發展民營經濟、結束一黨專政。」但由於民陣沒有民聯的留學生的基礎，這個組織除了每次開會時，能聚集一批人外，幾乎沒有什麼能量和影響。所以這裡著重描述他們的幾次大會情況，以助於瞭解民陣的發展史。

民陣的第二次代表大會是1990年9月22日至24日在美國三藩市開的，大會由王超華、黃偉成、錢達、王光秋、陳一諮、廖天棋、汪浩、汪岷、馬大維、馬甯、鐘人組成主席團。民聯主席胡平、全美學自聯主席陳興宇，以及劉賓雁、柴玲等特邀代表相繼在會上發言。嚴家其、錢達和萬潤南分別就上屆理事會、監事會和秘書處的工作向大會做了報告。二十四日用去整個上午來完成章程及選舉辦法，對章程所做的主要修改有：代表大會兩年一次，其間可開特別大會，理、監事為下屆代表大會當然代表。正副主席做為行政首腦，不再是理事會成員，同時取消秘書處。主席可對理事會決議行使否決權，而理事會亦可反否決。新設由代表大會直選的財政委員會主任，負責總部的撥款。下午的選舉由萬潤南、許思可和朱嘉明、徐邦泰兩對競選主席。

選舉結果，萬潤南和許思可以59票比49票當選正副主席，王超華、錢達、老木、王珞、邵宗懿、李梁、杜智富當選監委，錢達蟬連監委主席。分區理事為——澳洲：李克威、楊兮、李娟；美國：朱嘉明、馬大維、楊光；英國汪浩；德國廖天琪；法國嚴家其；港臺張郎郎；加拿大伍春萌；北歐徐廣繁；荷、比、盧、瑞：錢海鵬；日本楊中美；南美暫缺。朱嘉明為理事長。

民陣第三次代表大會於1993年11月25日至26日在澳大利亞墨爾本召開。會前，萬潤南、馬大維、孫繼生會見了澳大利亞外交部長伊文斯和國會人權委員會主席羅斯裡。來自歐洲、美洲和亞太地區十七個國家的八十餘名代表和二十多名來賓出席會議。澳洲工黨維省領袖班比、澳大利亞外交部長顧問袁燦、澳洲民主黨維省主席馬羅倫以及維省移民局長代表加利懷特等澳洲政要分別出席了大會開幕式和大會晚餐會。民聯「六大」籌委會召集人吳方城、項小吉、薛偉，全美學自聯主席林長盛，全加學自聯主席姜勇，以及吾爾開希等人參加了大會全過程，並多次發表講話。大會根據過去四年的經驗與教訓，修改了民陣的章程，調整了組織架構，並選舉萬潤南先生為民陣第三屆主席，馬大維、齊墨、孫繼生為副主席，杜智富為監事會主席。選舉了第三屆理事會和監事會，理事會理事為：章雨、蔡崇國、齊墨、盧揚、萬潤南、孫繼生、秦晉、黃兆邦、趙南、姚勇戰、盛雪、杜智富、許思可、馬大維、錢達，監事會成員為：文權、費良勇、張小剛、王國興、程真、朱韻成。

民陣第四次代表大會於1996年5月17日至20日在美國肯塔基召開。出席本次大會的有正式代表，列席及來賓共九十餘人。劉剛、王軍濤、王若望、宋書元和全美學自聯主席邢錚等參加。大會選出杜智富為第四屆主席，齊墨、趙南、秦晉為副主席，馬大維為監事會主席，前主席萬潤南等十六人分別當選為第四屆的理、監事。

民陣從一成立，就面臨著臺灣方面要求它與民聯合併的壓力。民陣二大召開後，萬潤南跑到臺灣要錢就不順利，臺灣方面在1991年10月25日藉「辛亥革命八十周年國際研討會」之際，把萬潤南、于大海、王炳章、王輝雲、丘彼得、朱嘉明、伍凡、艾端午、汪岷、沈國斌、李三元、李大同、李大興、李波、李兆陽、李勇、李祿、吳仁華、孟玄、胡平、倪育賢、宦國蒼、徐邦泰、耿曉、陳一諮、陳興宇、許思可、莫宗堅、楊光、楊巍、楊建利、楊漫克、張

人則、張文蔚、張向民、華夏子、程玉、程鐵軍、廖天琪、熊波、薛海培、魏冬青、鄧康、瞿曉華、譚建、顧曉陽、嚴家其等來各地的民運人士聚集到芝加哥橡樹溪凱悅大飯店，要求他們討論了海外民運組織的合併問題，特別是民陣和民聯的合併問題。

本來打著是「辛亥革命八十周年國際研討會」的名義，但會議程式一開始就由民聯和民陣分別報告雙方為落實各自代表大會，關於兩大組織儘快合併的決定而進行的一系列準備工作。緊接著，會議內容全部圍繞著民運組織聯合的具體方案，合併前景和時間方案而進行討論。

根據「芝加哥會議」的討論結果，民陣理事會不得不在1992年1月25日與民聯理事會在三藩市舉行聯席會議。民陣正副主席萬潤南、許思可，監委主席錢達，十二位理事朱嘉明、嚴家其、楊光、廖天祺、張郎郎、馬大維、楊兮、李娟、李克威、錢海鵬、楊中美、伍春萌全部出席了會議。會議採取雙方聯委會和理事會通過分別表決的方法，達成以下協議：

一、會議決定於一九九二年十月八日在華盛頓召開民聯、民陣聯合代表大會，會期三天，並選擇一九九三年一月二十八日作為後備日期。

二、會議決定向聯合代表大會提出合併後新組織名稱的建議有：中國民主黨（十八票），中國民主聯合陣線（十三票），民主中國聯合陣線（九票）。

三、會議確認雙方代表總數、籌備和代表產生以對等為原則。聯合代表大會代表總數一百五十名，雙方各七十五名。

四、會議決定成立民聯、民陣聯合工作委員會。該委員會下設四個專項工作小組：章程小組、籌款財務組、代表資格審查組、聯合代表大會會務組。

五、聯合工作委員會由萬潤南、于大海、伍凡、許思可、朱嘉明、徐邦泰、汪岷、馬大維組成。確定四個工作小組的成員：章程文件組李兆陽、方能達、王珞、老木；籌款組楊中美、呂京花、薛偉；代表資格審查組郭平、錢達、楊巍、楊建利、鄭郁、盧揚；會

務組楊光、張偉。

六、會議通過雙方財務存底控制的提案，保證在合併之前的雙方財務不得有赤字，以免造成合併後新組織的負擔。

但一九九三年初在華盛頓召開的民聯民陣合併大會，因兩個民運組織激烈的內鬥而最終失敗。也導致了民陣在臺灣有關方面的失寵，這種失寵的狀態造成民陣經費的嚴重不足，人心渙散。這種情況，直到民陣五大都沒能緩解。1994年5月23日，臺灣海工會副主任委員章偉義和世界自由民主聯盟秘書長劉志同親自出馬，到加拿大多倫多市，主持民陣第五屆代表大會和民聯第八屆代表大會，試圖挽回民陣民聯合併的可能性，但最後也無疾而終。此次大會，使得令臺灣當局不太喜歡的萬潤南基本出局，由臺灣人杜智富任理事會主席，副主席為齊墨、趙南、莫韋強，秘書長為盛雪。理事會成員還有李穎、梁友燦、王進忠、秦晉、孫繼生、稅力、王國興、萬潤南、費錚銘、蔡崇國，酈明遠（候補）。監事會主席為蔡崇國，監事會成員為霍壯、盧陽、相林、王眾、金曉炎、朱家烈、余強（候補）。由此，民陣的活力喪失怡盡，最終消失的無影無蹤。

3、全美中國學生學者自治聯合會

1989年7月28日，大陸留美學生在美國芝加哥市，舉行了「全美中國學生學者自治聯合會」第一次代表大會，並發表了大會宣言：

我們是來自中華人民共和國的學生和學者。我們分佈在美國各地。我們熱愛我們所從事的專業。我們有志於成為未來的科學家、藝術家、工程師和各類社會、人文學科的專家。我們崇尚科學和理性的精神，尊重和保護人類的基本權利。我們致力於社會文明的進步，追求公正、自由與民主的社會和政治制度。但是，一九八九年六月四日在中國首都北京發生的流血事件，使我們痛切地感到：在中國─我們的祖國，科學和理性遭到了褻瀆，文明遭到了踐踏，和平、自由和民主的萌芽遭到了摧殘，人民的基本權利遭到了強權和暴力的蹂躪。在此歷史關頭，我們四萬中國留美學生和學者受到良知和正義的召喚，走到一起來，莊嚴宣告中國留美學生學者聯合會的成立。我們強烈譴責中國現政權對和平民眾的血腥鎮壓。我們對

死難同胞表示沉痛的悼念；對死者和受害者的親屬表示深切的同情。人民的血不會白流，鎮壓人民的元兇必將受到歷史和人民的最後審判。這一天定會來到！

大會選舉了斯坦福大學的劉永川和耶魯大學的韓聯潮為正副主席。並發起了當年10月1日的「華盛頓中國民主大遊行」，有來自一百多所院校、科研機構的四千多名留學生和二千多名華僑參加，顯示出學自聯的號召力和鼓動力。第一屆學自聯的主要活動還有「八九民運研討會」，遊說美國國會以最優惠國待遇為手段促使中共釋放政治犯，為國內地震災民募捐等。

全美學自聯「二大」是1990年7月，在俄亥俄州的哥倫布市召開的，此時的海外民運高潮已是強弩之末。面臨這一現實，第二屆學自聯在加強組織，援助「六四」受害者及家屬，爭取留學人員權益方面展開工作。學自聯與IUB公司簽訂的醫療保險合同，其價格大大低於原使館提供的保險服務，條件優於美國著名的藍盾保險公司。學自聯與CTS公司達成協議，使留學人員在搭乘美國國內航班時，可以買到價格優惠的機票。與此同時，學自聯積極開展幫助留學人員家屬探親的活動，通過與美國國務院的交涉，為五百多留學人員親屬解決了簽證問題。

全美學自聯於1991年7月12日到7月14日，在華盛頓近郊的馬里蘭大學召開了第三屆代表大會。共有一百八十三個學校團體參加，還有一些各種民主「基金會」和「中心」等。學自聯一大時，號稱有二百一十個團體出席，二大時單位減少到一百一十七個。這次大會則有一百六十個單位報名，其中一百三十四個選派正式代表參加了三大。這是在民運組織跨入了第三個年頭，海外各民運團體面臨著經費困難、熱情下降和參與不足，海外民運進入了低潮期的嚴酷背景下召開的。會議代表中「三朝元老」居多，方勵之、劉賓雁、朱嘉明、吳英毅、波洛西議員和民聯的前任和新任主席均到會。

這次會議總結了「學自聯」過去一年的工作。二屆主席陳興宇詳述了「學自聯」營救系獄民運人士，援助六四受難者家屬的工作。還有各部門向大會作的工作報告，以及回答代表們的質詢。賴安智代表理事會，李平代表監委會分別向大會作了報告。主張「學自聯」非政治化的觀點，在大會上形成一個明顯的「鴿派」。圍

繞著中國最惠國待遇問題所展開的爭論，是這次大會辯論的焦點。趙海青和耿曉以一百零八票對九票的絕對優勢當選主席副主席。第三屆學自聯還加強了《學自聯通訊》的編輯發行工作，發行量已達一千份，成為學自聯總部聯絡同學與地方學生組織的一個重要管道。

第三屆學自聯最引人注目的，是遊說美國會立法「中國留學生保護法案」的成立。由美國參議員戈爾登和甘迺迪提出的S1216法案（中國留學生保護法案），最後於1992年8月10日在眾議院獲得通過，並附加了技術性修正，把該法案的實施時間由半年改為一年。參議院於9月23日晚通過了該法案，布希總統於10月9日簽署該法案，使其正式成為法律。S1216法案規定，原受布希行政命令保護的中國大陸人士，將可於1993年7月1日到1994年6月30日申請永久居留。該法案名為學生保護法案，其涉及的範圍遠不止學生。簡單的說，就是所有於1989年6月5日至1990年4月11日之間在美國有合法身分或合法進入美國的中國大陸公民，就可以申請永久居留身分「綠卡」。

學自聯的四大於1992年6月26日至28日，在明尼蘇達大學校園召開，來自全美各州將近一百所大學和專業機構的中國學生團體的正式代表出席了會議。加上其它華人社團及工作人員，與會者超過了兩百人。這次大會的正式代表數量少於三大，代表中新面孔的比例顯著增加。代表們基本上把會議的主題引向了務實的方面，競選主席副主席的三大總部秘書長薛海培和理事欒述生主張把開展國內工作作為學自聯的方向；在六四事件中被打斷左腿的張亞來和吳南則提出要以堅實的立場開展交流來促進人權；專業工作委員會主席王石金和總部幹事長高宏則突出強調了學生服務工作；學自聯副主席耿曉和理事賀保平提出了從基層工作出發，以寬容合作的態度來建設學自聯。對四對候選人的質詢一直進行到二十七日深夜，最後投票結果是耿曉和賀保平以過半數的優勢成功當選。

學自聯五大因種種原因開得很不成功，這就造成了六大的緊張氣氛。1993年7月在北卡羅萊納州召開的學自聯六大，從一開始「鴿派」和「鷹派」就針鋒相對。兩對主席候選人駱甯、劉承延和邢錚、劉玉河互相指責。年初失敗的民聯民陣華盛頓合併大會，使得海外民運團體全面分裂、元氣大傷。通常學自聯開會是一百多個

組織的代表，這次提前註冊的組織有近三百個，但最後參加主席選舉的有效票只有一百五十九張。圍繞著學自聯主席職位而展開的激烈的多邊爭奪戰，在學自聯五年歷史上前所未有。第二天竟發生先到代表決議禁止後到者註冊甚至進入會場旁聽的事。部分晚到的代表開始衝擊會場，導致員警出動才平息。選舉結果是—主席：駱甯；副主席：劉承延；理事—東北區：辛苦、陸文禾；東部區：劉辰、盧蜀萍；中大西洋區：張彤彤、邵青；東南區：齊菊生、余森秋；中西區：陶業、鐘玲；西南區：葛洵、孫鶯；西北區：湯光中、唐英信；太平洋區：劉翔、李靖泓；候補理事：張雲飛(東北)、鄭曉風(東部)、陳東(中大西洋)、俞衛平(中南)、夏恩民(西南)、劉玉和(西南)、杜平(西北)、李星(太平洋)。監委委員：羅禮詩(西南)、盧平(東南)、唐韜(西北)、龐陽(大西洋)、任松林(東北)。

學自聯第七屆代表大會於1994年7月14日在佛吉尼亞理工學院召開。學自聯七大是在內部矛盾激化紛爭升級，極不尋常的氣氛中召開的。前總部副主席劉承延曾呼籲召集「特別大會」，以抵制「七大」的召開，對抗理事會有關「七大」的決議。對此，監委會裁決劉承延的「特別大會」召集方式和程式嚴重違反學自聯憲章，「七大」應如期舉行。在劉承延無視理事會警告和監委會裁決，強行召集「特別大會」嚴重干擾「七大」召開之際，理事會在學自聯律師的協助下尋求法律解決途徑。7月14日華盛頓特區最高法院裁決：劉承延不得使用學自聯資金、設備和其它財產；不得使用學自聯名義；不得使用任何方式干擾在弗吉尼亞理工學院召開的學自聯「七大」；不得簽署任何學自聯支票等等。法庭強調，不管在劉承延召集的「特別大會」上有任何決議，劉承延不得依此來否定學自聯理事會根據憲章行使職責，包括在佛吉尼亞理工學院召開「七大」的權力。法庭同時認可監委會和理事會同期作出的對代主席劉承延彈劾案，裁決劉承延立即放棄學自聯資產、辦公室、文件及資金。

儘管學自聯長達數月的紛爭已塵埃落定，學自聯遭受重創是一個不爭的事實。大會通過了一系列決議以及對憲章的修改案。7月15日大會選舉出新一屆理事會、監委會成員和總部。「鷹派」的康乃爾大學的邢錚和邁阿密大學的盧平，分別當選為第七屆全美學自

聯主席和副主席。自此,學自聯內部的「鴿派」全面退出,組織上嚴重受創,當年聲勢浩大的全美學自聯從此一蹶不振。

全美學自聯曾是海外人數最眾的民運組織,這是一個在六四的特殊背景下成立的非政黨群眾組織。正因為這個草根性的定位,全美學自聯當年宣稱代表八萬在美的中國學生學者。但是也正是因為這種草根性,組織內部對中國的歷史、文化、制度、政黨和社會的認知,一直存在著不同見解和分歧,因而在全美學自聯內有「鷹派」和「鴿派」之分。「鷹派」當然是堅定的反共派,屬於學自聯中的民運份子。「鴿派」主要來自學自聯中的一些專業協會的成員,如「中國留美歷史學會」、「中國旅美政治與國際關係學會」和「中國留美經濟學會」等等,這三大學術組織,是六四後最早主張回歸中國的。三個學會從1992年就開始籌畫與實施回國講學計畫,由歷史學會首先發起,經濟學會與政治學會迅速跟進。

歷史學會一開始選派了十名會員回各自母校講課,分散在北京大學等二十五所高校與研究機構,分別講授「美國社會經濟史」、「美國現代化」等。講學分三種形式進行:計學分的課程、系列講座、以及流動性講座。他們不僅講學,而且以歷史學會名義在大陸舉行三次「史學資訊交流會」,獲得一致好評。政治學會也派了五名會員回國講學,他們主要集中在北京地區,以個人講課為主,沒有以學會名義進行學術活動,主要講授國際關係理論、大眾傳播媒介理論及政治學研究方法等。這一行動有效地緩解了「六四」以後,中美文化交流出現倒退及膠著狀態。使得一批在「六四」期間並不是很激進的留學生,與國內學術機構的學術聯繫能夠延續與發展。這兩派在學自聯中常常打得勢不兩立,但後來卻都有骨幹海歸回國。「鴿派」先去,「鷹派」緊跟。令人跌掉眼鏡的是:當年罵中共罵得咬牙切齒的「鷹派」代表人物丁健,如今卻在大陸成為最受政府扶植的億萬富翁,還娶了鳳凰衛視的當家花旦許格輝。而「鴿派」的代表人物黃谷揚則商場事業都不得意,陷入困境,最後持槍殺人再自殺。即不算「鴿派」,也不算「鷹派」的第一屆主席劉永川,則信了耶穌,第二屆副主席陳師眾,成為法輪功的骨幹成員。

學自聯總部設在離白宮不遠的華盛頓中心,它一直不愁經費來源並令各方矚目。七屆大會下來,不管哪一派執掌總部,「鷹派」

和「鴿派」在代表大會，或理事會，或監委會裡都會鬥爭得面紅耳赤。除第一屆當時「鷹派」和「鴿派」之涇渭尚不分明之外，第二、四、五屆總部由「鷹派」執掌，第三、六兩屆總部由「鴿派」執掌。但在歷年的理事會裡，「鷹派」理事占多數，因而理事會一直受「鷹派」控制。「鴿派」即便掌握了總部，仍然受制於理事會。第六屆「鴿派」總部多次拒不執行理事會決議，因而主席遭到理事會彈劾。所以第七屆之後，「鴿派」便從全美學自聯全線撤出，並拒絕參加第八屆全美學自聯代表大會。但從第七屆起，「鷹派」便失掉了對手，進一步又失掉了全部草根，致使全美學自聯從一個號稱代表全美中國學生學者的群眾組織，蛻變為一個「十幾個人，七八條槍」的團隊。至此，曾經濟濟一堂的全美學自聯，也就剩下一個空洞的旗號，落花流水，全然失去了當年的風采。

全美學自聯於1997年7月12日至13日在首都華盛頓召開了第八次代表大會。出席這次會議的僅有八十多人，幾乎都是「鷹派」的民運積極分子，來賓也是劉青、陳一諮、鄭義、吳弘達、劉剛等民運名人。學自聯作為海外留學生的主要利益群體，此時已失去了生存與發展的空間。雖然也選出了新任理事長李靖泓，副理事長黃慈萍，監事長羅裡思，但組織架構已名存實亡，從此退出歷史舞臺。

4、中國人權及其它組織

在海外民運組織中，除了民聯、民陣和全美學自聯三個較大的團體外，還有許多較小的組織，雖然它們有的少到只有一兩個人，但由於媒體和互聯網的原因，還是會在海外發出一些聲音。

一、當代中國研究中心

陳一諮主持的「當代中國研究中心」，由於有比較穩定的臺灣經費，這個「當代中國研究中心」主要以開會和出版刊物發聲。如1998年12月18日他們在紐約開了一個「中國改革的政治前景」研討會，討論的議題是：一、當前中國改革中的重要議題。二、社會不公正的現狀、原因和後果。三、研究社會公正問題的有關理論和方法。四、國際和臺灣經驗。五、如何改善中國大陸的社會不公現象。來自美國、加拿大、日本、澳大利亞、新加坡、荷蘭等國以及

臺灣的近五十名學者，參加了會議並發表了論文。

2000年8月25日至26日他們在紐約召開「新世紀的中國前途」研討會，討論的議題是：一、從海外觀察國內問題的視角。二、中國經濟形勢評估。三、過去二十年來社會政治環境的演變。四、全面制度轉型：新世紀之初中國面臨的挑戰。五、臺灣和東歐的啟示。該中心董事長丘宏達作了主題發言，來自中、美、日、英、法、荷蘭等國以及港、臺的近五十名社會科學學者參加了會議。

2004年10月16日在哥倫比亞大學召開「趙紫陽與中國改革」研討會，到會發言的有前中國經濟改革研究所所長陳一諮、前中國政治學研究所所長嚴家其、多維新聞總編輯何頻、《北京之春》雜誌主編胡平、《當代中國研究》雜誌主編程曉農、《中國人權》主席劉青、前北京大學研究生會主席李進進、前《經濟學週報》副主編王軍濤。一些人不能到會但書面發言，其中包括：前中共中央政治局常委政治秘書鮑彤、前中國作家協會副主席劉賓雁、前馬列所所長蘇紹智、前《新觀察》主編戈陽、前中國法學會副會長於浩成、前《人民日報》主任編輯吳國光、普林斯頓大學教授余英時、普林斯頓大學教授林培瑞先生、賓州西徹斯特大學副校長洪朝暉等。

當代中國研究中心還不定期出版中英文的刊物《當代中國研究》。

二、中國基督民主政團同盟

中國基督民主政團同盟是1992年7月7日成立的，它在信教的留學生中有一定的影響。中國基督民盟致力於發起推動一場中國的基督民主主義運動，要以「基督精神為體、民主制度為用」作為總綱，來重建一個「五化三倫」的社會。「五化」為：精神仁愛化，社會自由化、政治民主化、經濟民生化與教育人格化；「三倫」為：神倫、物倫與人倫。五化重在政治、經濟、文化與社會等的建設，三倫則致力於重建人和上帝、人和自然萬物，以及人和人之間互愛和諧的關係。中國基督民盟中央委員會主席是王金，副主席兼秘書長是王策。

三、魏京生基金會

魏京生基金會實際上是魏京生的小金庫，雖然沒有幾個人，但由於魏京生過去的「名聲」，加上近日有活動力很強的原全美學自聯主席黃慈萍的加入，使得原來已被海外民運團體疏遠，又無法與美國主流社會溝通的魏京生，開始以中國人權問題的代言人身份活躍在美國國會的各種聽證會上。（黃慈萍簡歷：女，1962年出生。一九七八年考入中國科大近代物理系，畢業分配在中國的原子能研究院。一九八四年留美在托利多大學獲光學碩士，曾擔任全美中國學生學者自治聯合會主席，一九九九年任全球學聯主席，現任中國海外民主運動聯席會議秘書長、魏京生基金會執行主任。）

四、中國自由民主黨

中國自由民主黨早期的主要骨幹有陳厚琦、倪育賢、林偉、謝果成、楊農、徐英朗、柯力思、楊錚、劉泰，劉修才、林樵清，許一鳴、馮遠凱、方能達、葉甯、岳武等。現任主席是倪育賢，屬於沒有能量和經費但自我感覺良好的團體。（倪育賢：一九四五年十二月十七日生於上海，一九六一年在上海楊思中學高中畢業後應徵入伍，一九六五年八月考入上海海運學院遠洋運輸系，一九六七年被捕，一九八六年一月十六日到美國）

該黨於2004年6月7日在美國紐約帝國大廈5121室召開了第五次全黨代表大會，有五十三人參加了本次大會。該黨政綱為：「廢除一黨專制、建立民主政體、保障基本人權、維護社會公正、歸還人民財產、發展自由經濟」。會議由秘書長潘晴主持，主席倪育賢作報告，方能達作民運組織關係報告，李清作大洋洲地區黨務報告，王進忠作日本地區黨務工作報告，王軍作歐洲地區工作報告，李契克作民主革命軍事準備工作報告。大會產生了新的中央委員會：倪育賢（美國）、潘晴（紐西蘭）、方能達（加拿大）、連勝德（美國）、肖亞群（美國）、金明（美國）、高健（澳大利亞）、劉曉笛（美國）、李契克（美國）、李清（澳大利亞）、魏全寶（美國）、沈毅（美國）、陳維健（紐西蘭）、黃鈞（歐洲）、王進忠（日本）、餘世新（澳大利亞）、王軍英（歐洲）、江主恩（歐洲）、周建和（美國）、金素蘭（歐洲）、成偉邦（香港）。倪育賢為主席，曾傑森為副主席兼組織部長，潘晴為秘書長。

五、中國民主正義黨

中國民主正義黨，英語縮寫CDJP，號稱98年2月22日在中國大陸成立。該黨宣稱在中國以地下政治反對黨的形式，為中國人民推動實行民主政治制度而戰鬥。正義黨宣佈自己是中國大陸內的一個新型革命民主政黨。正義黨的基本綱領是：維護基本人權，伸張社會正義，發展市場經濟，保障私有財產，結束特權專制，建立民主中國。正義黨主張用暴力推翻中國政權。它在紐約以「正義黨海外總部」的名字活動，註冊為非盈利機構「中國公民公司」。其成立背景的故事為：1997年下半年。浙江異議人士王有才與闖關回國的王炳章，秘密協商與探討之後成立。正義黨目前由王炳章擔任正義黨海外總部組織機構發言人，原正義黨海外總部機構聯絡人王希哲於2000年1月宣佈辭職，原正義黨海外總部組織機構秘書長傅申奇於2001年9月宣佈辭職，正義黨海外總部組織機構不再設立聯絡人和秘書長之職。

六、中國民主黨海外總部

兩年前以保外就醫名義來美國的徐文立，於20004年12月3日在美國羅德島宣佈成立「中國民主黨海外流亡總部」，並自命為負責人。成立公告說，該黨海外總部的成立是「為了適應中國大陸嚴峻的政治形勢以及可能大變在即的政治態勢」。徐文立表示，中國民主黨海外流亡總部從2004年11月9日開始醞釀。他於當天寫信給布希總統，希望他繼續關注中國大量在押的異議人士和中國民主黨的一些領導人，希望美國承擔起民主大國的道義責任。徐文立表示，海外流亡總部籌備組，組織海內外中國民主黨人進行了「三讀兩議」的程式。12月1日由海外8個黨部、5個黨部籌備組投票通過了臨時黨章等四個文件，並選舉徐文立為中國民主黨海外流亡總部總召集人，王希哲為顧問，由徐文立、高沛其等9人組成總部決策機構執委會，以及由汪岷任秘書長的執行機構秘書處。

七、民主亞洲基金會

民主亞洲基金會是一個由臺灣民進黨支持而設立在美國的組織。它的目的在於提供場所、資金、討論並推進亞洲地區各國，

尤其是中國大陸和臺灣的民主化和進程，並便於聯絡海外民運人士的組織。創會董事長張勝凱、會長洪哲勝、副會長黃再添。自一九九八年七月一日起，民主亞洲基金會由洪哲勝主持，主辦《民主論壇》電子報，並於紐約美東版《自由時報》每週六日同步刊登。民主亞洲基金會定期邀請中國大陸民運人士、西藏民主與人權運動工作者赴臺進行「民主臺灣之旅」。曾受邀赴臺的有政評作家淩鋒（林保華）、《北京之春》主編胡平、中國和平組織主席唐柏橋、瑞典作家茉莉(莫莉花)、西藏流亡政府外交暨新聞部《西藏通訊》編輯達瓦才仁等。

八、中國憲政俱樂部

中國憲政俱樂部2004年8月21日在美國費城宣告成立。該俱樂部的所有活動採取半公開方式進行，除常務工作人員外，所有發起人和會員全部採用筆名參與俱樂部的活動。俱樂部的網站是http://www.ccc-club.org

九、中國人權

中國人權是1989年3月29日由傅新元等一些來自中國的留學生在美國紐約建立的組織。其聲稱是非盈利性、非政治性的獨立組織，不依附於任何政府、政黨或宗教團體，自我定位是一個「在中國大陸推廣人權理念、進行人道救助的非政府組織」。但其捐款主要來自美國政府和臺灣。中國人權自1990年開始發行中英文季刊《人與人權》。每期發行三千冊。發行對象主要為海外華人和中國學術界，新聞、外交機構，此外還有各地人權團體和聯合國的人權委員會等等。一九九七年開始這份刊物改版成全部為英文，而另外發行中文的人權教育叢書。二零零零年，中國人權在互聯網上建立了支持「天安門母親運動」的專題網站。中國人權每年出席聯合國人權委員會在日內瓦的年會，在正式會議上就中國的人權狀況發言並提交報告。

中國人權的理事會成員曾有：羅伯特伯恩斯坦（Robert Bernstein）、柏楊、鄭心元、張湘湘、方勵之、郭羅基、侯藏明（Marie Holzman）、胡平、黃默、關卓中、李錄、李曉蓉、

林培瑞（Perry Link）、劉賓雁、劉青、陸鏗、黎安友（Andrew Nathan）、阮銘、夏偉（Orville Schell）、蘇曉康、叢蘇、石文安（Anne Thurston）、王丹、王瑜、蕭強、于浩成、張偉國。現任主席：劉青。

最近，該組織爆發多名理事和榮譽理事相繼辭職風波，包括方勵之、郭羅基、林培瑞、劉賓雁、蘇曉康及王渝等十多人。由於中國人權成立16年來，過去一直予人內部團結的形象，一度被視為海外民運團體的楷模。這次多名頗具知名度和影響力的理事集體辭職，格外引人注目。

2005年1月7日中國人權召開年度理事會會議後，共同主席方勵之、理事郭羅基、林培瑞、蘇曉康、叢蘇、張偉國及鄭心元、執行委員李曉蓉、童屹及榮譽理事黃默等先後辭職。此前則有理事王丹、蕭強、于浩成及執委王渝等辭職。理由主要是針對中國人權主席劉青及其管理層，認為中國人權「迷失了方向」，並批評劉青做了十三年的主席仍未「退位讓賢」。與其他海外中國人的組織人事糾紛層出不窮、內鬥不息相比，中國人權成立十多年來，算是海外民運的一塊靜土。可是，這次中國人權爆發有史以來最嚴重的衝突，甚至連兩名中國通黎安友（Andrew Nathan）、林培瑞（Perry Link），也捲入這場風波中。

在辭職的理事中，對於中國人權的蛻變，他們聲稱為之心碎及肝腸寸斷。他們辭職的理由是，近幾年來，中國人權已經「從一個理想主義者創建的公益組織，變成一個搞黑箱操作、無視章程法規的利益集團」。他們在一份連署的辭職聲明說，「中國人權最大的偏差，是背離了具有普世價值的、非政黨、非政治化的人權理念」。指責劉青「近年來身兼其他三個組織（全球紀念六四15周年籌委會、公民議政、中國平等教育基金會）的主席，涉入政黨政治」。他們並懷疑劉青以其掌控的人道援助基金，向其他組織進行利益輸送，「對中國人權構成嚴重違反其章程的利益衝突」、「中國人權的資源被用來建立劉青個人的政治資本」。

導致這些理事集體辭職的另一原因，是中國人權目前每年近三百多萬美元的經費預算，用於薪水和辦公室的費用高達60%，只有不到十萬元用於人道援助基金。其中六四受難者家屬只有1萬多

元，而劉青個人年薪達八萬美元。近一年來，「中國人權理事會」裡對劉青的罷免之聲，此起彼伏。繼「執行主席」蕭強拂袖而去之後，王丹也於2004年1月辭去理事之職，期間王渝等工作人員更接二連三地憤然出走，起因都是對劉青的不滿。既然有這麼多人反對劉青，但為什麼仍趕不走劉呢？原因只有一個，劉青不僅僅是臺灣政府聯絡大陸民運分子的重要管道，而且他的美國上峰也可能參與了某些不為人知的事情。

在支持劉青的人當中，最堅定的有原中共中央黨校的阮銘，此人因其激進的台獨言論而受到陳水扁的賞識，在臺灣被聘為「國策顧問」。有理事會駐香港辦事處的主任Nicolas Becquelin，此人是研究新疆獨立運動的學者，而實際上則有更複雜的背景。他們向臺北或華盛頓提供的意見報告遠比方勵之、劉賓雁等更有份量。

他們在辭職聲明中指出，第一，既然我們不能正常行使職責，通過這個組織去有效推動人權事業，我們也不願繼續為其蛻變承擔責任。第二，我們不願讓他們繼續用我們的名義去向基金會籌款。第三，該組織內部已無民主程序可言，我們只能從外部利用民主社會的言論自由和法治來促成其轉變。

1月7日，中國人權召開理事會年會時，郭羅基等提出「關於免去劉青的中國人權主席職務的議案」鑒於這些情況，8名理事和榮譽理事於當天提出了一項緊急議案：「中國人權2005年度理事會召開在即，辦公室剛發出理事會議程草案。鑒於許多危及中國人權前途和信譽的重要理由，我們提議修改議程草案：將表決免去劉青的中國人權主席職務，作為一項首要議案列入議程，在7日上午10：15-11：15討論理事會重組議案時進行表決。主要理由如下：

一、《中國人權章程》第七條第二項規定，本組織的官員由理事會年會選舉產生，任期三年，連選連任。劉青的中國人權主席職務，未經連選，卻連任了13年。因此，劉青行使權力的合法性是不充分的。理事會多年疏忽，應當立即採取措施糾正本組織內長期存在的這一不正常狀況。這是理事會重組必須首先解決的關鍵問題。

二、劉青在擔任中國人權全薪、全職主席期間，又兼任其他三個組織的主席，並且將本組織的基金轉移到這些組織，涉嫌違犯有關非盈利免稅組織的法規。他從來沒有按照《中國人權章程》第十

條利益衝突條款第二項的規定，公示他作為中國人權主席與其他三個組織的關係。劉青的行為違反了章程，已經失去作為本組織官員的資格。

三、免去劉青的職務以後，中國人權主席的職位可以空缺。待修改章程，取消這一職位。參考其他人權組織的官員設置，主席這一職位是不必要的。建議加強執行委員會的力量，增設一名副執行主任。

提案人是理事：鄭心元、郭羅基、黃默、劉賓雁、蘇曉康、叢蘇、張偉國。榮譽理事：王丹。

劉青針對此提案，提出一個反提案：「關於郭羅基理事與中國人權利益衝突、傷害組織的申請調查案」。蘇曉康、張偉國等人對此特別氣憤，認為劉青不厚道。方勵之則提出他與另一名理事會共同主席伯恩斯坦商量的折衷方案，即不再設立主席職位以免雙方僵局，但沒有成功。當天會議後，由方勵之和譚競嬪負責修改制定第二天會議議程。部分理事認為劉青及其支持者「濫用職權、玩弄程式遊戲，按照公正程式解決問題的希望十分渺茫」，氣憤之下決定杯葛會議，以示抗議。1月8日進入第二天議程，劉青聽從勸說，撤銷針對郭羅基的提案。但郭羅基拒絕撤銷由八名理事連署罷免劉青的提案，堅持交付會議表決。結果是2票贊成，11票反對，2票棄權，動議被否決。事後蘇曉康代表提案人發表聲明說，「這次會議表明，中國人權已經被一個利益集團所控制，掌控者一再按照他們的需要任意解釋、違反中國人權章程，我們對於在內部運用理性、按照原則和公正程式討論解決問題已經喪失信心」。1月14日，10名理事和榮譽理事向中國人權理事會共同主席伯恩斯坦遞交了他們的辭職書。主要內容如下：

創建於1989年的中國人權，近年來的演變背離了我們所持守的普世的、非政黨、非政治化的人權理念。此外，其內部運作缺乏透明性，追究責任的障礙重重。同時，中國人權13年來沒有按照《中國人權章程》定期進行民主選舉主席，其主席缺乏充分的合法性行使他的權力。理事會對此負有責任。我們試圖按照章程規定的程式糾正這些偏向的努力亦告失敗。因此我們決定辭去理事或榮譽理事職務。我們將一如既往以各種方式努力推動中國的人權事業。

普林斯頓大學教授林培瑞在給伯恩斯坦的辭職信中表示，為什麼會有這樣一大批人離開了中國人權？先是十名理事會成員辭職，方勵之辭去共同主席的職位。在他們之前，于浩成、王渝、蕭強、司馬晉（Jim Seymour）、索費亞(Sophia Woodman)和其他一些人也辭職了。「這麼多人帶著不滿的情緒離開，這難道是正常的現象？」一個專門以援助、營救中國「政治犯」、「良心犯」為名，並配合美國國會抨擊中國大陸人權狀況的機構，每年都從美國和臺灣獲得數百萬美元的巨額秘密經費。可是外界並不知道，內幕是這樣地不堪。

2005年2月8日，方勵之、郭羅基、黃默、李曉蓉、林培瑞、劉賓雁、蘇曉康、叢蘇、王丹、王渝、張偉國、鄭心元等十二人在互聯網上公開了《原「中國人權」部分理事的公開聲明》。十二人的這份聲明透露：理事會主席劉青、執行主任Sharon Hom（譚竟嬙）、司庫Scott Greathead等人每年的工資總額和辦公費竟然高達一百八十萬美元以上，而且，另有一百一十萬美元以上的錢，以合作項目、工作合同等形式，在劉青、胡平、李進進、唐柏橋、周封鎖、韓東方、李祿、倪育賢、陳破空等人之間作了利益分配。聲明說劉青承認，十三年來他每年擅自給自己開出的工資數目高達八萬美元，此事向理事會隱瞞至今，而且這筆工資收入(總計一百零四萬美元)沒有在美國報稅。聲明聲稱劉還將部分的經費轉移到他自任主席的「公民議政」等另外三個機構裡，查帳發現英文帳目和中文帳目不符，有八萬美元的出入的差距說不清原因。

儘管該組織內部問題重重，但「中國人權」仍是所有大陸民運組織中，對美國政府影響最大的團體。由於經費充足、人脈豐富，「中國人權」通過結交美國的一些中國問題專家及情報、智庫等機構，來影響美國政府的對華政策和兩岸政策，這也是「中國人權」長期的著力點。它的另一項使命，則是配合美國國會抨擊中國大陸的人權狀況。

5、海外民運錯綜複雜的關係

海外民運從一開始，就為如何處理民聯、民陣、學自聯之間的關係而大傷腦筋。從理論來說，它們之間應該是盟友關係，因為它們在總的政治訴求和綱領、目標上大體一致。但是，在實際現狀上

它們的關係卻存在著隔閡，特別是民聯和民陣的關係。究其原因，大約有兩點：一是理念上，民聯是被中共公開定性的「反革命組織」，一些還幻想留條後路退到體制內去改革的人，不願和民聯沾得太緊。二是出於「山頭」的考慮，彼此都對對方有所防戒。

例如一九八九年在醞釀成立民陣的巴黎會議上，民聯主席胡平應邀到了會場，有人卻提出不讓他參加會議。最後雖然通過投票同意他參會，可立下了一個先決條件，就是胡平只能以個人身份參會，不能代表民聯參加。這表現了一種心態，就是民陣中的一些人顯然有意要和民聯劃清界線。而在民聯中，也有部分人持同樣的心態，例如民陣召開第一次代表大會時，民聯主席胡平和聯盟委員主任徐邦泰，作為正式代表與會。他們的做法，受到了民聯內部不少人的詰難，認為胡、徐此舉是被「招安」。

出於資源分配和山頭主義的原因，雙方都有各自的擔心。民聯內一些進取性比較強的人，曾提出過「打入民陣、控制民陣」的戰略，雖然並未得到民聯的普遍認同，但他們咄咄逼人的勢態，引起了民陣內部某些人的憂慮。兩個組織還存在另外一個潛在的危險，就是民陣相較民聯，更顯出內部各種派別之間的矛盾。一旦民聯捲入了民陣的內部矛盾，同時又因為民聯這種捲入引起兩個組織之間的矛盾，如果處理不好，便會加劇摩擦和內鬨。為了解決這些問題，1989年10月28日，民聯曾在《中國之春》編輯部召開第四屆第三次聯委會議，監委委員和總部主要幹部列席了會議，但這次會沒能討論出任何結果。

1990年1月29日至30日，在華盛頓召開了「海外民運團體聯席會議」，出席這次會議的海外民運團體計有：民主中國陣線、中國民主團結聯盟、全美中國學生學者自治聯合會、中國民主通訊委員會(即原退黨委員會)、全加(加拿大)中國學生、學者自治聯合會、六四之聲廣播電臺、新聞自由導報、國際團結委員會、民主中國(加拿大)、六四基金會、解放軍民主正義協會、自由民主黨籌備聯絡組、中國民主黨以及美中人才交流基金會等十數個團體。在會上，他們達成了如下決議：一、各團體將在今年適當時候組團考察東歐，從那裡吸取結束一黨專政建設民主社會的經驗教訓。二、各團體將共同籌備今年「六四」紀念活動，並推動國際社會將六月四日定為「世界民主紀念日」。三、各團體將協同進行有計劃的理論

研究，其中包括民主建國的長遠大綱和應付變局緊急措施以及民主運動的戰略策略。四、各民主團體共同組成統一的中國人權民主基金會，統一籌措和分配各種民運捐款。五、會議決定成立一個常設的協調小組，以負責各民運團體的聯絡、協調和民運團體的活動。

在會上，民聯、民陣分別由徐邦泰和嚴家其簽署，發表了聯合聲明，兩組織之間初步達成了如下協議：一、民陣和民聯作為中國海外民主運動的兩支主要力量，應當在積極合作的基礎上迅速走向聯合，為我們的共同目標—結束共產黨在中國大陸的一黨專政而努力奮鬥。二、民陣和民聯應當在條件成熟時向組織上的合併努力，並同時推動有共同意願的其他民運團體一起合併。此意向在經過雙方的最高權力機構認可後立即付諸實施。三、雙方各委派一名代表（民陣方面金岩石，民聯方面汪岷）負責工作上的聯絡和協調。在今年四月下旬在歐洲召開東歐局勢研討會時，召開民陣理事會和民聯聯委會的聯席會議，具體研究雙方在組織上的合併問題。四、民聯和民陣將在「六四」周年紀念會活動等一系列工作專案上直接合作，組成一九九零年「六四」工作組，並廣泛團結其他各民運團體參加，為雙方組織上的合併以及更廣泛的聯合創造條件。

1992年3月15日，美西民運組織圓桌會議，在三藩市佛斯特市舉行。會議的召集人是中國民主聯合服務中心理事會長杜維新、民陣美國分部主席楊建利、矽谷中國民主促進會會長邵正印和民聯聯盟委員會主任徐邦泰。這是繼今年一月圓桌會議上建立了聯絡網後，第一個地區性的圓桌會議。出席會議的有：來自洛杉磯的民聯副主席伍凡、民陣理事馬大維、來自加拿大的民陣監事杜智富、來自西雅圖的民陣西雅圖支部主任金秀紅，以及來自三藩市地區的民陣監事會主任錢達、民聯監委主任郭平、廿一世紀中國基金會董事長劉凱申、中國民主教育基金會會長黃雨川、自由民主黨中央委員徐英朗等三十餘民運分子，以及東歐民運組織 North California Baltic Alliance 和 Office of Croatian Affairs 的領導人 Aleksander Einsel和John Besir，Violet Loncar。中國民主支援會（SDC）的代表Pfeifer和Michell Chen率先分別介紹他們組織堅持進行了一年多的兩個主要專案，抵制中國製造的玩具和說明中國異議人士。隨後邵正印代表矽谷中國民主促進會，介紹了他們的「人道救援」計畫，伍凡介紹了一月二十五日至二十六日聯席會議

成果和兩組織合併的進展狀況。

同年4月21日至23日，由「民主中國陣線」、東德的「新論壇」、「民主今日」、「和平人權促進會」連袂發起，在東柏林舉行了一個名叫「走向民主的東歐與中國——過去、現在和未來」的討論會，會上發表了成立「論壇國際」的宣言。參加會議的有來自世界各地的一百五十餘名代表，政黨人士有東德「新論壇」成員福萊穆特、捷克赫爾辛基委員會的施樂卓娃、「手槍評論」的漢學家馬丁、波蘭團結工會籍議員切林斯基、蘇聯《改革》雜誌的法捷耶夫、羅馬尼亞「社會對話」組織代表奧伯勒斯庫、立陶宛國會議員萊瑪等，民陣和民聯許多重要的成員亦參加了會議。會後，即4月26日至27日，民聯和民陣的重要成員又再度在東柏林召開了聯席會議。參加會議的人員有：胡平、徐邦泰、嚴家其、萬潤南、吾爾開希、陳一諮、薛偉、王光秋、伍凡、江文、李少民、李國愚、任松林、呂凡、汪岷、李鐘煦、吳方城、金岩石、邵宗懿、宗繼祥、馬大維、郝一生、徐國民、高格文、莫逢傑、于大海、許思可、余叢、陳軍、黃奔、陳紓塵、張偉、楊光、閻淮、酈明遠、楊漫克、莫利人。與會人員再次討論了民聯、民陣合併事宜，並倡議組黨。但在是否立即著手籌備代表大會通過合併議案，並未取得一致意見。會上提出七個提案付諸表決，會議通過了其中三個議案，即，一、倡議成立反對黨籌委會，決定從即日起至五月三十日止徵集簽名，並起草黨綱、黨章等有關文件，並於六月四日公佈籌備報告。二、民陣、民聯聯合運作，增加合作專案，在美國或歐洲聯合辦公，並鼓勵雙方成員選擇對方會籍。三、在適當時機召開聯合代表大會，並決定自即日起廣泛徵求意見，並由雙方根據各自的組織程式逐步推進合併。

9月27日，民聯民陣聯合工作委員會召開電話會議。委員會的十二名委員錢達、郭平、李兆陽、馬大維、萬潤南、汪岷、伍凡、徐邦泰、許思可、嚴家其、于大海和朱嘉明全都出席了會議。會議討論了新組織的架構和選舉方法，決定向聯合代表大會推薦以下方案：

一、新組織設人數較多的聯盟委員會，由理事、監事、主席、副主席和一般聯盟委員組成。聯盟委員會不設招集人，一般情況下不開會，不行使權力，其職能由章程另行規定。

二、理、監事和一般聯盟委員由代表大會直接選舉產生。（按上次會議的決議，競選理、監事者需在十月底以前向聯合工作委員會報名及提供個人資料。）

三、當選的非理、監事的聯盟委員有資格競選正、副主席。（按上次會議的決定，競選正、副主席者需在十月底以前向聯合工作委員會報名及提供個人資料。）選舉時，得票最多者為主席，其次兩名為副主席。

四、當選的理、監事有資格在第二輪直選中競選理事會、監事會的負責人。

五、主席有權組閣，但內閣成員要經過理事會批准。

六、新組織中文名為「民主中國聯盟」，簡稱「民聯」，英文名為 Federation For a Democratic China，簡稱FDC。

民陣、學自聯等海外民運組織的成立，改變了原來海外民運中民聯所屬的領導地位。特別是民陣，因為有許多六四的明星人物參加，頗搶鋒頭，使民聯受到的注意力相對減少。1992年7月，北京民主牆的重要人物劉青抵達美國；1992年6月，六四後被公開通緝的北京「高自聯」常委熊焱逃抵美國；1992年8月，「資產階級自由化」分子王若望流亡美國；1992年9月，「北京工自聯」的韓東方到紐約；1992年11月，郭羅基飛抵紐約……一方面是大批政治異見人士流亡海外，另一方面，中國政府又緊閉國門，嚴禁政治流亡者回國。面對人愈來愈多而經費卻越來越少，臺灣方面要求民運團體合併壓縮組織的指令，迫使民聯和民陣合併的議題已不能迴避。

1993年1月29日，醞釀多時的民聯、民陣聯合代表大會在華盛頓水晶城正式開幕。在當晚的預備會議上，民聯、民陣通過了大會議事規則，選舉了包括于大海、朱嘉明、楊建利、王光秋、汪岷、姚勇戰、汪小風、伍春萌、王珞、楊中美、齊墨等十一人在內的大會主席團。經過長時間的商討和爭論，新組織定名為「中國民主聯合陣線」，簡稱「民聯陣」。

報名競選主席的有：王若望、胡平、岳武、徐邦泰、華夏子五人，報名競選副主席職務的有萬潤南、汪岷、張伯笠、馬大維、楊

建利、錢達六人。徐邦泰曾經在多種場合表示過對王若望競選主席的支持，但現在他以「突然襲擊」的方式報名競選主席，使很多人感到意外和驚訝。王若望則希望徐邦泰作為民聯的代表，萬潤南作為民陣的代表，共同成為他的副手。但他的想法卻遭到反萬潤南一派的反對，而這些人則成了徐邦泰競選主席的堅決的支持者，並且主導了會場情緒和代表的「遞補」。

在勝卷無望的情況下，王若望不得不作出一個無可奈何的決定，宣佈退出競選。之後，胡平緊跟宣佈退出，岳武也宣佈退出。在副主席的候選人中，萬潤南、馬大維、錢達也宣佈退出。自此，主席候選人只留下華夏子、徐邦泰二人，副主席候選人有汪岷、張伯笠、楊建利三人。在主席團內，姚勇戰、楊中美、齊墨也宣佈退出。與此同時，相當一部分與會代表也宣佈退出，並有一些人代表自己所屬的分部，宣佈退出。頓時，會場出現了混亂的場面，有人抗議，有人哭泣，有人捶胸頓足，有人奔走呼號。

在四十名正式代表未能與會（代表總數一百五十名），三十四名與會代表拒絕投票，六名主席、副主席候選人退出競選的情況下，主席團宣佈徐邦泰以七十七票當選主席，楊建利以七十三票、張伯笠以五十六票當選副主席，朱嘉明擔任理事長。但這一結果，並不為民陣和民聯的掌權者所接受，當選者成了孤家寡人，聯合大會最後變成了更加分裂的大會—兩派人馬最後分成三派。

民聯、民陣聯合大會的失敗，使海外民運受到嚴重挫傷，而且元氣時至今日都無法恢復。翻開《中國之春》117和118期，會看到這次代表大會的兩份不同的代表名單：第一份是通過基層選舉的正式代表的名單，第二份是實際參加了會的代表的名單，兩份名單存在著驚人的差異。徐邦泰出其不意地宣佈競選主席，是大會分裂的導火索。

這次的分裂也造成了民聯《中國之春》編輯部的震盪。大會後，主席徐邦泰以及理事長朱嘉明提名留任《中國之春》社長于大海，但《中國之春》雜誌必須標明「中國民主聯合陣線主辦」，被于大海拒絕。徐邦泰則提走了《中國之春》全部經費。「民聯陣」成立後，徐邦泰等當選人，當然要順理成章地把這個輿論工具「整合」到自己的名下。可是，薛偉、胡平、于大海等人都拒絕交出

《中國之春》的「主權」。1992年4月12日，「民聯陣」主席徐邦泰發出一份函件。函件上說，「中國民聯陣」理事會決議，正式免去薛偉《中國之春》經理一職，任命「民聯陣」副主席張伯笠為《中國之春》代理社長，「民聯陣」加拿大分部主席汪小風任《中國之春》代經理，胡平、于大海應向張伯笠、汪小風辦理移交《中國之春》的事宜。4月27日上午，「民聯陣」理事會新任命的中國之春代經理汪小風和美國律師，把美國法官簽署的三份出庭應訊的傳票送達《中國之春》編輯部。並於1993年4月27日上訴美國法院，狀告《中國之春》社長于大海、經理薛偉、主筆胡平，迫使其交出《中國之春》。于大海等原班人馬無奈之下，只好退出《中國之春》，另起爐灶辦起了《北京之春》。

1993年5月7日，由王若望、劉賓雁、方勵之共同發起的「全球中國人權與民運聯席會議」，在美國洛杉磯市南艾爾蒙地市的麗晶飯店舉行。會議發起成立了「中國民運團體協調會」，並通過了「中國民運團體協調會章程」：「中國民運團體協調會」是中國大陸各民運團體和持不同政見者的聯繫、協調、合作機構，其宗旨在於推動中國大陸民主化和改善人權狀況，宣導清廉、公正、誠信、寬容的風氣，進行多元合作。會議推選產生了協調委員會，王若望為總召集人，項小吉為秘書長。在「協調會」成立的同時，會議還成立了「中國民主黨籌備委員會」，總召集人為王若望，秘書長為馬大維，委員為錢達。籌委會還在亞太、歐洲、澳洲、美國等地區建立了聯絡員，其中有日本趙南、香港姚勇戰、德國齊墨、法國岳武、澳洲謝洪、秦晉、孫繼生、美東吳方城。民聯和民陣在會上都發表聲明，宣佈其將繼續存在，並將分別在適當時候召開民陣「三大」和民聯「六大」。

於是，就出現了一個很滑稽的場面：1993年11月26日至12月1日，在澳大利亞墨爾本的同一家旅館，同一群人，分別召開了「民主中國陣線第三次代表大會」和「中國民主團結聯盟第六次世界代表大會」。還選出了兩套「領導班子」：民陣主席萬潤南，副主席馬大維、齊墨、孫繼生，監事會主席杜智富。民聯主席吳方城，副主席項小吉、謝洪、周小萌。直選委員顏荔、姚勇戰、趙冬明，地區委員李伯特（香港）、焦柏固（日本）、孫達聖（澳洲維省）、莊賢康（澳洲紐省）、莫逢傑（洛杉磯）、舒昌清（紐約）、賈文薇（肯塔基）和

潘永忠(德國)。（吳方城簡歷：1944年生於四川，1962年考入北京大學化學系，1968年分配至內蒙古。1978-1981年就讀中國科學院研究生院，1981-1986年在美國肯塔基大學讀博士。1984年加入民聯，先後擔任肯塔基分部主任、總部委員、副主任等職務。1991年至今從事速食連鎖店生意。）

在民陣「三大」和民聯「六大」結束後不久，「民聯陣」發表了一個嚴正聲明，拒絕承認民聯、民陣的合法性，並保留法律追訴的權利。同時，「民聯陣」理事會決議，凡籌備「民聯六大」和「民陣三大」的民聯陣成員，被視為自動脫離民聯陣，不再和民聯陣發生組織關係。

雖然民陣和民聯從未合併過，但由於人數上的稀少和經費上的缺乏，自此以後的所謂代表大會，就一直混在一起開了。如民聯的「七大」與民陣的「四大」，就是於1996年5月17日至20日，在美國肯塔基州萊剋星頓市聯合開的。民聯的「八大」和民陣「五大」，亦是於1998年5月23日至25日，在加拿大多倫多市聯合開的。

在民聯的「八大」和民陣「五大」之前，即1998年2月25日，民運各組織曾以「向中國民主運動及支持中國民主運動的紐約市致敬餐會」的理由，在紐約中國城麗晶大酒樓有過一次聚合。這次餐會號稱是近年來海外民運參與組織策劃的最大的一次聚會，籌辦組織包括魏京生辦公室、民聯陣—自民黨、中國民主黨、中國自民黨、中國正義黨、勞改研究所、《北京之春》、中國和平組織、民聯、民陣、西藏之家、世盟美華分會、美華新社、美國香港聯會、中國人權、中國戰略研究所等在內的幾乎所有美東地區民運團體和部分僑團。約有三百人到會，與會者中民運人士、僑界人士和美國人各占約三分之一。出席餐會的有前紐約市市長郭德華、紐約市現任市長朱利安尼的代表市老人局局長、中華公所主席陳炳基、中華公所前任主席李文彬等。但這次所謂的大團聚，並沒有彌合民運團體相互之間的矛盾，反而事後在報帳問題和登報排名問題上吵得不可開交。

魏京生到美國後，臺灣當局一度希望他能統合海外民運。在臺灣有關方面的運作下，1998年11月6日，「中國民運海外聯席會

議」第一屆會議，在加拿大的多倫多附近大瀑布城召開，魏京生被委任為「中國民主運動海外聯席會議」主席。並在萬潤南、盛雪和齊墨的陪同下，魏展開了對臺灣的十三天的訪問。魏京生在臺灣對媒體講：從大的格局看，中國有三個政治：一是中共統治下的大陸；二是國民黨執政的臺灣；三是大陸的民主力量，包括流亡的民運人士，西藏、維吾爾、蒙古的流亡人士，以及支持大陸民運的香港民主力量和西方人士。大陸的海外民運力量，已經與西藏、蒙古和維吾爾的流亡人士有很多的接觸和合作。作為中國「第三政治」的大陸海外民運，必須與「第二政治」攜手合作，共同為結束中共在大陸的獨裁統治而努力。

魏京生在美國時，就會見了國民黨秘書長章孝嚴、國民黨中央政策執行長饒穎奇、世盟中華民國總會秘書長劉志同、民進黨前任主席許信良、民進黨國際部主任蕭美琴、陳水扁的智囊羅文嘉等。在臺灣則分別拜見了國民黨、民進黨和新黨三黨的中央黨部，和立法院的各黨團、正副院長等，見到了行政院院長蕭萬長，僑委會焦仁和委員長、外交部胡志強部長、陸委會張京育主委、新聞局程建人局長、海基會許惠佑秘書長、故宮博物院秦孝儀院長、臺北市政府馬英九市長、外貿協會武冠雄副理事長、陸委會主委張京育、民進黨的邱義仁、張俊雄、張俊宏、周伯倫；新黨的郁慕明、周荃等。並與很多政治人物如張俊宏、康寧祥、施明德、許信良、陳水扁對談、吃早餐和喝茶，接受各種媒體的採訪四十餘次，並當面向李登輝要錢要支持。

從臺灣回來後，手裡拿著李登輝給的二百萬美元支票的魏京生，於1999年12月27日至29日在紐約法拉盛艾德瑞拉飯店舉行了海外聯席會議第二屆年會，來自世界各地近百名代表出席了這次會議。會議由盛雪、倪育賢和鄭源主持，「中國人權」主席劉青、全美學自聯理事會主席黃慈萍、內蒙古人民黨代表巴赫、漢藏協會及西藏流亡政府代表達瓦才仁、著名中共黨史專家司馬璐、維吾爾族世界青年大會代表迪木拉、臺灣民進黨顧問洪哲勝、三民主義大同盟美東地區代表楊懷安、紐約僑界代表王涵萬、八九民運學生領袖周鋒鎖、波蘭國民議會主席代表傑米歐斯基（Zmuski）等發言。發言的還有淩鋒、齊墨、蔡崇國、徐水良、楊建利、張菁、楊月清、巴赫、革根呼、張郎郎、李娟、趙品潞、唐柏橋、高寒、倪育賢

等。會議成立「中國民主運動海外聯席會議功能小組」，成員如下：秘書組：齊墨、盛雪、張郎郎、黃慈萍、林樵清；文宣組：趙南、高寒、倪育賢、鄭源、吳學燦；工會及國內工作組：蔡崇國、劉念春、徐水良、姚振憲；政策研究組：張郎郎、萬潤南；民族工作組：巴赫、吳曉亮、洛桑；電腦網路組：唐柏橋、林樵清、萬潤南；港澳工作組：黃元璋。

海外聯席會議第三屆年會於2000年12月9日在德國波恩附近的一個小鎮上召開。會議花很多時間調解魏京生和王希哲的矛盾。兩人從「民運之父」的風波，到國會聽證會場的衝突，給人造成了一種印象：王希哲和魏京生是勢不兩立的。此次會議主持人為齊墨和劉剛，二十世紀民主基金會主席楊建利、全美學自聯代表黃慈萍、維吾爾族領袖艾懇、德國西藏協會主席NGODOP、歐洲中山學會負責人楊曼妮、德國著名僑領劉卓行等人發言。會議另一個敏感的話題是民族問題，有人認為海外民運有兩個艱難的任務：第一個是瓦解中共一黨專制的制度。第二個就是在中共互瓦解後的民族衝突和民族獨立問題。維吾爾族的疆獨代表迪裡夏提發言表達了獨立復國的願望，希望民運人士能幫助他們將東土耳其斯坦（新疆）問題國際化，最終完成獨立的大業。蒙古族的代表席海明則他認為，內蒙的前途應由內蒙人民決定。法輪功的代表周蕾，講述了法輪功在國內所遭受的殘酷迫害。

馬大維、倪育賢、薛偉、蔡崇國、趙南、齊墨等人準備了一個聯席會議的新章程，並設計了一個組織框架：聯席會議設立主席和執行委員會。主席由每年的代表大會選舉產生，而執行委員則由主席提名，代表大會通過。在代表大會閉會期間，執行委員會為最高權力機構，負責日常的活動。在主席和執行委員會下面設立功能委員會，目前首先設立的委員會有：國內工作委員會由魏京生兼任主委、外交工作委員會由馬大維任主委、宣傳工作委員會由倪育賢任主委、聯絡工作委員會由薛偉任主委、網路工作委員會由劉剛任主委、工農工作委員會由蔡崇國任主委。同時還下設秘書處，處理聯席會議的會務，其成員有齊墨、盛雪、黃慈萍。最新一屆的聯席會議的執行委員會成員為：主席魏京生；執行委員：齊墨、倪育賢、盛雪、薛偉、趙南、馬大維、蔡崇國、潘晴、劉剛、相林、梁友燦。

　　海外聯席會議第四屆年會2001年1月26至27日在美國首都華盛頓舉行。這次會參加的人數名顯減少，籌備會議的主要是由學自聯中的「三C」俱樂部(Columbia Communication Club)成員擔任，這個三C俱樂部是學自聯「鷹派」的大本營，也是當年發起成立「中國自由民主黨」的主要成員。當年組黨的積極分子黃慈萍，現在是聯席會議的秘書長，也是此次大會的會務負責人。魏京生在工作報告中，除了總結了聯席會議經常性的工作外，還特別提到了救援中功張宏堡和爭取遠華案主角賴昌星留在加拿大的活動。來自臺灣的蘇嘉宏和趙泓章，攜錢參加會議。新組的海外聯席會組織架構及負責人名單是：主席：魏京生；常務委員會委員：王希哲、齊墨、倪育賢、薛偉、馬大維、項小吉；僑務委員會主任：王希哲；外交委員會主任：馬大維；文宣委員會主任：齊墨；人權委員會主任：陸文禾；聯絡委員會主任：薛偉；網路委員會主任：劉剛；工農運動委員會主任：蔡崇國；法律委員會主任：項小吉；秘書長：黃慈萍；秘書：盛雪、相林。各地區分部負責人：美東倪育賢、美西汪瑒、澳洲梁友燦、日本趙南、法國蔡崇國、德國齊墨、英國稅力、北歐張鈺、荷蘭王國興、關島相林、加拿大盛雪、新西蘭潘晴。

　　海外聯席會議第五次年會於2005年4月10至11日在瑞士日內瓦舉行。會議的第一個議題是：民主運動的目標是什麼？有人認為應該搞武裝暴動，有人認為要堅持和平理性。魏京生認為「現在堅定地參加民主運動的人數減少了，但是隊伍更加純潔了。只要有這麼一批骨幹在堅持，一旦時機成熟了，必定會有一大批人跟隨。從各國民主運動歷史上看，在困難時期，堅持的人總是很少的，境況都很艱難，但最後還是成功了。」與會人員認為，宣傳是目前第一需要的事情。應該利用一切可能的機會創立自己的媒體，最初可以是網站，有條件的時候應該有自己的報紙，讓民運的聲音傳播出去。會後的《簡報》是這樣寫的：

　　中國民主運動海外聯席會議於2005年4月8-10日在日內瓦召開年會，來自北美、歐洲、亞洲、大洋洲十六個國家的民運組織代表出席了年會。會議分析了當前世界和中國形勢，討論了海外民運組織的任務，修改了章程，調整了組織結構，選出了新的負責人。魏京生再次當選聯席會議主席。魏京生作了〈2005年會議形勢和任務報告〉。報告指出，國際形勢從單邊主義反恐向多邊合作推動民主

自由的方向轉化。就中國而言，共產黨政權越來越明顯地擺出一副與美國爭奪地區霸權的態勢，企圖取代前蘇聯，成為世界專制國家和勢力的領袖，與民主國家分庭抗禮。國內經濟增長的利益，因為政治體制的先天缺陷而不可能為大多數人所分享。政治體制的專制和非法制化極明顯地阻礙社會的生存和發展。徹底改革和崩潰是不可迴避的兩種可能性。面對全社會的不信任，中共無法重建絕對的權威來維持社會的團結。因此，靠一場台海戰爭樹立威信，是胡溫集團有希望成功的唯一出路。中國民主運動除了建立反對派和反對黨的主要任務之外，還肩負著另外兩項使命：第一是要制止中共發動戰爭，第二是在中共政權崩潰後促進中國走向民主的進程。會議通過了〈2005年會議形勢和任務報告〉。新章程規定，聯席會議每四年召開一次代表大會，每年至少召開一次工作會議。聯席會議設立執行委員會，會議選出7名執行委員，由聯席會議主席、秘書長、副秘書長及北美、歐洲、亞洲、大洋洲四大區負責人組成。

中國民主運動海外聯席會議

2005年4月10日

《簡報》讀起來鏗鏘有力，氣勢恢宏，前途廣闊，潛力無限……但實際上。至此以後，不但「中國民主運動海外聯席會議」從此銷聲匿跡，甚至連民聯、民陣、學自聯等原來頗具聲色的海外民運團體，也逐漸消失在海外的民運舞臺上。臺灣有關方面用金援做槓桿，試圖用「中國民主運動海外聯席會議」重新組合海外民運力量，但是誰也沒有料到，現在的海外民運早已是落日黃花的境況了。

6、臺灣金援與海外民運

臺灣政府到底給了海外民運多少錢，一直是個謎。但自從國民黨失去政權，民進黨為了在臺灣民眾中破壞國民黨的形象，加上原國民黨情治人員從民進黨政府中的出走，臺灣金援海外民運的內幕開始曝光。據2004年5月的臺灣《中國時報》披露說，過去20年，臺灣僅給了美國出版的民運刊物《中國之春》就有800多萬美元（平均每年40多萬）。過去這些年中，這本雜誌曾多次發生內鬨，多次把官司打到法庭。在1993年那次官司「庭外和解」後，《中國之

春》的原班人馬讓出了雜誌名稱，但沒有讓出臺灣給錢的管道，繼續在紐約辦了《北京之春》。《中國之春》則由另一夥人在三藩市承辦。兩家雜誌都靠臺灣方面的資金運作，早已是公開的秘密。

據說，臺灣方面只單線和《北京之春》的胡平聯絡，對《中國之春》也只是定期向它的帳戶撥款。款項的來源完全是秘密管道。1999年《世界日報》刊出了《中國之春》社長徐邦泰涉嫌貪污十幾萬美元臺灣捐款的醜聞，記者手裡有徐夫婦使用《中國之春》信用卡購買東西的收據等資料。其中顯示，僅三年累計的不清帳目就高達20多萬美元。

據2004年5月28日刊登的《中國時報》記者王綽中的特稿中披露：海外民運與臺灣情治部門的關係，可以追溯到一九八二年。當時王炳章在紐約與宦國蒼、梁恆等人一起創辦《中國之春》，臺灣情報局派人與王炳章取得聯繫，王也派了私人代表甯嘉晨到臺灣洽商合作事宜。據國安局密件顯示，情報局在上報安全局核准後，決定與《中國之春》採取秘密方式合作，目標為開展大陸反共民主運動。情報局還特別成立「移山專案」，每月資助《中國之春》三萬美元。1983年5月，情報局派出翁衍慶（化名翁遠書）赴美，負責聯繫指導，其當時職務是情報局美東工作組組長，後升任軍情局中將副局長。83年底，王炳章籌組「中國民聯」，情報局每年向民聯和《中國之春》提供六十萬美元的經費。1984年10月發生「江南事件」後，情報局改組為軍情局，相關情報工作人員陸續更換。與海外民運組織的合作，經當時文工會主任宋楚瑜、安全局長汪敬煦、軍情局長盧光義等商議，報蔣經國核定，1985年12月起轉由文工會接辦，實際仍由軍情局策劃。

1987年5月，王炳章試圖在美國組黨發展，破了規矩，軍情局運用民聯內部力量予以制衡，並且停止金援。直到1988年初，民聯召開「三大」，由胡平擔任主席，軍情局與胡平建立了直接聯繫管道，恢復金援。撥款是以「中華民主自由基金會」的名義，代號為「文正專案」。

1989年六四事件後，外逃的北京學運領袖和曾在中共政府任職的官員，如吾爾開希、陳一諮、嚴家其、萬潤南等人，在法國巴黎成立「民主中國陣線」，影響力有一段時間蓋過「民聯」，亦向臺

灣方面伸手要錢。但臺灣情治部門希望將海外民運組織統合起來，逼其合併。1993年撥專款十一萬美元，召開「民聯」與「民陣」合併大會。雖然會後成立了徐邦泰當主席的「中國民主聯合陣線」，但為爭權和捐款，發生嚴重內鬨，甚至蔓延到臺灣。臺灣安全局、軍情局、陸委會、國民黨海工會，都收到不少請願信和告密信，最後民運組織一分為三。臺灣高層決定，由國安局（支持《中國之春》）和軍情局（支持《北京之春》）分別予以資助。1994年6月，胡家麒接掌軍情局第四任局長，因政策轉變，胡將海外民運力量轉化為搜集大陸情報的工具，於是軍情局下各單位爭相插手海外民運，支援不同派系。直到民進黨掌權，2004年臺灣政府才決定停止對各海外民運組織金援。

據民聯、民陣兩栖元老錢達說：這些錢都是通過臺灣政府中的情治單位撥出的，不在行政院的行政開支預算之內。錢達說，一開始，蔣經國指示只撥經費，並沒有任何附加條件。到了李登輝時代，開始附加條件，要求為臺灣搜集大陸方面的情報，每年最少250件情報。《自由時報》還披露，經費停掉後，錢達在臺灣四處找人，希望能有所轉機。據錢達說，他也到了總統府，找了立法委員，還有情治單位關說，希望能起死回生。錢達說：「薛偉來，見了很多人，做了很多努力，但這邊都沒有下文。薛離開後，我也找了很多方向，談這個問題，但現在，他們避不見面，也不談這個問題。」（臺灣《自由時報》2004年9月23日）

臺灣陸委會副主委陳明通對此表示，以前是每年固定給某些海外的民運組織一筆錢，在新政府上臺後對這種補助的方式進行檢討評估，認為應該採取更有效率的補助方式，協助大陸早日邁向民主化是政府的既定政策，政府仍會持續協助海外民運組織。陳明通說，現在對海外民運組織仍有若干補助，例如他們要舉辦研討會或籌辦活動等，可用「專案」的方式向臺灣政府申請。美國西岸的《中國之春》發行人張偉國透露，他們的刊物因此而在2004年初就停辦了，向臺灣陸委會和三民主義大同盟申請幫助也無法得到支援。東岸的《北京之春》經理薛偉表示，《北京之春》開始從美國民主基金會得到補助印刷費及郵費，目前勉強維持。

但臺灣情治部門並未真正停止利用大陸民運人士的動作，而是轉為積極拉攏王丹、王軍濤和楊建利等知名度高或活動能力強的民

運人士，甚至支助他們赴大陸搜集情資。臺灣國安局對王軍濤、王丹的工作相當重視，內部代號「致廣專案」，由海基會副秘書長顏萬進、國安會諮詢委員林佳龍（林出任行政院發言人後，由蘇進強取代）負責。據國安局密件透露，民進黨政府與「二王」的最初正式接觸始於2001年的「波士頓會議」。臺灣方面出席的是顏萬進和徐斯儉，民運方面出席的有美國的王丹、陳小平、吳稼祥，大陸的劉軍甯、張祖樺和香港的盧四清。這次會議商定了雙方未來合作的框架。同年8月，「二王」被請到臺灣，在新竹市與顏萬進、林佳龍舉行秘密會議，會上決定成立「憲政協進會」，由王丹出任主席，王軍濤出任理事長。此後，民進黨政府就以資助學術研究的形式，由海基會出資向「二王」團隊提供經費。在林佳龍入閣後，相關工作改由蘇進強接手。

2002年3月，雙方再度於紐約舉行會議，王軍濤擔心徐斯儉角色，可能會牽連整個組織網路，甚至把張祖樺都牽連進去。後來顏萬進答應，徐斯儉今後以「臺灣智庫」學者身份出面。當時雙方討論事項包括在大陸設立一個討論政策和情報的網站，以及希望介紹商機來資助大陸民運人士。同年11月，雙方再度於韓國漢城聚會交換情報。2003年2月，「二王」向民進黨政府提交〈中國憲政協會工作總結〉稱：「我們決心建立替代力量，在時機到來時，能大規模地迅速展開力量，推進形勢，打開體制，並通過現代政治運作，將中國擠出世界政治舞臺。」

2003年7月，徐斯儉向陳水扁政府決策高層提出〈二王專案報告〉，列舉王丹、王軍濤團隊「良好成績」，說他們在大陸有以陳子明、謝小慶、黎鳴等為首的獨立民間研究機構為平臺，有現成的社會動員網路和網站，是目前最有價值的民運力量。徐斯儉的報告還建議，在原金援數目的基礎上，每年再追加三百五十萬台幣（十一萬美元）給「二王」的「中國憲政協進會」，資助大陸劉軍甯的民間研究機構每年一萬美元，以及每年資助《北京之春》六萬美元。

據中國時報報導：臺灣國安局長蔡朝明在2004年2月26日呈給國安會秘書長康寧祥和陳水扁的公文中說，臺灣支助海外民運派系之政策目標是：

一、運用民主與人權之招牌，對中國民主化與人權議題形塑國際壓力。

二、運用臺灣民主運動及民進黨發展之經驗，籌組並扶植中國海外反對黨。

三、利用民運分子在大陸親友之關係，拓展臺灣情搜網路，發展組織，並進行情報搜集。

國安局在這份政策建議中，提到在運作時應注意八點原則，其中值得注意是：「為臺灣所用，由臺灣主導」；「勿同意在臺灣設立分支機構，以免養虎為患，入臺後反而從事對臺工作」；「民運各派系分分合合，要有隨時被反咬之準備與防範」；「和美方對中國大陸民主工作範圍應有所區隔」。國安局還具體針對民運個別系統或人員之特質，與對臺灣方政策之價值，作不同區分：

一、「中國人權」：人員雖少，但旗號響亮，加以人權議題比民主議題要具體，在未來兩岸協商中又可扮演議題角色，應保持其運作。不過，因為該團體在幕後有美國支持，臺灣方不宜過度介入，保持友善關係即可。

二、魏京生：具國際知名度，能寫文章，但不會搞活動。在對中國大陸之文宣戰上，有其價值。

三、王軍濤、陳子明：做事低調，但具有能量，深層耕耘，在各地皆有點，具有組地下黨之潛力，可以透過分期、分階段之方式進行支助。

四、楊建利：活動力強，且具協調能力，和各派系維持良好關係，若以海外籌組中國之反對黨而言，與王軍濤同屬領袖人選。

五、王丹：雖具國際知名度，但仍待進一步成熟，現階段而言，對臺灣之主要價值在於文宣。

在《中國時報》獲得的十多份國安局密件中，有國民黨執政時期，國安單位發展海外大陸民運人士概況表和海外民運工作列管表，更有多份民進黨執政後，對大陸民運人士王丹等人支助的簽呈，以及海基會副秘書長顏萬進奉命赴美國波士頓地區，與王丹、

陳小平、吳稼祥、盧四清等多位元民運人士洽談合作紀錄。這份合作紀錄中，王丹等人士向顏萬進建議，雙方最好常設具代表性且可直達高層核心的管道，並在陳水扁所設之民主基金中，提出部分資源專供大陸民運人士使用。同時由臺灣出錢，美國出面，設立民主人才訓練基地，對大陸及海外民運人士進行短期培訓，培訓內容由臺灣方提供。此外，「二王」團隊還要求臺灣資助設立一個研究所（中國戰略研究所）和電臺，以及定期邀請大陸民運人士赴臺參觀訪問培訓。

2003年2月被中國大陸以臺灣間諜罪及恐怖組織罪判處無期徒刑的王炳章，在其〈重建中華民國〉一文中說，臺灣從李登輝時代開始，就開始走情報路線，意欲用有限的金錢，將大陸民運變成情報收集隊和情報採集站。他回憶在1998年訪問臺灣時，與臺灣當局就支援大陸民運的經費問題有過一次談話：「那是臺灣情治機構派來的。那位官員指出，現在的臺灣與蔣經國時代不一樣了，希望大陸民運能夠正視這個現實。臺灣國府現在給大陸民運的經費，只能以搞情報的理由來支出，作為一種情報交換。他說，您可以動員您在大陸的關係搞中共文件，絕密的價最高，機密的其次，秘密的最低。中央一級的價錢較高，省市地方的較低。什麼文件什麼價，我們只能以此來幫助你們大陸民運人士。」

臺灣國安局把民運分子分成不同的類型，其中「聘幹」字是正式聘任的特工，負責進行全方位的情報搜集和民運推動工作。「聯幹」字是專門負責交通聯絡的特工，「民幹」字是專門從事民運活動的人員，工作對象則是準備發展吸收的人員。在軍情局曝光的檔案中，軍情局光是資助民運分子籌辦基金會、研究中心和研討會等，一年就花掉了三、四十萬美元；十多年的花費至少有500萬美元。

除國安局和軍情局直接金援和掌控海外民運組織外，臺灣的三民主義大同盟也長期資助海外民運組織，他們的主要目標是在旅美學生學者中物色特工人員和掌控學自聯。三民主義大同盟是在1982年10月22日成立的，首任主委是何應欽。1988年1月，由曾任國民黨秘書長的馬樹禮接任。到目前為止，三民主義大同盟在全世界有八十六個分會。1989年六四，三民主義大同盟撥專款資助逃離大陸的民運份子，並吸收大陸旅美留學生加入大同盟。2000年3月，由

曾任行政院副院長的高銘輝接任主委。大同盟內頗受馬樹禮重視的副秘書長明居正，經常游走於海峽兩岸，也穿梭於中美之間，其目的一目了然。

其實，幾乎所有的海外民運組織，如「民聯」、「民陣」、「民聯陣」、「自民黨」、「中國人權」、「聯席會議」、「中國之音」、「聯總之聲」、「天安門一代」、「二十一世紀基金會」、《大紀元》、《議報》、《新世紀》、「漢藏協會」、「學自聯」、《大參考》、勞工觀察、宗教迫害調查委員會、憲政協進會等，都曾經或正在拿臺灣政府的錢，因為在海外沒有錢，是什麼事都做不成，什麼聲音也發不出來的。

7、海外民運的現狀與趨勢

海外民運發展到今天，已從八九年六四後的高峰期，走入低谷。面臨下述幾個難題：做什麼與怎樣做？組織的整頓、整合與聯合；財務與經濟後援。其原因有國際國內的大環境，也有他們自己所分析的：「中國的持不同政見運動呈現明顯的中斷性，其特徵是後起的持不同政見運動很少對先前的持不同政見運動有認同感。其後果是，中國的持不同政見運動的經驗沒有得到繼承和積累，也從沒有產生過具有象徵意義的領袖人物。」（楊小凱）

海外民運的現狀可以用散、亂、差三個字來概括。

散，是指海外民運的組織狀況散。山頭林立，派系眾多，其局面頗像民國初期軍閥林立的割據。在國內坐牢的每次從國內出來一個就會新立一個山頭，原來的民運團體依然存在。民運組織黨派難計其數，三兩人便成立一個組織，夫妻二人就設一個黨，互相拆臺。亂，是指海外民運人士和民運組織的觀點理論渾濁混亂。在什麼是民主，什麼是自由，什麼是憲政，什麼是共和？眾說紛紜，莫衷一是。差，是指海外民運人士的素質很低，打架、貪污、偷搶，無所不做，個人品質極差。

雖然今天的海外民運已沒有多少人再關注他們，特別是在最近發生兩件事上，再次引起社會大眾對他們的蔑視和質疑：第一件是四大民運組織，即民聯、民陣、民聯陣與自民黨在2005年3月在澳

洲召開的會議，第二件是中國人權有十二位理事集體辭職一事。第二件事我們在前面已詳細論述，這裡著重討論澳洲的大會事，因為這次不成功的大會，更加標誌了海外民運的弱勢和消亡的趨勢。

這次澳州大會原意是要開成民運組織共商大計，從合作慢慢走向結合之路的大會，但是籌備活動在展開後不久，在2004年12月就發生了二度改組籌備委員會，並由四家合辦改成由民陣一家主辦，其他組織參與的方式，會議的性質變成一個毫無目標的研討會，意味著海外民運僅停留在只能發聲明和抗議的境況。

自九三年民聯陣聯合大會大分裂以來，各派民運頭目鬥來鬥去，只是為了攫取和控制臺灣的那筆經費，並將其納入私囊的權力。魏京生、王希哲大鬧美國國會如是，聯席會議與圓桌會議對壘如是，昔日《北京之春》人馬同民聯陣鬧上法庭也如是。

「中國民主運動2005年澳州大會」於2005年3月19日至21日，在澳大利亞墨爾本的麥迪納酒店召開。民陣主席費良勇、澳洲綠黨發言人布朗參議員、西藏達賴喇嘛代表阿提夏、民陣的錢達、非政府組織代表蓋貝、審江大聯盟代表梁玉峰等均在開幕式上發言。民陣主席費良勇致開幕詞，綠黨黨魁布朗致詞。西藏精神領袖達賴喇嘛的代表阿提夏，非政府組織的代表蓋貝，來自臺灣的資深民運人士錢達，以及來自加拿大的民陣新成員逸君等也在大會上致詞。大會通過了關於「中國人民更需要和平與民主，堅決反對歐盟對中國軍售解禁」的提案。在討論「維護基本人權，抵制『反分裂法』」的提案時，引起很大爭議。為了保證其他議程順利進行，大會擱置了這一提案。接著，秦晉談了民主力量的政治對應，張小鋼就民運的現階段的策略進行了探討，錢達反思了二十年民運歷程，林牧晨談了對中國民主運動的重新認識，李松介紹了關於民運競爭與合作三原則的倡議，潘永忠深入分析了民運競爭與合作三原則的依據，汪岷對未來中國的走向和民運進程表進行了分析……這次會雖然運用了網路技術，也在美國、泰國、英國、日本設立了分會場，但無論是在主會場還是通過互聯網同步出席會議的民運分子少得可憐，士氣大傷。

「澳洲會議」的失敗在於，幾乎大多數民運的「中堅」分子均未參加此會，所以也就失去了其「代表」的意義。會前，他們曾大

肆吹噓將出席這個大會的名單有：嚴家其、司徒華、徐文立、王希哲、王有才、王軍濤、王策、王輔臣、劉國凱、仲維光、吳國光、羊子、王丹、吾爾開希、封從德、熊炎、周鋒鎖、連勝德、項小吉、杜智富、傅申奇、唐元雋、盧四清、魏京生、劉青、吳宏達、唐柏橋、李洪寬、草庵居士、蔡詠梅、郭平、方覺、朱杏清、宋書元、吳江、黃華、陳立群、王亭芳、劉士賢、李力、易改、吳倩、高沛其、陳漢中、吳仁華、楊巍、邢崢、易丹軒、高光俊、楊錚、蘇洋、辛灝年、孫雲、徐拓、鐘衡、廖燃、張麗英、蔡桂華、魏泉寶、劉念春、謝選駿、彭基盤、伍春萌、林才軍、張雪如、黃河清、孫豐、陳維健、陳破空、何清蓮、錢通神、程凱、高寒、林牧晨、馬大維、韓東方、伍凡、潘國平等人(見《博訊》2005年2月24日)。但結果是在這長長的名單中，「出席」了這次大會只有唐伯橋和林牧晨二人，而其中唐伯橋特別說明來澳州，是來看望抵制這個會議的袁紅冰的，而非來參加會議的。「一流」的民運人物沒來，「二流」人物來的也少得可憐，僅有民陣的盛雪和不能代表民聯的呂京花等幾人。而台前操盤手的費良勇，民陣成立初期不知其人，八九民運時期同樣不知其人，出道很晚，資歷甚淺，在海外民運中最多也只能算三流人物。所以，這個會是一個三流民運人物的會議，不要說對海外民運沒有任何影響力，更不要去談「整合民運」了。所以，這個會議的台前操盤手給其背後的真正操盤手——臺灣國安局，等於交了一張白卷，沒有達到台前操盤手原來向幕後操盤手吹噓可以達到的指標。

海外民運發展了二十年，許多民運分子不但「革命」意志衰退，而且很多人已垂垂老矣。有的不但疾病纏身，後顧堪憂。有的遠離故土和親人，孤身漂泊在海外，抑鬱無奈。2005年2月27日，在普林斯頓大學舉行了一場「劉賓雁先生八十華誕暨文學耕耘六十周年」的紀念會，來自美國、加拿大、歐洲、南美各地的一百多人參加。劉賓雁說他從沒想到能活到八十歲，更沒想到會在國外過這個生日。他感慨道：「近年來悟出一個道理，對於中國，個人的作用是太有限了。」這也就是為什麼近年來許多民運人士要回國。王丹甚至還發起了一個「回國權利運動」，他說他不但回不了國，而且護照也過了期：「這對於我這樣一個生活在美國，但既沒有綠卡又沒有美國公民身份的人來說，已經構成身份上的法律問題。更嚴重的是，沒有護照，我已經被實質性地剝奪了做中國人的權利，從

法律上講也已經失去了回國，包括探親的可能性。」他說，「回國權利不僅僅是我一個人的問題。王炳章、楊建利為甚麼冒坐牢的風險也要嘗試回國？劉賓雁，一個為改革開放做出過貢獻，而今天身患絕症的八十歲老人，卻依然被拒之以國門之外，更有王若望、金堯如這樣早年就參加革命的老人，只能客死在他鄉。」

　　隨著海外民運分子的年齡老化，一些民運骨幹已經陸續回國（如原《中國之春》主編丁楚、民陣成員徐剛、學自聯骨幹田朔甯、丁健、王浩、劉亞東、王冉等），一些人死亡（王若望、金堯如、趙品潞等），海外民運確已到了日益凋零的地步。由於資源的缺乏和平面媒體的消亡，很多民運分子整日地沉緬於網路上，靠發一些牢騷，造一些輿論，寫一些感慨度日。也有些人則和國內的民營企業家聯手，在大陸投資積累財富和資源，觀勢而動。萬潤南的「歐亞美澳投資基金」和陳一諮的「當代中國研究基金」都在大陸有投資，而且大陸方面的民營資本都很有規模。除此之外，未來最可能的金援則來自美國政府，因為美國目前的外交政策，是把中國當成了假想的敵人。把日益強大的紅色中國，設法演變成為「美國式的自由民主社會」，是美國當權者未來的設想和目標。

　　據美國國會總審計局2005年3月1日向眾議院外交委員會提交的一份報告顯示，為了推動中國的民主，美國政府已在過去5年花掉了3900萬美元，這些資金已流入一些發展中國民主的基礎項目。據悉，美國總審計局是應眾議院外交委員會成員的要求，而彙編了這份報告。美國總審計局在報告中承認，在向中國的民主項目提供資助經常引起爭議，這些爭議也將會因對中國的人權紀錄、經濟、政治和安全政策等方面的考慮，而繼續下去。美國眾議院從1999年還批准向設在中國境內的民主專案提供援助，報告說，美國國務院提供了一半以上的資金，美國國會民主基金會和勞工部也提供了部分資金。所以，金援海外民運，用海外民運牽制中國政府的人權政策，就成為他們實現這個目標的手段之一。海外民運能否承擔得起這個任務，能否捲土重來再現輝煌？我們拭目以待。

　　*2006年1月，完稿於美國鳳凰城，亞利桑那州立大學圖書館

附錄

一、歷屆民聯代表大會選舉結果及章程

民聯一大選舉結果：

（一九八三年十二月三十日）

主席：王炳章

副主席：汪岷

常務委員：王炳章、汪岷、吳儉祥、林樵清、南明、姚月謙、馮斌、葉小健、劉萬禎

總部委員：王炳章、少軍、尹重光、李國鵬、汪岷、沙林、吳煥章、吳儉祥、希民、怡文、武煒、林木森、林樵清、金陵、郭曉佐、馬汀、南明、姚月謙、高春泥、陳光、梁偉實、馮斌、葉小健、張翔、楊雲、楊士心、劉梓桑、劉萬禎、劉曉萍、薛偉、蘭劍

（港澳委員四名未定）

監察委員：李然、李一諤、汪洋（日本和香港委員各一名未定）

民聯二大選舉結果：

（一九八五年十二月三十日）

主席：王炳章

副主席：柯力思

常務委員：王炳章、李光、沙林、林樵清、柯力思、姚月謙、張俠

總部委員：王策、王炳章、李光、李國愚、朱林啟、沙林、怡文、武煒、林燕君、林樵清、明閣、郭曉佐、柯力思、馬汀、南明、姚月謙、高今航、高春泥、耿晨、黃凡、黃奔、黃琉、雪城、張俠、張森、張漢良、楊農、雷雨、劉梓桑、魏西西、譚純

監察委員會主任：薛偉

監察委員：李然、李兆陽、宗繼祥、洪汝詮、郭平、張志明、

薛偉

民聯三大選舉結果：

（一九八八年一月二日）

主席：胡平

副主席：柯力思

常務委員：王炳章、沙林、林樵清、呼延民、胡平、柯力思、姚月謙、馮勝平、張俠

總部委員：丁楚、王策、王炳章、王維真、李台彥、李國愚、早尚、沙林、車少莉、余直、宗繼祥、林偉、林心聲、林樵清、呼延民、郭城、胡平、柯力思、南明、姚月謙、高今航、高格文、莫逢傑、陳紓塵、馮勝平、張俠、張志明、張卓之、楊農、趙桑、劉梓桑、賴石、謝正一

監察委員會主任：薛偉

監察委員：何明、孟振華、黃奔、童菁、楊先智、薛偉、錢達

民聯四大選舉結果：

（一九八九年六月二十五日）

主席：胡平

副主席：黃奔

聯盟委員會主任：徐邦泰

聯盟委員：于大海、江文、李國愚、呂凡、伍凡、汪岷、吳方城、宗繼祥、姚月謙、高格文、徐邦泰、馮勝平、張偉

候補聯盟委員：良心、林偉、郭平、陳紓塵、馮斌

監察委員會主任：薛偉

監察委員：李兆陽、任松林、莫逢傑、張卓之、童菁、劉新華、薛偉

候補監察委員：李然、郁易敏、楊先智

民聯五大選舉結果：

（一九九一年六月三日）

主席：于大海

副主席：伍凡

聯盟委員會主任：徐邦泰

聯盟委員會副主任：汪岷

聯盟委員：方能達、李國愚、汪岷、汪小風、吳仁華、宗繼祥、姚勇戰、高格文、徐邦泰、張偉、楊漫克、鄭郁、蘇洋

候補聯盟委員：粱華、馮勝平、鐘銳

監察委員會主任：郭平

監察委員會副主任：李兆陽

監察委員：王堅、李剛、李兆陽、郭平、莫逢傑、馮斌、鐘錦江

候補監察委員：任松林、金秀紅

民聯六大選舉結果：

（一九九三年十一月三十一日）

主席：吳方城

副主席：項小吉、謝洪、周小萌

直選委員：顏荔、姚勇戰、趙冬明

地區委員：李伯特（香港）、焦柏固（日本）、孫達聖（澳洲維省）、莊賢康（澳洲紐省）、莫逢傑（洛杉磯）、舒昌清（紐約）、賈文薇（肯塔基）、潘永忠（德國）

民聯七大選舉結果：

（一九九六年五月十九日）

主席：吳方城

副主席：嚴浩、費良勇、莫逢傑

總部委員：姚勇戰、賈文薇、孫達聖、嚴明、何躍、章冬、陳城

民聯八大選舉結果：

（一九九八年五月二十三日）

主席：吳方城

副主席：齊光、費良勇、呂京花、董真海

理事長：項小吉

副理事長：盛雪

理事：費良勇、吳學燦、孫達朋、莫逢傑、唐其煌、張世東、賈文薇、李顯亮、劉玉斌、吳智強、盛雪、馬俊英、巢士民、劉浩、于大海、吳方城、嚴明、黃濟人、董真海、項小吉、開元、齊光、呂京花、甯伸康、陳一平。

中國民主團結聯盟章程：

（民聯一大一九八三年十二月二十九日通過）

第一章　總綱

第一條：本組織定名為中國民主團結聯盟，簡稱「中國民聯」。其機關刊物為《中國之春》雜誌。

第二條：本聯盟以獨立自主為準則，聯合一切民主力量（包括國、共兩黨和其他政黨內的民主力量），從根本上變革中國現行的專制制度，實現「民主、法治、自由、人權」。

第三條：本聯盟現階段之主要政治和經濟主張為：廢除一黨專政，實行民主政治，保障私有產權，提倡多元經濟。

第四條：本聯盟現階段之工作重點是推展中國大陸民主運動。近期奮鬥目標為：取消中華人民共和國憲法中的「四個堅持」，即「堅持社會主義道路、堅持人民民主專政、堅持共產黨的領導、堅持馬克思列寧主義和毛澤東思想」，釋放一切被捕的持不同政見者；爭取持不同政見的民辦報刊在中國大陸出版發行；提倡自由競選各級人民代表。

第五條：本聯盟為和平民主統一中國而努力。中國的統一須有國、共兩黨以外的政治力量及人民層面的廣泛參與，不容任何政黨

包辦。

第二章　盟員

第六條：凡認同本聯盟之章程者，由至少一名盟員介紹，填寫申請書，獲基層組織或總部批准，交納盟費領取盟員證，即成為本盟盟員。

第七條：盟員有遵守本盟章程、保守本盟機密、執行本盟決議、宣傳本盟宗旨的責任，以及交納盟費介紹申請者入盟等義務。

第八條：盟員加入本組織三個月後有選舉權，半年後有被選舉權。盟員有參加所在組織的一切活動及提議、表決、質詢、上訴等權利。

第九條：盟員如違背章程，依情節輕重，本盟將採取說服、暫停活動、勸退和開除等項措施。凡被勸退及開除者，由基層組織上報，總部批准並書面通知本人。

第十條：凡要求退盟者，須向總部或基層組織書面提出，備案即可。凡一年不交納盟費者，按自動退出論。

第十一條：本盟有責任照顧因參與本盟工作而發生事故的盟員及其直系親屬。

第三章　組織

第十二條：本盟組織原則為少數服從多數，決議一經作出，大家共同遵守。要尊重少數人的意見，允許反對意見存在。

第十三條：本盟設總部、分部、支部和小組四級結構，上級協調下級。分部及支部之設立，須經總部批准。未設立分部之地區，支部或小組直接受總部協調。各級機構，須報總部備案。特殊情況下，某些盟員可與任何一級協調機構負責組織工作的同志直接聯繫。

第十四條：本聯盟最高協調機構為總部委員會，由主席、副主席（一至兩名）和委員若干人組成。總部委員任期暫定兩年，連選連任，但主席一職，連任不得超過兩屆。在總部委員會閉會期間，

由總部常務委員會行使總部委員會之職責。總部常務委員會由總部委員民主選舉產生，分工負責。總部委員會主席、副主席亦為常務委員會之正、副主席。主席、副主席由聯盟代表大會選舉產生。

第十五條：分部委員會由主任委員、副主任委員各一人及委員若干人組成。分部委員任期一年，連選連任。

第十六條：支部委員會由主任委員、副主任委員各一人及委員若干人組成，支部委員任期一年，連選連任。

第十七條：小組設小組長一人，任期一年，連選連任。

第十八條：各級委員會由同級代表大會選舉產生，聯盟代表大會（即世界代表大會）為本聯盟之最高權力機構，兩年舉行一次，分部及支部代表會議一年舉行一次。聯盟代表大會之代表由各地推舉及總部推薦相結合產生，各級代表大會在特殊情況下可提前或延期召開。

第十九條：本盟設監察委員會，以監督制衡總部委員會之工作，由聯盟代表大會（即世界代表大會）選舉產生，任期兩年。

第二十條：各級委員會之委員，如不稱職，由同級代表大會罷免，三分之二以上票數生效。

第二十一條：各級委員會之會議作出決議時，至少要有三分之二委員參加生效，決議必須獲得全體委員之半數通過生效。同意和否定票數同等時，主席或主任委員有最後裁決權。

第二十二條：若分部委員會或支部委員會認為總部委員會決議不妥，可召開本地區盟員大會討論。若本地區盟員超過實有人數三分之二否定總部委員會之決議，分部或支部委員會有權抵制總部委員會之決議。

第二十三條：本盟總章程之修改權歸聯盟代表大會，解釋權歸總部委員會。

二、歷屆民陣代表大會選舉結果及章程

民陣一大選舉結果：

（一九八九年九月二十四日）

理事會主席：嚴家其

副主席：吾爾開希

監事會主席：錢達

秘書長：萬潤南

民陣二大選舉結果：

（一九九零年九月二十四日）

主席：萬潤南

副主席：萬潤南

理事：李克威、楊兮、李娟、朱嘉明、馬大維、楊光、汪浩、廖天琪、嚴家其、張郎郎、伍春萌、徐廣繁、錢海鵬、楊中美

理事長：朱嘉明

監委：王超華、錢達、老木、王珞、邵宗懿、李梁、杜智富

監委主席：錢達

民陣三大選舉結果：

（一九九三年十一月二十三日）

主席：萬潤南

副主席：馬大維、齊墨、孫繼生

理事：章雨、蔡崇國、盧揚、秦晉、萬潤南、馬大維、齊墨、孫繼生、黃兆邦、趙南、姚勇戰、盛雪、杜智富、許思可、馬大維、錢達

監事會主席：杜智富

監事：文權、費良勇、孫小剛、王國興、程真、朱韻成

民陣四大選舉結果：

（一九九六年五月十九日）

主席：杜智富

副主席：齊墨、趙南、秦晉

理事：秦晉、萬潤南、蔡崇國

監事會主席：馬大維

監事：

民陣五大選舉結果：

（一九九八年五月二十三日）

主席：杜智富

副主席：齊墨、趙南、莫韋強

秘書長：盛雪

理事：李穎、梁友燦、王進忠、秦晉、孫繼生、稅力、王國興、萬潤南、費錚銘、蔡崇國，鄺明遠（候補）

監事會主席：蔡崇國

監事：霍壯、盧陽、相林、王眾、金曉炎、朱家烈、余強（候補）。

民主中國陣線章程：

（一九九三年十一月二十七日）

第一章 總則

第一條：本組織名稱為民主中國陣線（Federation for a Democratic China），簡成「民陣」（FDC）；

第二條：民主中國陣線作為非盈利組織登記註冊，總部設在法國巴黎；

第三條：民主中國陣線是致力於推進中國民主化進程的政治組織；

第四條：民主中國陣線的綱領是：保障基本人權，維護社會公

正，發展民營經濟，結束一黨專政；

第五條：民主中國陣線在現階段的行動原則是：和平、理性、非暴力；第六條：民主中國陣線宣導政治多元化，在民陣內部堅持組織民主化，派別公開化的原則。

第二章　會員

第七條：凡認同民陣綱領，承認民陣章程者，均可自願報名，經所在民陣基層組織接受並報備總部後成為民陣會員；在沒有民陣基層組織的地區，可直接向總部報名，經批准後成為會員；

第八條：會員有義務遵守民陣綱領，按期繳納會費；

第九條：會員有選舉權、被選舉權，並可以行使表決權、質詢權、申述權、退出權；

第十條：民主中國陣線尊重會員本身的權利和獨立性，但會員不得以民陣名義從事有違民陣綱領和章程的活動。逾期一年不繳納會費又不作說明者，則被視為自動退出。

第三章　會員代表大會

第十一條：民陣會員代表大會負責制定和修改民陣的綱領和章程；質詢審議和批准理事會及監事會的工作報告，並選舉新一屆的理事會和監事會；

第十二條：民陣會員代表大會每兩年召開一次；

第十三條：代表大會的有效法定人數為應到代表人數的二分之一；

第十四條：除特別規定外，代表大會中的議案以簡單多數贊同為通過；

第十五條：本章程的修改經代表大會三分之二多數贊成後生效。

第四章　理事會和監事會

第十六條：民陣理事會負責制定和審議民陣的策略方針、工作計畫，對外政策、財政預算；批准民陣的機構設置和重大人事安排；向代表大會提交工作報告，制定和修改組織條例和工作計畫；

第十七條：理事會設理事十五名，由大會代表分區提名，大會多數通過選舉產生。每屆任期二年，可連選連任；

第十八條：民陣設主席一人，副主席若干人，由理事會從當選理事中提名，交大會多數通過產生。主席、副主席的任期為二年，可連選連任；

第十九條：民陣主席為民陣唯一法人代表，負責召集理事會會議，執行理事會決議，主持民陣總部日常工作；副主席協助主席工作，在主席不能履行職責時，由理事會指定一名副主席代理主席職能；

第二十條：民陣監事會是民陣的監察機構，負責根據章程處理違紀案件；

第二十一條：監事會設監事七名。監事會主席由理事會在當選理事中提名，代表大會多數通過產生；其餘六名監事由大會代表分區提名，由代表大會多數通過產生。每屆任期二年，可連選連任；

第二十二條：理事會和監事會的召集每年均不得少於二次，若三分之一以上理事或監事連署要求，民陣主席或監事會主席必須在一個月內召集理事會會議或監事會會議。理事會或監事會會議的法定人數為三分之二；

第二十三條：民陣主席、副主席、監事會主席的罷免，經理事會和監事會同時分別以三分之二以上理事和監事投票同意後生效。

第五章 基層組織

第二十四條：民陣的基層組織由民陣總部授權後按民主程序自行組建；

第二十五條：民陣基層組織負責人由所在基層組織按民主程序產生，並報總部備案。

第六章 其它

第二十六條：本組織的合併或解散經代表大會三分之二以上多數投贊成票後生效；

第二十七條：本章程的解釋權屬於監事會。

三、歷屆全美學自聯代表大會選舉結果及章程

全美中國學生學者自治聯合會第一次代表大會：

（一九八九年七月二十八日）

選舉劉永川為主席，韓聯潮為副主席，秘書長為劉亞東。

理事會15人，監察委員會5人

全美中國學生學者自治聯合會第二次代表大會：

（一九九零年七月十四日）

選舉陳興宇為主席，陳師眾為副主席，秘書長為董其其。

理事會15人，監察委員會5人

全美中國學生學者自治聯合會第三次代表大會：

（一九九一年七月十四日）

選舉趙海青為主席，耿曉為副主席，秘書長為薛海培。

理事會15人，監察委員會5人

全美中國學生學者自治聯合會第四次代表大會：

（一九九二年六月二十八日）

選舉耿曉為主席，賀保平為副主席，秘書長為張慶松。

理事會15人，監察委員會5人

全美中國學生學者自治聯合會憲章：

（一九八九年七月二十九日通過）

第一章：總綱

第1條：全美中國學生、學者自治聯合會（簡稱全美學自聯）是留美中國學生學者團體的協調性組織。

第2條：全美學自聯代表留美中國學生學者的意願，維護留美學生學者的利益，旨在促進中國自由、民主、人權和法治的進步。

第3條：全美學自聯是非營利性組織。

第二章：會員

第4條：全美學自聯僅接納團體會員，凡在美國各大學、學院和科學文化研究機構中正式註冊的中國學生學者的組織，只要承認本憲章，向本會申請註冊並按時繳納會費，即正式成為會員。

第5條：全美學自聯的會員代表以美國各大學、學院和科學文化研究機構為單位。

第6條：各會員代表單位具有自主權，並在本學聯中享有平等（一票）的選舉權和被選舉權。

第三章：組織結構

第一節：代表大會

第7條：全美學自聯會員代表大會一般每年舉行一次，各一個會員代表單位派一或兩名代表參加，經三分之一及以上會員代表單位提議，可召開特別代表大會。

第8條：代表大會的職責是選舉產生全美學自聯主席、副主席，理事會和監察委員會，設立和解散工作委員會，批准各工作委員會主席人選，審批和表決各項議案。

第二節：理事會

第9條：理事會是全美學自聯會員代表大會的常設權力機構。

第10條：理事分別由八個選區內部選舉產生的理事組成。這八個選區分別為東北部、東部、中大西洋、南部、中西部、西北部、

西南部和太平洋選區。每選區設兩名理事。

第11條：理事代表該理事所在的會員代表單位。

第12條：理事會成員在大會閉會期間負責審議和通過議案。

第13條：理事會決定會員應繳納的年度會費，並有權授理全美學自聯的稅務事宜。

第14條：理事會每季舉行一次會議，討論全美學自聯工作。季會在每季度的第一周舉行。經三分之一理事提議，可召開特別理事會議。

第15條：理事會須有三分之二理事出席才有效。理事會以不少於全體理事總數的二分之一贊成票通過決議。

第16條：每屆理事會推舉召集人一名，負責召集理事會議。

第17條：理事會須在每次會議結束後一周內向全體會員提交書面報告，任何由三分之一以上理事提出的議案均須公佈。

第三節：主席和副主席

第18條：全美學自聯設主席和副主席各一人，由學聯代表大會選舉產生。

第19條：主席的職責包括：1‧對外代表全美學自聯；2‧執行代表大會和理事會作出的決議；3‧負責全美學自聯的日常工作；4‧向代表大會提出年度預算並報告結算；5‧召集並主持工作委員會主席聯席會議；6‧組織並協調各工作委員會職權外的臨時活動；7‧簽署全美學自聯的各種正式文件以使之生效；8‧對由三分之二以下理事通過的決議有否決權。

第20條：主席和副主席的候選人必須為來自不同區域的大會正式代表，經十五名以上代表連署提名後搭檔參加競選。

第21條：主席和副主席當選者必須獲得二分之一以上到會代表的選票。如無候選人超過二分之一票數，大會再對得票最多的兩對候選人經簡單多數投票產生主席和副主席。

第22條：主席每屆任期一年，最多連任一次。

第23條：副主席協助主席工作，在主席因故不能行使職權時，代行主席職務，代行期超過六個月者即被視為一屆主席。

第四節：工作委員會

第24條：工作委員會是根據大會或理事會決議設立的辦事機構。

第25條：工作委員會有權以全美學自聯的名義從事與其所執行的決議有關的工作。

第26條：工作委員會主席人選由該委員會內部提名，交大會或理事會批准；工作委員會其他工作人員由工作委員會自行決定，並報全美學自聯秘書處備案。

第27條：各工作委員會主席半年須向全體會員發表書面報告。每季須向理事會與學聯主席提交工作報告。

第28條：工作委員會須在理事會規定的期限內，制定並向全美學自聯主席和理事會提交工作會章程。

第五節：監察委員會

第29條：監察委員會為全美學自聯的常設監察機構。

第30條：監委會由五名委員組成，委員由八大選區各推選一名候選人經代表大會選舉產生。監委會推選出主任委員一名以召集監委會議。

第31條：監委會在代表大會閉會期間監督全美學自聯主席、副主席和理事會的工作，解釋全美學自聯憲章，裁決與全美學自聯憲章有關的糾紛。

第32條：監委會有權裁定學自聯合主席及副主席是否違背憲章，經三名及以上監委動議可提請理事會對主席或副主席進行彈劾。

第33條：監委會有權裁定理事工作是否違背憲章，經三名及以

上監委動議可提請理事所屬選區彈劾該理事。

第34條：全美學自聯的學聯主席、副主席、理事及監察委員不得兼任。

第四章：彈劾

第35條：在三分之二及以上代表單位或四分之三以上理事連署要求下，可以彈劾主席、副主席或任一工作委員會主席。

第36條：當主席、副主席同時受到彈劾時，由理事會任命代理主席。

第37條：當工作委員會主席受到彈劾時，由理事會任命臨時工作委員會主席，該工作委員會須在一周內提出新的主席人選，由理事會按三分之二多數通過並任命。

第五章：本憲章的補充、修改及通過

第38條：任何對本憲章加以補充或修改的決議須經三分之二以上參加大會的代表通過，即行生效。

第39條：本憲章由三分之二以上參加大會的代表通過，即行生效。

四、民聯民陣聯合代表大會文件

（1993年1月29-2月2日）

一、民聯民陣聯合代表大會正式代表名單：

（民聯代表七十五人，民陣代表七十三人。）

民聯代表——

洛杉磯：張華中、郭開智、馮翹、伍凡、吳仁華

南加州：陶象進、白狄兒、莫逢傑

三藩市：楊建利、蕭平山、唐憲民、徐邦泰、郭平、汪岷、馮斌、吳倩

芝加哥：李小波、張昕

紐　約：薛偉、楊巍、呂京花、亞衣、于大海、蘇洋、鐘錦
江、陳小康

新澤西：林芳、李兆陽

康　州：許毅

華盛頓：黃奔、葉甯、宗繼祥、張偉、姚大林、包建中

維　州：邵青

波士頓：朱一飛

肯塔基：吳方城、陳功祥

密西根：胡平、王堅、鐘銳、齊光

夏威夷：伍穎超

加拿大：李江夢、黃紹熊、張長剛、劉少夫、華強、譚純、張
國強、鐘衡、汪小風、方能達

南　美：李國愚

英　國：梁鐵杉

德　國：梁達勝

悉　尼：胡堯、胡明輝、王源恩、鄭鬱

紐　省：孫蘇建、謝洪、林濤

墨爾本：王容生

西　澳：曹軍偉、劉麗萍

日　本：周小萌、焦柏固

香　港：梁華、張馳、姚勇戰

澳　門：王堯

德　州：徐英朗

華盛頓州：金秀紅

民陣代表——

美　國：許思可、錢達、朱韻成、朱嘉明、馬大維、張郎郎、

楊光、殷紅兵、酈明遠、王志學、程真、崔岳、常向前、金顯華、楊衛民、鐘人、顏荔、劉俊國、趙曉薇、徐教林、王芳、陳洪剛、王武、莫偉強、韓越、黃松岳、任松林、熊焱、錢建軍

加拿大：杜智富、伍春萌、李創同、程功、趙介昂、盛雪

英　　國：汪浩、金曉炎、李光程、劉洪斌、陳曉軒

法　　國：嚴家其、萬潤南、劉衛國、馬濤

岳　　武：蔡崇國

丹　　麥：劉剛

德　　國：廖天祺、嚴曉新、王光秋、修海濤、趙亮、張冬

比利時：錢海鵬、邊疆

挪　　威：陳鎖芬

瑞　　典：謝勳

荷　　蘭：楊斌

瑞　　士：李琳

西班牙：朱光

澳　　洲：李娟、王珞、楊兮、黃兆邦、郁文龍、張曉剛、張肇京、藤正平、楊曉榕

日　　本：楊中美、李梁、張作人、羅雁群

中國民主聯合陣線公告：

中國民主團結聯盟、民主中國陣線世界聯合代表大會於一月二十九日在美國首府華盛頓正式揭幕，共有一百四十七名代表出席了這次大會，其中民聯代表七十五人，民陣代表七十二人，近百名來賓出席了大會。

一月三十日，大會通過由嚴家其負責起草的新組織章程草案，並通過民聯、民陣合併後的新組織名稱為「中國民主聯合陣線」、全體與會代表和來賓為大會終於排除阻力實現聯合而起立鼓掌歡呼。

中國民主團結聯盟和民主中國陣線合併為中國民主聯合陣線。

中國民主團結聯盟和民主中國陣線從合併之日起，光榮、圓滿地完成了他們的歷史使命，原中國民主團結聯盟的全體盟員和原民主中國陣線的全體成員自動成為中國民主聯合陣線的成員。

大會通過的中國民主聯合陣線綱領是：「保障基本人權，發展多元經濟，維護社會公正，廢除一黨專政，推進中國大陸的民主化，建立一個自由、民主、統一、富強的中國」。

二月一日淩晨，大會選舉出中國民主聯合陣線主席徐邦泰，副主席楊建利、張伯笠。

依照《中國民主聯合陣線組織章程》規定，中國民主聯合陣線的理事會和監委會由世界各地區分別推選。目前，絕大多數的理事與監事已經選舉完畢，理監事會已經開始工作。

中國民主聯合陣線將設置若干專門的功能委員會和新聞發言人。人選將按照程式產生，並將在本月公佈。中國民主聯合陣線的英文譯名為：ALLIANCE FOR A DEMOCRATIC CHINA，簡稱「ADC」；中文簡稱為：「民聯陣」。

一九九三年二月三日於華盛頓。

五、中國人權相關文件

中國人權宗旨：

一九八九年三月二十九日，正是中國著名政治犯魏京生入獄十周年，一群來自中國大陸的學生學者在美國紐約創建成立了「中國人權」組織，其宗旨是在中國宣導國際人權標準，普及人權觀念，使《世界人權宣言》中的各項權利在中國最終得到充分實現和切實保障。

中國人權是非盈利性、非政治性的獨立組織，不依附於任何政府、政黨或宗教團體。中國人權認為人權是普適的，同時具有完整性。各項人權互相關聯不可分割。中國人權致力促進的人權，以聯合國發佈的《世界人權宣言》以及相應的一系列國際文件為準則，既包括公民、政治權利，也包括經濟、社會、文化權利。

　　中國人權反對一切形式的暴力。中國人權鼓勵中國國內的人權受害者，依循法律途徑尋求保護，在窮盡本國法律機制的情況下，中國人權為受害者尋求國際上的幫助。

　　當國內的法律與國際人權標準有所抵觸時，中國人權呼籲修改或廢除這一法律。中國人權認為民族自決權是一項基本人權，但保障自決權的方式並不一定等同於國土分離或獨立。對於臺灣和西藏的獨立問題，中國人權保持中立。中國人權的經費來自會員個人和基金會的支持。中國人權不接受任何有政治條件的資助。

2000年中國人權理事會成員：

Robert Bernstein、Joseph Birman、柏楊(Bo Yang)、Greg Carr、鄭心元(Hsin-Yuan Cheng)、張湘湘(Cheung Xiangxiang)、方勵之(Fang Lizhi)、郭羅基(Guo Luoji)、Arthur Helton、Marie Holzman(侯藏明)、Sharon Hom、胡平(Hu Ping)、黃默(Mab Huang)、Robert James、關卓中(Cheuk Kwan)、Joel Lebowitz、李錄(Li Lu)、李曉蓉(Li Xiaorong)、Perry Link(林培瑞)、劉賓雁(Liu Binyan)、劉青(Liu Qing)、陸鏗(Lu Keng)、Harold Hongju Koh、Paul Martin、Robin Munro(羅賓)、Andrew Nathan(黎安友)、Nina Rosenwald、阮銘(Ruan Ming)、Orville Schell(夏偉)、蘇曉康(Su Xiaokang)、叢蘇(Tsung Su)、Anne Thurston(石文安)、王丹(Wang Dan)、王瑜(Wang Yu)、Al Waxman、Susan Whitfield、蕭強(Xiao Qiang)、于浩成(Yu Haocheng)、張偉國(Zhang Weiguo)

2004年中國人權理事會成員：

　　方勵之（中方共同主席，執委）、Robert Bernstein（美方共同主席，執委）、William Bernstein、Joseph Berman、Gregory Carr、鄭心元、Scott Greathead（司庫，執委）、郭羅基、韓東方、Sharon Hom（執行主任，執委）、胡平、Robert James、Harold Hongju Koh、Cheuk Kwan、Joel Lebowitz、Torbjorn Loden、李錄、李曉蓉（執委）、Perry Link、劉賓雁、劉青（主席，執委）、Paul Martin、Andrew Nathan（執委）、Jim Ottaway、Nina Rosenwald、阮銘、Orville Shell、蘇曉康、Anne Thurston、童屹（秘書，執委）、叢蘇、王渝（執委）、Albert

Waxman、Megan Wiese、蕭強（執委）、張偉國。

名譽理事（無表決權）名單：柏楊、張湘湘、Marie Holzman、黃默、林牧、陸鏗、Robin Munro、王丹。

2005年中國人權理事會成員：

Robert Bernstein（共同主席，執委）、William Bernstein、Scott Greathead（司庫，執委）、韓東方、Sharon Hom（執行主任，執委）、Harold Hongju Koh、Cheuk Kwan、李錄、劉青（主席，執委）、Christine Loh、Andrew Nathan（執委）、Jim Ottaway（執委）、Megan Wiese、胡平（執委）、李進進、Robin Munro。

名譽理事：柏楊、張湘湘、Marie Holzman、陸鏗、Joel Birman、joel Libowitz、Torbjorn Loden、Paul Martin、阮銘、Anne Thurston。

國家圖書館出版品預行編目資料

第三勢力 / 少君著. -- 初版. -- 臺北市：博客思，
2016.08
　　面；　公分. --（當代觀察；8）
　ISBN 978-986-93139-9-5(平裝)
　1.言論集

078　　　　　　　　　　　　　105010739

當代觀察 8

第三勢力

作　　者：少君
編　　輯：沈彥伶
美　　編：沈彥伶
封面設計：塗宇樵
出 版 者：博客思出版事業網
發　　行：博客思出版事業網
地　　址：台北市中正區重慶南路1段121號8樓之14
電　　話：(02)2331-1675或(02)2331-1691
傳　　真：(02)2382-6225
E—MAIL：books5w@gmail.com或books5w@yahoo.com.tw
網路書店：http://bookstv.com.tw/　http://store.pchome.com.tw/yesbooks/
　　　　　華文網路書店、三民書局
　　　　　博客來網路書店 http://www.books.com.tw
總 經 銷：成信文化事業股份有限公司
電　　話：(02) 2219-2080　　傳 真：(02) 2219-2180
劃撥戶名：蘭臺出版社　帳號：18995335
香港代理：香港聯合零售有限公司
地　　址：香港新界大蒲汀麗路36號中華商務印刷大樓
　　　　　C&C Building, 36,Ting, Lai, Road, Tai,Po, New,Territories
電　　話：(852)2150-2100　　傳 真：(852)2356-0735
總 經 銷：廈門外圖集團有限公司
地　　址：廈門市湖裡區悅華路8號4樓
電　　話：86-592-2230177　　傳 真：86-592-5365089
出版日期：2016年8月 初版
定　　價：新臺幣360元整（平裝）
ISBN：978-986-93139-9-5